W9-BVH-536

SIGLO DE CAUDILLOS

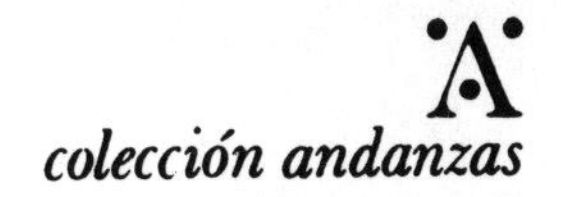

ENRIQUE KRAUZE

SIGLO DE CAUDILLOS

Biografía política de México (1810-1910)

1.ª edición: febrero 1994

Prácticamente todas las ilustraciones de este libro, incluyendo la portada («Muerte de Santos Degollado») proceden de la colección privada de José Ignacio Conde, quien amablemente las cedió al autor para esta publicación. La fecha que aparece en las ilustraciones corresponde al momento aproximado en que fueron hechas. En muchas ocasiones representan póstumamente al personaje que aluden.

Diseño de la colección: Guillemot-Navares

Tusquets Editores, S.A. - Iradier, 24, bajos - 08017 Barcelona
ISBN: 84-7223-413-4
Depósito legal: B. 511-1994
Fotocomposición: Foinsa - Passatge Gaiolà, 13-15 - 08013 Barcelona
Impreso sobre papel Offset-F Crudo de Leizarán, S.A. - Guipúzcoa
Libergraf, S.L. - Constitución, 19 - 08014 Barcelona
Impreso en España

Indice

A la memoria de mi caudillo:
Luis Kolteniuk

AGRADECIMIENTOS

Amigos, maestros y familiares contribuyeron a este libro. Los primeros: Alejandro Rosas, Fausto Zerón-Medina, Fernando García Ramírez, José Manuel Villalpando, Pedro Molinero, Aurelio Asiain, Guillermo Tovar de Teresa, Xavier Guzmán, José Manuel Valverde Garcés, Gerardo Cabello y, sobre todo, Carlos Herrejón, autor de obras fundamentales de investigación primaria sobre la Insurgencia. Los segundos: Luis González y González, Richard M. Morse, David Brading y Josefina Vázquez. Los terceros: Isabel, León, Daniel, Helen, Moisés, Jaime y Perla Krauze, Carmen y Eduardo Torrent, así como la gran matriarca de todos ellos: Eugenia Kleinbort.

Católicos de Pedro el Ermitaño
y jacobinos de era terciaria.
(Y se odian los unos a los otros
con buena fe.)

Ramón López Velarde

Introducción

Carlyle creía que «la historia del mundo es la biografía de los grandes hombres». Creía también que la historia es una Escritura Sagrada que los hombres «deben descifrar y escribir, en la que también los escriben». Sobre ambas creencias ha caído, durante siglo y medio, el torrente crítico de nuevas teorías, unas sensatas, otras banales, la mayoría tan arbitrarias como las del gran escritor escocés. No puede negarse que la historia, cualquier historia, es mucho más que biografía; tampoco, que si algo enseña nuestro tiempo es la inexistencia de leyes inmutables. Descreer de lo primero conduce al culto de la personalidad; dudar de lo segundo significa negar la intencionalidad individual y la relativa indeterminación que, por suerte, conforman la pasta de que está hecha la cotidianeidad histórica.

¿Cómo olvidar, sin embargo, que los bravos Ricardos y los tenaces Enriques de la historia inglesa marcaron *personalmente* el rumbo de su nación? Lo mismo cabe decir de cualquier antigua monarquía y hasta de personajes de los tiempos legendarios de la Biblia. También las repúblicas de la Antigüedad seguían al hombre de excepción. Plutarco y Maquiavelo no reverenciaban el poder sino la virtud cívica con que el poder se ejerce; de ahí que sus historias estén llenas de príncipes, legisladores y guerreros, ejemplares o detestables, pero todos decisivos en su momento. Y aun en nuestro tiempo, por citar un solo ejemplo: ¿es imaginable el desenlace feliz de la segunda guerra mundial sin la valiente actitud de Churchill? Es el carácter reductivo de la doble fórmula de Carlyle lo que la ha desprestigiado, y con razón. Con todo, hay historias y países que se ajustan a ella casi tal como se formuló, y les queda como un traje a la medida. Uno de esos países, tal vez el más carlyleano de todos, es México.

El hundimiento del orden histórico español provocó en toda América Latina la aparición de los caudillos. Entre nosotros la palabra no tiene, por fuerza, connotaciones negativas. Eran los hombres fuertes, los nuevos «condotieros», los jefes, los dueños de vidas y haciendas, los herederos del arquetipo hispanoárabe que blandía la reluciente cimitarra, o los émulos de los caballeros medievales que «se alzaban con el reino». Este proceso se repitió en el México del siglo XIX, aunque con una particularidad. Los caudillos mexicanos tenían algo que iba más allá del mero carisma: un halo religioso, ligado en ocasiones al providencialismo, otras a la idolatría, a veces a la teocracia. En todo caso, una concomitancia con lo sagrado.

El origen de este fenómeno peculiar reside, como ha visto Octavio Paz, en la confluencia de dos modalidades de autocracia religiosa: la indígena y la española. El tlatoani (o emperador) azteca era, si no un dios, sí una encarnación divina ante la cual los hombres no tenían siquiera el derecho de alzar la mirada. Verlo cara a cara conducía a la muerte. Tal temor y temblor ante el *uno* pasaron intactos a la época colonial transferidos a conquistadores, encomenderos, «caciques» o «mandones» –como se les llamaba–, virreyes y hacendados. El énfasis en las palabras «servir» y «mandar» tal vez no sea específicamente mexicano, pero no es frecuente escuchar en otras zonas de América la cantidad de matices que esas dos voces han adquirido en México a través de los siglos. Por lo demás, los tlatoanis no fungían solamente como dueños de la vida de sus súbditos, eran también sus pastores, «padre y madre» de los indios, como refieren los cronistas de Indias. Este rasgo patriarcal se transmitió también a los misioneros franciscanos, dominicos, agustinos y jesuitas de la «conquista espiritual» y a sus sucesores, los «padrecitos» de cada pueblo en el México colonial.

En suma, por tres siglos el orden tradicional mexicano semejó una vasta pirámide de obediencia, aquiescencia, sumisión, casi siempre suave, casi nunca impuesta o violenta. Una pirámide cristiana e imperial, construida sobre otra, en letargo, no vencida: la pirámide indígena. Este fue el orden de dominación política que se hundió en 1810.

Este libro es la biografía política del siglo que sucedió a ese hundimiento. Como en toda América Latina, en México surgieron caudillos que buscaban la independencia, pero eran caudillos peculiares: los sacerdotes insurgentes Miguel Hidalgo y José María Morelos. A su aparición efímera, trágica, preñada de significaciones y tensiones que el futuro revelaría como una escritura cifrada, siguió una etapa (1821-1855) dominada por los típicos caudillos criollos, semejantes a sus pares latinoamericanos. Entre todos, destacó uno, aclamado como el hombre providencial. Aquel monarca sin corona se llamó Antonio López de Santa Anna. Algo había, sin embargo, en la mentalidad criolla –la del propio Santa Anna y la de otros caudillos de su tiempo, no sólo militares sino intelectuales, como Lucas Alamán y José María Luis Mora– que les impidió consolidar a la nación. Aunque poseían la capacidad y los elementos intelectuales para asentar un nuevo orden –unos viendo hacia el futuro, anhelantes de una legalidad republicana, laica, democrática y constitucional; otros vueltos al pasado, nostálgicos de una sociedad jerárquica, católica, centralizada–, no pudieron hacerlo. No sólo eso: presidieron sobre una era de anarquía, desmembramiento territorial, penuria económica y, sobre todo, violencia: revoluciones, guerras extranjeras, contiendas civiles.

Claramente, no bastaba el carisma para reconstruir el orden perdido o edificar otro. El carisma puro, vacío, era en cierta forma el primer obstáculo para cualquier edificación. La misteriosa, carlyleana Sagrada Escritura de la historia de México reclamaba una dominación distinta, nacida de otras fuentes de legitimidad. En ese momento hace acto de presencia Benito Juárez. Ningún otro país de América tendría una figura que realmente se le asemejara: un indio presidente en la segunda mitad del siglo XIX. La demagogia oficial ha deificado su imagen hasta hacerla impenetrable –como si su propia biografía no lo fuera ya, de modo suficiente–, pero ello no resta un adarme a su papel en la consolidación de un nuevo orden político en México. Instintivamente, Juárez bautizaba la nueva legitimidad legal con aguas extraídas del antiguo pozo de los tlatoanis aztecas o, de modo más específico, de sus suaves, severos, melancólicos antecesores zapotecos. En esa confluencia de nuevos ideales con viejos moldes México se afianzó, por primera vez, como una nación autónoma dotada de un Estado fuerte y centralizado. Con Juárez, México adquirió la forma política de un extraño compromiso histórico entre el pasado y el futuro: una monarquía con ropajes republicanos, pero dotada de libertades cívicas y garantías individuales impensables durante la época virreinal.

Esa configuración costó años de sangre. Juárez fue el personaje central de la querella que desgarró al siglo XIX mexicano. Fue casi una guerra de religión, sin precedentes en la historia latinoamericana. Se llamó, con toda propiedad, Guerra de Reforma (1858-1861). México se había independizado de España pero no del orden colonial, porque el lugar histórico de la Iglesia católica seguía siendo central. El embrionario Estado liberal tenía que disputar fatalmente con ese Estado paralelo. Para vencerlo, necesitaba un caudillo que adoptara la doble causa de la Constitución liberal de 1857 y de las Leyes de Reforma que modificaban el lugar histórico que ocupaba la Iglesia en México, con una religiosidad antigua, férrea y casi idolátrica. Ese caudillo-sacerdote-tlatoani fue Juárez. Sin embargo, éste no hubiese avanzado un ápice sin la aportación ideológica de los intelectuales liberales de su misma generación. En la escasa medida en que a fines del siglo xx México tiene una vida constitucional, lo debe a esos hombres soberbiamente independientes –Ignacio Ramírez, Santos Degollado, Ignacio Manuel Altamirano, Miguel Lerdo, Guillermo Prieto y, sobre todo, Melchor Ocampo– que, en la frase del filósofo Antonio Caso, «parecían gigantes». En su momento, casi todos ellos vivieron una paradoja cruel: como liberales creían ante todo en la limitación del poder, pero como miembros del triunfante Estado liberal se incorporaron a él. Al poco tiempo, optaron por la libertad *frente* al poder y se distanciaron de Juárez.

Juárez no sólo acaudilló al país durante la Reforma. También lo hizo durante una guerra decisiva, la de la Intervención Francesa (1862-1867). Esta vez, la ayuda de la siguiente generación liberal, compuesta por caudillos militares (el más notable, Porfirio Díaz), salvó del naufragio al país. A este desenlace afortunado contribuyó igualmente la psicología crepuscular y romántica del hombre que Napoleón III eligió para reinar sobre México: Maximiliano de Habsburgo. El suyo sería el segundo sueño imperial de México. El primero había encarnado en el caudillo criollo consumador de la Independencia, Agustín de Iturbide, coronado Agustín I en 1822. Ambos emperadores vivieron una paradoja extrañamente similar a la de los hombres de la Reforma: compartían la vocación de su siglo –la libertad–, pero representaban la tradición de otros siglos –el poder absoluto–. Eran monarcas con convicciones liberales. Esta duda íntima selló su destino: «en el contexto inhumano de la historia...», ha escrito Octavio Paz, «a aquel que rehúsa el poder, por un proceso fatal de reversión, el poder lo destruye».

El martirio fue la vocación de los héroes mexicanos del siglo xix, liberales y conservadores. De casi todos, salvo de los dos caudillos de Oaxaca que no rehuyeron el mando y, por el contrario, sacralizaron a la investidura presidencial: los místicos del poder Juárez y Díaz. Aquél logró un doble triunfo militar decisivo, ejerció una suerte de venganza histórica sobre las potencias europeas y parió, por decirlo de algún modo, al Estado-nación en México. Díaz completó la obra consolidando al país de acuerdo con los tres valores que rigieron su larguísimo reinado (1876-1911): Orden, Paz y Progreso. Juárez murió en el poder y la gloria. Aquél fue su religión, ésta su premio. Quizá no la merecía al grado de deificación en que se le ha otorgado. Tampoco sus enemigos merecieron el infierno al que siguen condenados. La historia mexicana pudo regir su cauce por leyes misteriosas de carácter étnico como parece sugerir el fracaso inexorable de los criollos y el ascenso firme de los mestizos guiados por aquel pastor indio; pero los perdedores de esa historia –los caudillos conservadores, llamados de mil formas: «traidores», «vendepatrias», «reaccionarios», «cangrejos», etcétera...— no eran acreedores del trato maniqueo que la historia oficial les ha deparado. ¿Y qué mayor paradoja que el exilio póstumo al que hasta la fecha sigue condenado Porfirio Díaz?

Este maniqueísmo muestra que México no ha logrado reconciliarse con su pasado: por eso vive en la mentira o, mejor dicho, en la verdad a medias. Este libro es un intento de mirar con equilibrio y perspectiva al siglo XIX —trecho crucial de ese pasado—, sin el apremio de juzgar, condenar o absolver a sus personajes; más bien con el propósito de comprenderlos. No se trata de poner en la picota a las figuras consagradas ni de vincularlas con sus adversarios en una comunión falsa e imposible. Se trata, sí, de bajarlas del pedestal, mostrar sus rasgos específicos e íntimos, y dialogar con ellas como lo que fueron en su momento: personas de carne y hueso. Aquí no se rehúye el señalamiento de errores y faltas en personajes beatificados por la historia oficial ni la admisión de cualidades en hombres satanizados por ella, pero el espíritu de estas páginas no quiere ser ciegamente «revisionista». Por eso se empeña en ponderar las virtudes cívicas de liberales y conservadores, su valor personal, la claridad y clarividencia de su pensamiento.

Hubo sin duda muchos más caudillos destacados en el siglo XIX mexicano (sacerdotes, escritores, empresarios, políticos, militares) de los que aparecen en este libro. Todos ellos hubiesen merecido un tratamiento detallado y comprensivo. El criterio de selección no fue del todo arbitrario: no se trató de compendiar un diccionario biográfico sino de ilustrar la vida mexicana a través de un conjunto orgánicamente vinculado de personajes, un elenco de lo que Emerson llamó «hombres representativos».

Esta historia adopta la forma de una biografía colectiva porque en México los caudillos han encarnado, en efecto, como quería Carlyle, las tensiones del destino nacional. Sus rasgos personales, sus dramas familiares, sus nudos psicológicos, se han transmitido casi de modo inmediato a la biografía del país. Sería muy hermoso que este pequeño esfuerzo por entenderlos —a todos ellos, no sólo a los héroes de la cultura oficial— contribuyera a la tolerancia de los mexicanos para con nosotros mismos. Y a la reconciliación con nuestros antepasados en conflicto.

Lucas Alamán, uno de los caudillos intelectuales del siglo XIX mexicano, consideraba necesario estudiar la historia española para entender la historia mexicana. La razón era clara:

«de España procede», escribió Alamán, «la religión que profesamos, todo el orden de administración civil y religioso que por tantos años duró y que aún en gran parte se conserva; nuestra legislación y todos nuestros usos y costumbres, razón para dar a conocer el principio que todo esto tuvo, para apreciar nuestro origen, y examinar el nacimiento, progresos, grandeza y decadencia de la nación de que hemos hecho parte...».

Si este veredicto es casi tan válido ahora como cuando se escribió, quizás el lector español reconozca en *Siglo de caudillos* ecos de sus propios episodios nacionales y logre apropiarse de una experiencia histórica que también le pertenece. Porque, aunque la rama se separó del tronco en 1821, siempre le fue —y le sigue siendo— secretamente fiel.

Octubre de 1993

Post scriptum

Lo dicho: México es el país carlyleano por excelencia. El 1 de enero de 1994, justo en el instante en que México parecía haber traspasado el umbral hacia el futuro, la voz armada del pasado recoge en Chiapas el mensaje remoto de Fray Bartolomé de Las Casas, y toma la iniciativa para decir que no, que hay cuentas pendientes con el México tradicional, campesino, atrasado, indígena. Surgen nuevos caudillos encabezando una vez más a las masas con mensajes de redención en este mundo. Algunos de ellos son, como Hidalgo y Morelos, sacerdotes insurgentes. ¿Rehusarán el poder? ¿Destruirán o serán destruidos? ¿Asistimos al hundimiento definitivo del orden político que fundaron Benito Juárez y Porfirio Díaz y que el siglo XX continuó? ¿Vive México la hora matinal de una nueva guerra civil o el doloroso anuncio de un parto democrático? ¿Se reconciliarán por fin nuestros pasados divergentes? En la lucha de hoy encontramos ecos sorprendentes de aquel siglo de caudillos, el siglo XIX. La misma tensión política y religiosa entre sus caudillos y las masas indígenas; el mismo, paradójico destino de muchos hombres en el poder. La Sagrada Escritura de la historia mexicana sigue abierta: ¿la escribimos o nos escribe?

10 de enero de 1994

I
Historia de bronce

Desfile histórico durante las fiestas del Centenario, 15 de septiembre de 1910

Las fiestas del Centenario

Septiembre de 1910. México está doblemente de fiesta: la nación conmemora el centenario de su guerra de Independencia y el presidente Porfirio Díaz, «héroe de la paz, el orden y el progreso», sus ochenta años. Por las mañanas, la capital del país y varias ciudades de la provincia fueron escenario de banquetes, ceremonias cívicas, *garden parties, kermesses,* desfiles de carros alegóricos. Por las noches, en los edificios coloniales iluminados con motivos patrióticos, se dieron suntuosos bailes y recepciones, veladas literarias y representaciones teatrales. Era la *bèlle époque* mexicana en su momento de mayor esplendor.

A aquella fastuosa celebración acudieron embajadores especiales de la mayoría de los países del orbe con los que México tenía relaciones. Día tras día se inauguraban obras materiales y de beneficencia cuyo objeto era dar testimonio del progreso que por fin, luego de un retraso de siglos, caracterizaba la vida mexicana. Apenas desembarcaran en el puerto de Veracruz o se apearan del tren en la frontera norte, los viajeros podrían atestiguar la sólida infraestructura que «don Porfirio» –como (casi) todo México, reverencialmente, le decía– había dado al país desde su lejano ascenso al poder en 1876: obras portuarias, excelentes vías férreas, teléfonos, telégrafos, correos. Ya en la ciudad de México, asistirían a la puesta en marcha de escuelas, hospicios, hospitales, el manicomio y la penitenciaría, todos provistos de los más modernos servicios. Entre las obras de ingeniería, nada desdeñables para su tiempo, que se concluyeron durante las fiestas, estaban la Estación Sismológica y el Canal del Desagüe. La primera permitiría detectar y estudiar mejor los temblores de tierra, casi tan frecuentes y mortíferos en México como los terremotos sociales del siglo XIX. El segundo resolvía, mediante una costosísima red de túneles y canales, el principal problema de la capital desde que, en 1521, el conquistador Hernán Cortés decidió erigirla sobre la ciudad lacustre de los aztecas: las inundaciones.

Tan importante como mostrar al mundo la aptitud mexicana para el futuro, era probar una disposición manifiesta a cerrar las heridas del pasado. Así lo comprendió España, que por tres siglos había imperado sobre el vasto territorio llamado entonces Nueva España y que llegó a abarcar, además del actual México y buena parte de Centroamérica, Nuevo Mexico y Arizona, todo California y Texas. A lo largo del siglo XIX, España mantuvo una actitud de distanciamiento, y aun de abierta hostilidad, frente a su antiguo dominio. En 1910 los tiempos habían cambiado, y para probarlo, España devolvía a México las prendas militares —estandarte, uniforme, pectoral— del segundo héroe mayor de la guerra de Independencia, José María Morelos, ejecutado por los españoles en 1815. «Viva vuestro gran presidente», exclamó en la recepción correspondiente el embajador español, marqués de Polavieja, a lo que Díaz contestó emocionado: «Viva España, nuestra Madre grande».

También Francia, la civilización que las élites mexicanas veneraban desde mediados del siglo XVIII, la fuente de la moda, los estilos artísticos, los códigos de conducta y las ideas políticas, admitía finalmente que su comportamiento con México en el siglo XIX había sido insensato. Mientras los Estados Unidos se enfrascaban en la guerra de Secesión, sus vecinos del sur habían padecido entre 1862 y 1867 una invasión militar ordenada por Napoleón III —e inspirada en parte por los sueños de reconquista de su mujer, la española Eugenia de Montijo— cuyo propósito era consolidar un enclave francés en América. El instrumento para tal efecto fue el desdichado emperador Maximiliano de Habsburgo, cuyo reinado duró sólo tres años y que murió fusilado en la ciudad de Querétaro en 1867. El propio Porfirio Díaz había sido uno de los principales caudillos militares de la guerra contra los franceses, pero ahora todo aquello pertenecía a la leyenda. Durante el largo periodo de Díaz en el poder —conocido desde entonces como «porfirismo»—, París volvió a ser la capital imaginaria de muchos mexicanos, y las relaciones entre los dos países se restablecieron hasta alcanzar la completa normalidad. Como prueba de una definitiva reconciliación, en aquel septiembre de 1910, Francia devolvía las llaves de la ciudad de México que el mariscal Forey había hecho suyas en 1863.

Aunque no devolvió nada de lo que su país se había llevado —prendas, llaves y territorios—, la delegación norteamericana que asistió a los festejos del Centenario dio muestras claras de amistad a sus siempre desconfiados vecinos. Había razones para la persistencia del recelo. Antes que a Francia, los fundadores de la República Mexicana habían admirado a los Estados Unidos. La primera Constitución Federal del México independiente, promulgada en 1824, se había inspirado en la norteamericana. *El Sol*, un diario de la época, consideraba a ésta «una de las creaciones más perfectas del espíritu... la base en la que descansa el gobierno más sencillo, liberal y feliz de la historia». Por desgracia, los Estados Unidos habían medido su comportamiento internacional con una vara diferente de la que utilizaban en su vida interna: la doctrina y práctica del «destino manifiesto». Su primera manifestación militar fue el apoyo a la secesión de Texas en 1836, la anexión de ese territorio en 1845 y la guerra contra México a partir del año siguiente. El 16 de septiembre de 1847, festividad de la Independencia de México, la bandera de las barras y las estrellas había ondeado en el Palacio Nacional, y el recuerdo de esa afrenta no se borraría de la memoria colectiva mexicana. En 1848, mientras en California se encendía la fiebre del oro, México cedía a los Estados Unidos la mitad más rica, aunque prácticamente despoblada, de su territorio. La querella no terminaría allí. Al poco tiempo, el país perdió otra franja menor de su frontera norte y, en plena guerra entre liberales y conservadores (la «guerra de Reforma»), el gobierno de los primeros, encabezado por Juárez, estuvo a un paso de ceder a los deseos del gobierno del presidente sureño Buchanan y convertir de hecho a México en un protectorado de los Estados Unidos, todo a cambio del apoyo estadounidense en la pugna con el bando conservador. Este proyecto expansionista —que llegó a plasmarse formalmente en un tratado— se frustró por varias circunstancias fortuitas, entre ellas el voto del Senado estadounidense en contra del tratado, y la guerra civil, cuyo efecto, en cuanto a México, fue la modificación de las relaciones entre los dos países que propició la penetración económica en vez de la anexión territorial.

Nada de esto había olvidado Porfirio Díaz, que desde su arribo al poder manejó cuidadosa y eficazmente las relaciones diplomáticas con el temido vecino del Norte. El presidente Sebastián Lerdo de Tejada, al que Porfirio Díaz había depuesto mediante un golpe de Estado en 1876, solía decir: «Entre la debilidad y el poder, el desierto». Díaz comprendió muy pronto que la paz entre los desiguales vecinos dependía del cambio de una palabra, y la cambió: en vez de «desierto», «ferrocarril». Durante el porfirismo, las inversiones sustituyeron a las invasiones. Los norteamericanos participaban libremente en todas las áreas de la vida económica: minas, ferrocarriles, bancos, petróleo, industria, agricultura. Su único límite era la competencia con los inversionistas europeos, a los que el gobierno de Díaz, en busca de equilibrio, sutilmente prefería. En fechas recientes, las buenas relaciones entre los dos países se habían ensombrecido por pequeños problemas que los norteamericanos consideraban irritantes: el coqueteo diplomático de Díaz con el imperio japonés, la negativa a que la marina norteamericana utilizase una bahía en las costas del Pacífico mexicano que tradicionalmente empleaba para sus prácticas navales, el apoyo de Díaz a un gobierno opositor en Nicaragua, habían exasperado por momentos al presidente Taft, que a su vez exhibía, a juicio de Díaz, demasiada tolerancia con ciertos «revoltosos» mexicanos que operaban en la frontera. Aun así, las relaciones no parecían tensas y las fiestas del Centenario invitaban a la concordia. Con ese espíritu, la delegación norteamericana honró, en el obelisco de mármol que los recordaba, a los Niños Héroes, seis cadetes adolescentes que en septiembre de 1847 habían preferido morir antes que ceder el último bastión militar, el castillo de Chapultepec, a las tropas norteamericanas. «Nos habéis servido en muchas ocasiones de ejemplo», reconoció Porfirio Díaz, «principalmente cuando el trascendental instante histórico de nuestra Independencia», a lo cual el representante de Washington replicó con un elogio mayor: «Así como Roma tuvo su Augusto, Inglaterra su Isabel y su Victoria, México tiene a Porfirio Díaz. Todo está bien en México. Bajo Porfirio Díaz se ha creado una nación».

Héroes y antihéroes

La noche del 15 de septiembre de 1910, los embajadores especiales enviados a las fiestas del Centenario presenciaron desde los balcones iluminados del Palacio Nacional la fiesta de fiestas del calendario cívico mexicano: «el grito de independencia». Cien años (menos unas horas) atrás, la madrugada del domingo 16 de septiembre de 1810, mientras las tropas de Napoleón ocupaban España y el rey Fernando VII permanecía en cautiverio, Miguel Hidalgo y Costilla, sacerdote criollo de cincuenta y siete años, había arengado sorpresivamente a sus fieles de Dolores, un pequeño pueblo del estado de Guanajuato, «seduxiéndolos» —refieren crónicas de la época— para defender con las armas —es decir, piedras, hondas, palos, carrizos y lanzas— la religión amenazada por los «heréticos franceses» que desde 1808 se habían apoderado de España y no tardarían en llegar a tierras americanas. En la práctica, Hidalgo lanzó a su grey contra los «gachupines» (españoles peninsulares) que «por trescientos años han abusado del caudal de los mexicanos con la mayor injusticia». A la mañana siguiente, presa —según sus propias palabras— del «frenesí», Hidalgo había tenido «la ocurrencia» de extraer de un santuario cercano la imagen de la Virgen de Guadalupe e insertarla en un palo como pendón de lucha. Este elemento de magnetismo religioso y otros factores no tan nobles atrajeron a sus huestes, en menos de un mes, a cincuenta mil hombres de las clases y castas más humildes, indígenas en su gran mayoría. Aquella muchedumbre que, según la historia oficial, luchaba por la independencia de México, arrasó las ciudades de San Miguel, Celaya, Valladolid, Guanajuato y habría hecho lo propio con la ciudad de México si Hidalgo no hubiese ordenado la retirada que a la postre marcaría el principio de su caída. A los pocos meses, Hidalgo fue juzgado por la Inquisición, condenado por las autoridades civiles y finalmente ejecutado en julio de 1811, pero para entonces la simiente de la violentísima revolución sembrada por él había prendido. Sería como un largo terremoto social, casi sin precedentes en Nueva España, con muy pocos en América (el levantamiento de los

Columna y Angel de la Independencia, 1910

negros en Santo Domingo hacia 1801, la rebelión de Tupac Amaru en Perú hacia 1781) y muy distinto de los que en esos mismos días ocurrían en América del Sur: un movimiento generalizado no en la capital sino en las vastas provincias del país, con gran apoyo popular, que duraría varios años y cuya mayor peculiaridad radicaba en haber sido acaudillado principalmente por cientos de sacerdotes armados del bajo clero y de origen mestizo (mezcla de indio y español).

De esta dimensión revolucionaria pocos se acordaban en las fiestas del Centenario. Lo importante, como cada año, era ir a la Plaza Mayor a «dar el Grito». Según testigos, el único «grito» verdadero había sido el que lanzaron las huestes de Hidalgo, «¡Viva la Virgen de Guadalupe y mueran los gachupines!», pero, a cien años de distancia, el tiempo y el laicismo habían transformado el ritual de un grito de guerra santa en un grito de santa paz. A las once de la noche en punto de aquel 15 de septiembre de 1910, el presidente Porfirio Díaz tañía una vez más en el balcón principal de Palacio la misma campana que había agitado Hidalgo en Dolores, pronunciando varios «vivas»: «¡Vivan los héroes de la patria!», «¡Viva la República!». Abajo, al pie de la catedral, en la majestuosa plaza que por siglos, desde tiempos de los aztecas, ha sido el corazón ceremonial de la nación mexicana, cien mil voces coreaban «¡Viva!». ¿Por qué se daba «el Grito» el 15 en la noche y no el 16 en la madrugada? Por una pequeña licencia histórica: el 15 era día de san Porfirio, cumpleaños del presidente.

*

El 16 de septiembre de 1910 se celebró doblemente con un desfile militar y con la inauguración de la Columna de la Independencia. Desde 1877, Porfirio Díaz había dispuesto su construcción definitiva en una de las glorietas del amplio y elegante «Paseo del Emperador» que, por órdenes de Maximiliano, se trazó a imagen y semejanza de los Campos Elíseos, para unir el corazón de la ciudad de México con el castillo de Chapultepec. Situado en las afueras de la ciudad y en la cumbre del cerro arbolado del mismo nombre, aquel palacio dieciochesco donde veraneaban los virreyes había alojado al Colegio Militar durante el siglo XIX, pero Maximiliano y Carlota lo habían redecorado en sus interiores y sus vastos jardines a la manera de su castillo de Miramar, frente al mar Adriático. Porfirio Díaz solía pasar temporadas en aquel lugar, donde por las mañanas nadaba y montaba a caballo, rodeado de los mismos milenarios ahuehuetes que han visto transitar emperadores aztecas, conquistadores, virreyes, monarcas y presidentes.

El martirio de Cuauhtémoc, 1887

Tras la caída del Imperio en 1867, el Paseo del Emperador tomó el nombre de Paseo de la Reforma y se volvió una cátedra abierta de «historia patria», ajustada a la versión que habían introducido los liberales desde su triunfo definitivo sobre los conservadores y que a modo de catecismo se estudiaba en las escuelas públicas. Monumentos colocados en sendas glorietas (calcadas de las *étoiles* parisienses), conmemoraban de manera claramente tendenciosa hechos culminantes del pasado mexicano.

Rumbo al sur, hacia Chapultepec, un extraordinario bajorrelieve de bronce evocaba el tormento del último emperador azteca: Cuauhtémoc. El conjunto vindicaba su gesta y la de los «demás caudillos que se distinguieron en la defensa de su patria». De aquel pasado «aborigen» no había mucho más que recordar. Los textos de historia escritos por los liberales románticos del tiempo de Juárez (Guillermo Prieto [1818-1897], Ignacio Manuel Altamirano [1834-1893], Ignacio Ramírez [1818-1879]) abordaban «brevemente y con la mayor repugnancia, la religión idolátrica, los sacrificios funestamente célebres, las malditas ofrendas»... «el mundo sombrío y melancólico de la raza indígena»... «cuando el terror estremecía todo el cuerpo social, y el pueblo se componía de súbditos y esclavos». La generosa mirada de Justo Sierra –uno de los más finos historiadores (1848-1912) de la era porfirista– suavizó esta versión de sus maestros: refería la «vivacidad extraordinaria» de la cultura maya y con humildad científica admitía el «misterio» de aquel pasado, pero en lo fundamental coincidía con sus predecesores: el pretérito mexicano parecía un «cuadro de dioses voraces y multitudes espantadas, rodeado de sacrificadores, todo untado de negro ... era preciso que ese delirio de sangre terminara». Del pasado indígena, en suma, sólo un rasgo se salvaba, el mismo que consagraba la estatua del Paseo de la Reforma: la valentía con que los caudillos aztecas habían defendido a su «patria». Ella sola otorgaba una «gigantesca superioridad moral a Cuauhtémoc sobre su vencedor». ¿Qué veían los liberales en la historia indígena? En un país habitado por un tercio de población indígena pura (cinco millones, aproximadamente), en un país donde se hablaban más de cien lenguas y dialectos indígenas, en un país cuya cultura popular –religión y magia, formas comunales de propiedad, modos de vivir y morir, de amar y festejar– estaba impregnada de una fuerte influencia indígena, los liberales no veían sino lo que querían ver: su propia, idealizada imagen frente a los invasores franceses.

En la siguiente glorieta se levantaba el monumento al Nuevo Mundo. Enaltecía la hazaña de Colón y la conquista *espiritual* de los grandes misioneros cristianos del siglo XVI, educadores y protectores de los in-

Estatua en honor a Colón y al Nuevo Mundo, 1879

dios, como fray Pedro de Gante y fray Bartolomé de Las Casas, pero omitía representar al mayor villano de la historia mexicana según la versión oficial, el «rapaz, cruel, arbitrario» autor de la *otra* conquista, el «gran forajido» Hernán Cortés, cuyos restos permanecían escondidos en las catacumbas de una iglesia. En el momento de las fiestas, Justo Sierra era ministro de Instrucción Pública y estaba empeñado en transformar radicalmente la educación mexicana. Era natural que en sus libros alabara la obra de aquel puñado de frailes franciscanos, agustinos, dominicos, jesuitas esparcidos desde la tercera década del siglo XVI en los miles de pueblos que integraban la nueva posesión de España: en unos cuantos años, predicando con la palabra y el ejemplo, habían logrado convertir a millones de indígenas al cristianismo, compensar espiritualmente el trauma de la derrota y paliar su orfandad cultural. Tan profunda había sido, en efecto, la huella benigna y piadosa de esos «hombres en quienes», según Sierra, «había tornado al mundo el espíritu angélico del fundador», que en algunos pueblos de Michoacán no sólo sobrevivían las enseñanzas prácticas con las que uno de ellos –Vasco de Quiroga, llamado por los indios «Tata [padre] Vasco»– quiso establecer en México la *Utopía* de Tomás Moro (forja de metales, manufactura de sillas de montar, zapatos y bateas, tallado de muebles y muchas otras industrias) sino que, increíblemente, sobrevivía su memoria. «¡Oh», exclamaba Sierra, «si como el misionero fue un maestro de escuela, el maestro de escuela pudiese ser un misionero!»

Una inmensa estatua ecuestre de Carlos IV, donada originariamente por el monarca español a sus «queridos súbditos» en 1803, era la única alusión –en la tercera glorieta– a los gobernantes del periodo colonial: ninguna estatua recordaba a los reyes de la dinastía de los Habsburgo, a los Borbones ni a los 62 virreyes de la Nueva España. Los libros de historia, escritos décadas atrás por los grandes autores del romanticismo liberal, reflejaban la misma opinión: «La Colonia es siempre infeliz, cualquiera que sea la época, cualquiera que sea la metrópoli», «Ninguno de los elementos que producen la felicidad de una nación recibió desarrollo». A la reprobación de los tres siglos coloniales se sumó también la escuela histórica positivista y evolucionista peculiar de la época porfiriana que, siempre dentro de la matriz liberal, sucedió al romanticismo. En todos los autores el reproche a la Colonia era el mismo: la falta de libertad (económica, política, intelectual, religiosa) había ahogado las posibilidades de desarrollo.

En la cuarta glorieta se alzaba ahora la esbelta columna dedicada a los «Caudillos insurgentes» o «Padres de la patria», coronada por el ángel dorado de la Independencia. El lugar de honor lo ocupaba, por su-

Carlos IV, «El Caballito», 1796-1803

puesto, el cura Hidalgo; junto a él, en segundo plano, aparecían los caudillos de la Independencia que lo siguieron: José María Morelos, Vicente Guerrero, Nicolás Bravo y el La Fayette español, Francisco Xavier Mina. Todos, excepto Bravo, habían muerto fusilados.

Partiendo de la estatua ecuestre de Carlos IV (llamada «El Caballito»), rumbo a la Plaza Mayor, se extendía un antiguo parque llamado «la Alameda». En sus veredas, prados, fuentes y quioscos los citadinos se divertían los domingos y días festivos desde los tiempos coloniales. Precisamente allí, para que todo el mundo lo viera, «don Porfirio» inauguró el 18 de septiembre de 1910 un hemiciclo consagrado al mayor héroe liberal del periodo postindependiente, el presidente Benito Juárez (1806-1872). Para completar la cátedra histórica, hacia las últimas décadas del siglo XIX Díaz había ordenado fundir en bronce la efigie de los principales abogados y militares del grupo liberal —la generación de Juárez y la suya propia— y había colocado sus estatuas como escoltas en las aceras del Paseo de la Reforma.

*

Lo que el visitante, con un poco de curiosidad, podía contemplar —y, con un poco de malicia, criticar— en el Paseo de la Reforma y los otros paseos históricos de las fiestas del Centenario, no era, por supuesto, *la* historia de México sino *una* interpretación de la historia de México: la *interpretación oficial.* Tanto para los pensadores del «porfirismo» como para los autores del «juarismo» que los antecedieron, México había nacido con el grito de Dolores. La historia anterior a 1810 sólo tenía sentido en la medida en que *convergía* en el siglo XIX y *prefiguraba* el triunfo liberal. En la galería de bronce expuesta a lo largo de las avenidas de México, todos los héroes tenían un perfil semejante: eran los caudillos de las guerras mexicanas, trágicos, estoicos, puestos a la defensiva y, casi siempre, derrotados. Los aztecas de 1521 resultaban precursores de los insurgentes de 1810; éstos, de los Niños Héroes de 1847, y todos, de los liberales que resistieron la Intervención francesa en 1862 y la habían vencido cinco años después. Los vinculaba un rasgo común: habían luchado y, en la mayoría de los casos, «muerto por la patria», combatiendo al invasor.

La distorsión con fines de legitimación política y el desprecio o el olvido de vastas zonas históricas no eran las únicas faltas de la versión oficial. La galería liberal era claramente selectiva. Así como ninguno de los villanos de la historia remota, virreyes y conquistadores, merecía una estatua, los «malos» de la historia reciente, los caudillos conserva-

Urna con los huesos de Agustín de Iturbide, 1838

dores del siglo XIX, seguían en el infierno. O en el purgatorio, como el general Agustín de Iturbide (1783-1824), que, aclamado en su momento como el «héroe invictísimo», «inmortal libertador», había consumado pacíficamente, con orden y concierto, la independencia del país en septiembre —siempre septiembre— de 1821. A juicio de los liberales, sin embargo, había cometido el error de creerse el Napoleón mexicano y coronarse emperador un año después. Su breve reinado y el trágico ciclo de su abdicación, exilio, retorno y muerte —como buen héroe mexicano— frente a un pelotón de fusilamiento, no lo redimieron a los ojos oficiales. A lo largo del siglo XIX, mientras duró la querella entre republicanos y monarquistas, federalistas y centralistas, liberales y conservadores, Iturbide había competido con Hidalgo por el puesto supremo de la historia nacional. Historiadores de ambos bandos ponían en duda la continuidad entre el movimiento de 1810 y el de 1821. Les parecía obvio que el libertador era Iturbide y no Hidalgo, cuyo «frenesí» habría quizá retrasado el advenimiento de una independencia que todos los criollos de Nueva España —y de América— anhelaban. Sin embargo, el destino fue implacable con Iturbide. Su recuerdo, ligado *a posteriori,* indisolublemente, al partido conservador, corrió la misma suerte de éste. En 1910, ningún monumento público lo rescataba, apenas una calle. Sus huesos se veneraban en una urna transparente en el lugar sagrado del México conservador: la catedral metropolitana.

No sin razón, el destino se ensañó aún más con el general Antonio López de Santa Anna (1794-1876), cuya tragicómica biografía se enlazó con la del país por más de treinta años. En 1910 no lo recordaba nadie. Entre 1833 y 1855, Santa Anna había sido once veces presidente, y no lo fue más porque su vocación no se hallaba tanto en el ejercicio del poder cuanto en la conspiración perpetua, el lucimiento personal y la guerra. Lector de César y admirador rendido de Napoleón, el sueño de este extraño personaje de opereta detestado por la historiografía liberal, y criticado por la conservadora, era una especie de gloria imperial sin corona. El pueblo, sin distinción de clases, lo adoró casi siempre. No fue el único responsable de la pérdida de Texas en 1836 y menos de la derrota frente a los Estados Unidos en 1847, pero los liberales, que lo derrocaron finalmente en 1855, lo habían convertido en «el hombre fatal, el genio del mal que abortó el averno para oprimir, degradar y vejar a la magnánima, dulce y apacible nación mexicana», un vil traidor «vendepatrias» sin derecho a estatua. ¡El, que durante sus periodos presidenciales no hizo otra cosa que erigirse estatuas!

La misma suerte de Santa Anna la correrían los caudillos conservadores derrotados en la guerra de Reforma y la Intervención francesa,

Tumba de Santa Anna, 21 de junio de 1876

aunque hubiesen sido «niños héroes» en 1847 contra los «gringos», como era el caso del general Miguel Miramón (1831-1867), o del valeroso indígena Tomás Mejía, que había combatido a los estadounidenses en la célebre batalla de La Angostura. Ambos murieron fusilados junto con Maximiliano. Para todos ellos no había amnistía posible en el recuerdo ni lugar en el «altar de la patria». Eran los «traidores», los «cangrejos», los «reaccionarios» que habían querido mantener al país atado a sus viejos moldes coloniales y habían terminado por traer a México a Maximiliano, un «iluso» príncipe extranjero. El espíritu de reconciliación de las fiestas del Centenario no daba para tanto. No había llegado, nunca llegaría, el momento de su absolución. Se trataba, claro, de la ley de los vencedores: de la posible conversión de México en un protectorado norteamericano en 1859 por obra de los liberales, acaudillados por Juárez y Ocampo, únicamente se acordaban los conservadores, es decir los perdedores, es decir nadie.

Sólo un caudillo carecía de estatuas: el propio Porfirio Díaz. ¿Las necesitaba? En su honor se componían himnos y partituras, se escribían biografías y poemas, se festejaba su cumpleaños y el aniversario de su más importante victoria contra los invasores (2 de abril de 1867). Con su nombre se bautizaban ciudades, calles, mercados, edificios y niños. Su efigie no sólo presidía las oficinas públicas: estaba en los aparadores de las casas comerciales, en los platos de mesa, en los calendarios escolares, en las envolturas de cigarros y cerillos. Se decía que Tolstói lo había llamado «prodigio de la naturaleza» y Andrew Carnegie «el Moisés y Josué de México». Era, según frases de la época, el «buen dictador», el «hombre necesario», el «presidente insustituible». Las fiestas del Centenario estaban destinadas a marcar el punto culminante de la historia mexicana y él, Porfirio Díaz, se sentía el héroe culminante. Junto con Hidalgo y Juárez, formaba una especie de Santísima Trinidad de «la historia patria» en la que él, don Porfirio, compartía el título de Padre de todos los mexicanos. Su biografía y la de México seguían siendo una y la misma, como lo habían sido desde su lejano ascenso al poder en 1876. No necesitaba estatuas: era una estatua viviente.

Hemiciclo dedicado a Juárez, 1910

Pasados en conflicto

La pompa ceremonial de las fiestas del Centenario, los discursos ditirámbicos, el bronce hierático de las estatuas, la misma actitud maniquea de veneración por los héroes y de repudio por los antihéroes, todo ello contribuía a ocultar la complejidad y, en último término, la verdad de la historia mexicana. La premisa fundamental de la historia oficial era muy sencilla: México había nacido en 1810; a partir de esa fecha se había comenzado a construir, con inmensa dificultad, una patria soberana e independiente. A juicio de los liberales de la segunda mitad del XIX, tanto románticos como positivistas, esta construcción superaba por entero la historia de los trescientos años anteriores, tiempos sólo de «laboriosa y deficiente gestación» de la nacionalidad (Sierra). ¿Qué sentido tenía —argumentaban los liberales— cribar en los «lúgubres», «supersticiosos», estancados tiempos coloniales o, menos aún (único punto en que estaban de acuerdo con los conservadores), en las «repugnantes carnicerías humanas de las teocracias indígenas»? Ambos periodos representaban el pasado del que debía huirse. «Los mexicanos no descendemos del indio», escribió alguna vez, sin mirarse mucho al espejo, Ignacio Ramírez, «tampoco del español: descendemos de Hidalgo.» Y agregaba: «¡Mueran los gachupines! ¿Hay algún mexicano que no haya proferido alguna vez esas sacrosantas palabras?».

En 1910, aún había muchos. Para Lucas Alamán (1792-1853), el más ilustre historiador conservador del siglo XIX, y para varias generaciones de mexicanos que lo leyeron y siguieron, México no había nacido en 1810 sino en 1521. Del pasado anterior a 1810 no debía huirse: había de guardársele fidelidad, atesorarlo y, en cierto sentido, recobrarlo. «México», escribió Alamán, «es un país en que todo cuanto existe trae su origen en aquella prodigiosa conquista ... la conquista es el medio con que se estableció la civilización y la religión en este país y don Hernando Cortés fue el hombre extraordinario que la Providencia destinó para cumplir estos objetos.» Tenía cierta razón: ¿de dónde, si no de Nueva España, provenían el idioma castellano, la profundidad moral y artística del catolicismo popular, la arquitectura civil en las ciudades y los pueblos, las joyas de la arquitectura religiosa, las grandes creaciones en la pintura, la escultura, la música y la poesía y hasta muchos de los guisos de la cocina mexicana? Quizá porque en su natal Guanajuato presenció la matanza atroz de españoles a manos de las huestes de Hidalgo en 1810, Alamán había terminado por concebir la historia mexicana desde ese momento como una *caída:* «Fatídico parece ser el 16 de septiembre para la nación mexicana ... en esa fecha levantó Hidalgo en Dolores el estandarte de la revolución que, propagada rápidamente, fue causa de la desolación del país». Y agregaba: «¡Viva la Virgen de Guadalupe y mueran los gachupines! ¡Reunión monstruosa de la religión con el asesinato y el saqueo!, grito de muerte y desolación que habiéndolo oído mil veces en los primeros años de mi juventud, después de tantos años, resuena todavía en mis oídos con un eco pavoroso». De haber triunfado los conservadores en la guerra de Reforma, el Paseo del Emperador hubiera mantenido su nombre, y en sus glorietas y aceras se hubieran erigido estatuas de bronce a Cortés, los misioneros, los primeros virreyes de los Habsburgo, los últimos virreyes borbónicos, algunos arzobispos, Iturbide, Miramón, Maximiliano y el propio Alamán. El triunfo fue de los liberales, que desecharon la versión histórica de sus contrarios.

Aunque nunca llegarían a reconocerlo, en ambas posiciones había un fondo de verdad. La liberal tenía razón en subrayar el logro punto menos que milagroso de construir en un siglo un país independiente y consciente de sí mismo, con un lugar modesto pero respetado entre las naciones, un Estado relativamente moderno, un mercado interno relacionado con el exterior y una sociedad laica y libre. Logro tanto más meritorio cuanto que México lo había intentado con un retraso de cuando menos dos siglos con respecto a los países adelantados de Occidente. Pero la posición conservadora tenía razón en poner el acento en las profundas raíces históricas (valores éticos, estéticos, intelectuales, religiosos, etc.) que provenían de Nueva España. Esas raíces significaban algo distinto a una «laboriosa y deficiente gestación»: una identidad. Aunque tampoco llegarían a reconocerlo, ambas posiciones estaban erradas en cuanto propendían a la idealización: a lo largo de todo el siglo XIX, los liberales idealizaron la facilidad con que el país podía acceder al futuro plenamente moderno (republicano, capitalista, federal, democrático) con sólo proponérselo y legislar sobre él. Por su parte, y de un modo más agudo, los conservadores idealizaban el pasado colonial, cuyas instituciones de toda índole (políticas, religiosas, económicas, educativas) denotaban una anacrónica rigidez que las hacía enteramente inapropiadas para sobrevivir en un mundo moderno.

Lo cierto, sin embargo, es que en tiempos de don Porfirio, desde las cumbres de «la Paz, el Orden y el Progreso» que el país creía haber alcanzado, la polémica sobre el pasado de México parecía cada vez más remota. Nadie ignoraba que justamente por esa razón, su opuesta valoración del pasado colonial, las élites mexicanas del siglo XIX se habían dividido en dos bandos a tal grado irreconciliables que tuvieron que zanjar sus diferencias en la guerra de Reforma. Con todo, aquella contienda resuelta por las armas en favor de los liberales parecía superada. El Partido Conservador había sido derrotado en lo político y sus héroes habían sido expulsados del «panteón de la patria», pero los conservadores podían prosperar en lo económico, seguir educando a sus hijos en la fe católica, permanecer fieles a sus creencias religiosas y practicarlas sin que nadie los molestara. Más aún, podían ocupar los más altos puestos políticos siempre y cuando reservaran para su ámbito privado la expresión de sus convicciones religiosas. La llamada «política de conciliación» con la Iglesia había llegado a ser hasta tal punto exitosa que en las fiestas del Centenario un controvertido sacerdote, el octogenario Agustín Rivera, sostuvo que «Hidalgo y Juárez plantaron la frondosa oliva de Porfirio Díaz». Y lo que era todavía más sorprendente: muchos de los valores del México conservador los había adoptado «sabiamente» el México liberal. El propio Porfirio Díaz constituía el mejor ejemplo de este extraño compromiso: formalmente era el presidente de una república representativa, democrática y federal; en la práctica, era el dictador paternal de una monarquía absoluta, centralizada y vitalicia ... como la que muchos conservadores habían añorado y buscado durante todo el siglo XIX.

El acuerdo era sólo aparente. El desencuentro entre ambas posturas, la mutua falta de generosidad, de inteligencia con respecto a las razones del *otro*; los odios casi teológicos que habían dividido a las familias mexicanas y a *la* familia mexicana, fueron hechos que nunca se discutieron ni se resolvieron: durante la era porfiriana se disimularon dando lugar a lo que Gabriel Zaid ha llamado un conservadurismo subrepticio *dentro* del Estado liberal, una extraña integración de república y monarquía, de centralismo y federalismo, de democracia y autocracia que alentó, no la madurez política, sino la confusión.

Sumidos en esa confusión, los hombres del porfirismo no entendían la complejidad de la Revolución de Independencia que festejaban porque creían resueltas o en vías de resolverse (o insolubles, por parecer inherentes a la condición humana) las tensiones históricas que aquella Revolución había sacado a la luz. Si el terremoto social no volvería a ocurrir, si México estaba curado de revoluciones, si la Revolución de Independencia no había tenido más objeto que presagiar la patria de los liberales, si la historia mexicana a partir de 1810 era una marcha evolutiva constante hacia 1910, no había razón para detenerse demasiado en el estudio de aquella lucha: sus episodios no parecían encerrar lección alguna para el presente.

Pero encerraban una lección inmensa. Un examen cuidadoso de la Revolución de Independencia habría modificado profundamente la perspectiva histórica de los confiados porfiristas y hubiera ahorrado, tal vez, el cataclismo que sobrevendría meses después de las fiestas del Centenario: una nueva revolución social, notablemente similar a la de 1810. Ellos no podían *ver* la revolución —la pasada y la inminente— porque, entre otras cosas, vivían presos en una concepción *lineal* de la historia. Para ver la revolución no era preciso adoptar la idea circular de los aztecas, sino un concepto mixto, dialéctico si se quiere, a través del cual la historia mexicana no apareciese sólo como una marcha hacia el progreso liberal sino como el lugar de una tensión continua, arraigada en todas las capas sociales, entre dos fuerzas: el peso del pasado y el llamado del futuro.

Vista así, la biografía del siglo XIX encarnada en sus caudillos adquiere sentidos distintos, más variados y profundos, más fieles a la realidad. En liberales y conservadores influían los pasados de México, ese complejo y rico entramado de costumbres, creencias e ideas heredado de los treinta siglos de cultura indígena y los trescientos años de dominio español. En unos y otros influían también los futuros de México: esa triple promesa de prosperidad material, educación y libertad política que tras la Revolución francesa se había vuelto divisa del siglo XIX. Ambas influencias se dejaban sentir, pero se manifestaban de modo distinto. Los liberales pretendían construir la patria a partir del «borrón y cuenta nueva» de los pasados. Los conservadores hacían lo propio con base en la preservación de esos pasados, en particular del componente español y católico. A despecho de la historia triunfante, México no sería nunca un país liberal. A despecho de la versión derrotada, México no sería tampoco un país conservador. Sería —sigue siendo— un país en permanente conflicto entre la tradición y la modernidad: orientado hacia ésta, arraigado en aquélla.

Esta tensión entre los dos proyectos no podía encontrar una solución definitiva en la proscripción de uno por el otro ni en la mezcla de sus elementos de manera turbia, en una especie de *integrismo* de Estado en cuya cúspide reinaba un presidente vitalicio (y, aunque Porfirio Díaz no lo creyera, mortal). La solución se cifraba en una sola palabra que no confunde o deforma las ideas, sino que las distingue, las respeta en su pluralidad y las pone a competir: la democracia.

Aquí radica la diferencia fundamental entre ambos proyectos y la razón moral e histórica que a fin de cuentas asistía a los liberales. Porque la democracia —con sus valores de tolerancia, libertad y respeto a la persona de cualquier origen y credo— fue precisamente la bandera de los liberales puros que participaron en el Congreso Constituyente de 1856 y juraron la Constitución un año después. Sobre ese momento axial del siglo XIX, uno de los grandes historiadores del siglo XX mexicano —Daniel Cosío Villegas— escribió:

«La historia mexicana tiene páginas negras, vergonzosas, que daríamos mucho por borrar; tiene páginas heroicas, que quisiéramos ver impresas en letra mayor; pero nuestra historia tiene una sola página en que México da la impresión de un país maduro, plenamente enclavado en la democracia y el liberalismo de la Europa occidental moderna. Y esa página es el Congreso Constituyente de 1856. A él concurrieron los hombres de las más variadas tendencias, hombres, además, de convicciones muy definidas; de pasiones fuertes algunos y otros de temperamento combativo que fácilmente alcanzaba la temperatura del fuego; pero en ningún momento, ni siquiera usando inocentes triquiñuelas parlamentarias, nadie quiso imponerse por la violencia o la sorpresa, o desconocer, o siquiera regatear, las soluciones de la mayoría».

Si aquel proyecto democrático no triunfó plenamente fue debido a tres poderosas razones: ante todo, a la intolerancia y la ceguera de la Iglesia y los conservadores; a la falta de una base social (una clase media significativa) que sustentara el programa liberal, y al papel de los dos místicos del poder —Juárez y Díaz— que decidieron posponer la democracia y adoptar el esquema político conservador bajo formas liberales. No obstante, las libertades y garantías individuales consagradas en la Constitución de 1857 persistirían a partir de entonces como el legado mejor de aquellos hombres.

En 1910 surgió un nuevo caudillo que retomó el ideario político de los liberales de la Reforma frente a Porfirio Díaz: Francisco I. Madero. Su programa era sencillo: México debía ser, en la realidad, lo que era ya en la letra muerta de la Constitución: una república, representativa, democrática y federal. En ese esquema cabían todos los partidos: empezando por el proscrito Partido Católico. Madero, llamado «el apóstol de la democracia», encarnó una milagrosa oportunidad de reconciliación histórica. Por eso su revolución, puramente democrática y casi incruenta, tuvo tantos adeptos y derrocó a Porfirio Díaz en 1911. Tras ganar las elecciones ese mismo año, Madero dio pie al único experimento de democracia plena en el México del siglo XX: los quince meses de su gobierno.

México parecía haber encontrado un camino para transitar del orden porfiriano, basado en una legitimidad mixta (formalmente legal, sustancialmente tradicional), hacia una vida política basada en la sola legitimidad legal, democrática y moderna. Por desgracia, el golpe de Estado contra Madero y su asesinato el 22 de febrero de 1913 cortaron de tajo esa alternativa. Tal como ocurrió al hundirse el orden colonial, estalló una nueva era de violencia social a cuyo frente aparecieron, como era natural, los imprescindibles caudillos. Paradójicamente, la revolución terminaría por construir, durante los años treinta, un orden político no muy distinto al porfiriano, un nuevo y antidemocrático *integrismo* de Estado: el régimen de la «revolución institucional» que José Vasconcelos bautizó de modo perfecto: «porfirismo colectivo».

En el momento de mayor solemnidad de las fiestas del Centenario, el día de «la apoteosis de los héroes», don Porfirio —que era más bien alérgico a la palabra, hablada o escrita— habló, y al hablar resumió con sencillez su interpretación de la historia mexicana:

> «El pueblo mexicano, con vigoroso empuje y con lúcido criterio, ha pasado de la anarquía a la paz, de la miseria a la riqueza, del desprestigio al crédito y de un aislamiento internacional ... a la más amplia y cordial amistad con toda la humanidad civilizada ... Para obra de un siglo, nadie conceptuará que eso es poco».

Tenía razón: nadie podía conceptuar que eso era poco. Pero Díaz era ciego a la mitad de la historia. Muy pronto, los pasados mexicanos (latentes, pendientes, inasimilados, soterrados) ocuparían todo el escenario. Cargado de esos pasados, un vasto sector del pueblo mexicano tomaría las armas en una larga, reveladora y sangrienta revolución. Esa era también la obra de un siglo que no había logrado reconciliar plenamente, en la democracia, las tendencias históricas de México: el violento, trágico, luminoso siglo XIX, siglo de caudillos.

II
Sacerdotes insurgentes

El cura Hidalgo, 1849

Frenesí de libertad

Desde la perspectiva oficial, la Revolución de Independencia había sido, exclusivamente, una revolución *para* la independencia. De hecho, en la propia terminología se notaba la carga interpretativa: de la fórmula «revolución de independencia» utilizada por todos los autores cercanos al hecho histórico, había desaparecido la palabra «revolución». Esta limitación de la guerra a su componente libertario podía corresponder en parte al sentido ideológico de la lucha personal de Hidalgo, pero era sin duda insuficiente para entender el complejo movimiento histórico cuyo centenario ruidosamente se celebraba.

Hidalgo se inscribía en una antigua tradición de patriotismo criollo común a toda la América española, que en Nueva España databa del siglo XVI y que había tomado un fuerte impulso en la obra de los jesuitas criollos ilustrados de mediados del siglo XVIII, a quienes los Borbones, celosos de su influencia, habían expulsado de sus dominios en 1767. Para reclamar legítimamente el derecho de propiedad (política, económica, burocrática, religiosa) sobre el país, monopolizado por una minoría de españoles peninsulares (15.000 en un país de 6 millones), los jesuitas asentados en Valladolid (Francisco Xavier Alegre y Francisco Xavier Clavijero, entre otros) recurrieron a la única vía que les quedaba: la del origen, la del nacimiento. Para ello hicieron una suerte de gran inventario de la riqueza de *su* nación: estudiaron amorosa y científicamente la historia antigua, la arqueología, la lengua, la geografía de Nueva España. Hacia fines del siglo XVIII, otra corriente de pensamiento criollo, representada por el sacerdote Servando Teresa de Mier, desarrolló las más extraordinarias conjeturas teológicas para reclamar los derechos de los criollos sobre el país, tendiendo un puente entre ellos y el pasado azteca para así deslegitimar los derechos divinos de la Corona en torno a la Conquista. Según fray Servando, el mitológico y civilizador dios Quetzalcóatl había sido el mismísimo apóstol santo Tomás. Cuando sobrevino la Revolución, todas estas aportaciones científicas y teorías descabelladas se tradujeron en un ciego optimismo de los criollos sobre la importancia de su país al que, genéricamente y con jactancia, llamaban «América». «Haremos uso libre», proclamaba Hidalgo, «de las riquísimas producciones de nuestro país y a la vuelta de pocos años disfrutarán sus habitantes de todas las delicias de este vasto continente.» Allende, el capitán criollo que lo secundaba, creía que Guanajuato, una de las principales ciudades mineras de Nueva España, se convertiría nada menos que en «la capital del mundo».

En el caso particular de Hidalgo, había también razones menos ideales en su reivindicación criolla: la brutal exacción fiscal por parte de la Corona a las colonias, destinada a financiar la guerra contra Inglaterra (llamada «Consolidación de los Vales Reales», decretada en 1804), no sólo lo había puesto al borde de la ruina en 1807 con el embargo y la amenaza de remate sobre las haciendas suyas y de sus familiares (Santa Rosa, San Nicolás, parte de Jaripeo), sino que había afectado, hasta el enloquecimiento y la muerte en 1809, a Manuel, su hermano menor.

En 1810, cuando estalló la revolución, Hidalgo era reconocido como «uno de los mejores teólogos de su diócesis», «hombre de grandísima literatura y vastísimos conocimientos en todas líneas». Nacido en 1753 en la hacienda de Corralejo, Guanajuato, hijo del administrador de esa hacienda, había seguido la carrera eclesiástica en Valladolid, donde le tocó presenciar la expulsión de los jesuitas. Sus compañeros de colegio le llamaban «el Zorro», sobrenombre que, diría Alamán, correspondía «perfectamente a su carácter taimado». En 1782 obtuvo el bachillerato en teología y fue profesor (por diez años), tesorero, vicerrector y finalmente rector del afamado Seminario de San Nicolás en la misma ciudad. En defensa de la teología positiva y frente a la interminable hermenéutica de la teología especulativa, publicó en 1784 dos *Disertaciones sobre el verdadero método de estudiar teología escolástica*, una latina y otra castellana, que le valieron el reconocimiento del gran teólogo de su tiempo, el doctor Joseph Pérez Calama: «con el mayor júbilo de mi corazón preveo, que llegará a ser Vmd. luz puesta en Candelero o Ciudad colocada sobre un monte. Veo que es Vmd. un joven que cual gigante sobrepuja a muchos ancianos que se llaman Doctores y Grandes theólogos».

En sus parroquias, la opinión sobre él, aunque siempre admirativa, era un tanto diferente. A principio de siglo, el Santo Tribunal de la Inquisición comenzó a recibir diversas denuncias contra Hidalgo, que oficiaba entonces en la pingüe parroquia de San Felipe Torres Mochas, cercana a sus haciendas. Las alarmas de los denunciantes eran de dos géneros: moral y teológico. Sus malquerientes no dudaban de su «finísimo argüir» y no faltó quien definiera su «genio» como «jocoso» o «trabieso *[sic]* en línea de letras», pero el cura incurría en conductas extravagantes: era «jugador de profesión y como tal disipado», «libre en el trato con mujeres», dado a la «continua diversión» a tal grado de que «en casa de dicho Hidalgo había una revoltura que era una Francia chiquita», lugar de encuentro de «músicos y músicas, juegos y fandangos», «tiene asalariada una completa orquesta cuyos oficiales son sus comensales y los tiene como de su familia». El problema, sin embargo, no era tanto lo que Hidalgo hacía como lo que pensaba. A juzgar por las denuncias, el Cura era casi un hereje: entre los muchos cargos que se le hacían, Hidalgo habría negado el infierno («No creas eso Manuelita», confesaba haberle oído decir una amiga cercana, quizá demasiado cercana, «que éstas son soflamas»), se burlaba de santa Teresa («una ilusa, porque como se azotaba, ayunaba mucho y no dormía, veía visiones»), predicaba un libertinaje intelectual (la Biblia se debía «estudiar con libertad de entendimiento para discurrir lo que nos parezca sin temor a la Inquisición»), dudaba que los judíos pudiesen convertirse («pues no consta del texto original de la Escritura que haya venido el Mesías»), leía libros prohibidos y, ya en el extremo, sostenía festivamente (en el confesionario, según algunos) que «la fornicación no es pecado».

El ciclo de denuncias se cerró al poco tiempo y, aunque volvió a abrirse en 1807, en ningún caso prosperó. Más allá de la probable exageración o distorsión en algunos de los cargos —sobre todo en el ámbito de la teología—, Hidalgo contaba con apoyos decisivos: era singularmente apreciado por las autoridades civiles y eclesiásticas de su intendencia y diócesis, que por lo demás veían con buenos ojos los aires de libertad con que comenzaba el siglo. Más que una herejía con tendencias luteranas (como sostenían algunos), Hidalgo se inscribía dentro de la crítica jansenista a la vida religiosa. Sus biógrafos de todas las épocas han descartado las denuncias atribuyéndolas a la envidia o relacionándolas con los sucesos posteriores de la vida de Hidalgo (el expediente inquisitorial se reabrió, en efecto, durante el proceso final al que sería sometido). Pero cuando menos en el aspecto moral, la concordancia interna de las declaraciones apunta más a la verosimilitud que a la duda: Hidalgo era un cura no sólo inquieto sino excéntrico, un hombre libre y brillante que atraía —que seducía— a sus contemporáneos más ilustrados pero incomodaba a los más rígidos y conservadores. Vagamente adivinaban en él la semilla de algo nuevo y desconcertante.

Había muchos Hidalgos en Hidalgo, todos igualmente excéntricos. En su ejercicio ministerial (en las parroquias de Colima, San Felipe y, finalmente, Dolores) mostró que no era afecto a los trabajos de notaría parroquial ni a celebrar muchas misas; en cambio le gustaba predicar adaptando sus saberes teológicos y tomaba muy a pecho la confesión de enfermos y moribundos. Es decir, buscaba convertir la teología en caridad. Este aspecto paternal del Cura se manifestaba sobre todo en su trato con los indios: sabía su idioma y les enseñaba artes y oficios. Si en su juventud había predominado la vertiente contemplativa, con el tiempo la parte activa se fue acentuando hasta convertirlo en un empresario innovador e industrioso: además de atender la administración de las pequeñas haciendas familiares, Hidalgo criaba abejas, curtía pieles, fabricaba loza, cultivaba viñedos y, en su última parroquia del pueblo de Dolores, extendió el plantío de moreras para la cría de gusanos de seda. El propio obispo de Michoacán reconocía que Hidalgo había sido el introductor de «esta tan importante industria» en la región: «la emprendió con buen suceso el cura Hidalgo en el pueblo de Dolores, pero en pequeño».

El reverso de este despliegue de actividad fue su carácter dispendioso y desordenado. Sobran testimonios de su morosidad en el pago de deudas y, más tarde, de su propensión al juego y el despilfarro. En vísperas de pasar de Colima a San Felipe, se le olvidó liquidar una deuda. Ya en San Felipe ocurrió otro tanto con un tal Ignacio Soto, que presionó a la mitra hasta lograr el secuestro de la tercera parte de los emolumentos de Hidalgo para saldarla. El Colegio de San Nicolás llegó a reclamarle un dinero y las enfadosas averiguaciones se prolongaron por años. En otro caso más, el propio vicario general se vio en la necesidad de reprenderlo. En suma, la actividad de Hidalgo era tan incesante como irreflexiva. A este respecto, Alamán cuenta una anécdota curiosa:

«Preguntándole una vez el obispo Abad y Queipo qué método tenía adoptado para picar y distribuir la hoja a los gusanos según la edad de éstos, separar la seca y conservar aseados los tendidos, sobre lo que hacen tantas y tan menudas prevenciones en los libros que tratan de esta materia, le contestó que no seguía orden ninguno, y que echaba la hoja como venía del árbol y los gusanos la comían como querían».

El obispo Manuel Abad y Queipo, español avecindado en Valladolid desde hacía varias décadas, era una de las personalidades intelectuales más fascinantes de la Ilustración novohispana. Al tanto de los últimos acontecimientos y teorías políticas de Europa, desde finales del siglo XVIII había escrito una serie de célebres «Representaciones» a la Corona sobre los problemas económicos y sociales de Nueva España advirtiendo sobre los peligros de un estallido social. Hidalgo fue uno de sus amigos y contertulios.

A pesar de su cercanía, los clásicos laicos de Hidalgo no eran los de Abad: Adam Smith, Jovellanos, los fisiócratas. Mucho menos Voltaire, Rousseau o los enciclopedistas franceses, a quienes Hidalgo, probablemente, desconocía. El siglo de Hidalgo no era el XVIII sino el XVII: tradujo a Racine y a Molière (su obra favorita era el *Tartufo)*, leía a La Fontaine e interpretaba a Rameau en el violín. Su Francia Chiquita era más un hogar de arte que un salón intelectual. Le gustaba la historia —no sólo la eclesiástica—, pero su autor de cabecera seguía siendo el providencialista Bossuet. En cuestiones políticas su fuente no era Montesquieu —muy citado por Abad— sino los neoescolásticos españoles del siglo XVII. En las aulas donde Hidalgo había estudiado no se desconocía que «la soberanía residía esencialmente en los pueblos y no en los reyes; que éstos la recibían de aquéllos con el pacto y condición indispensable de no ejercerla sino para su beneficio y utilidad, y que de lo contrario podían deponerlos y aun hacerles la guerra por ser superiores al rey».

Estas sorprendentes teorías prerrousseaunianas sobre el carácter tiránico de la dominación (debidas sobre todo a Francisco Suárez, 1548-1617), pero presentes en muchos autores como el jesuita Mariana (que escribió una vindicación del magnicidio), fueron el arsenal teórico y moral del que los criollos del ayuntamiento de México habían echado mano desde septiembre de 1808, a raíz de la invasión napoleónica de España y el consecuente cautiverio del rey Fernando VII, para reclamar la representación del pueblo soberano. «La soberanía del rey es sólo mediata», había dicho uno de ellos, remitiéndose no sólo a los neoescolásticos sino a las remotísimas *Siete Partidas* del rey Alfonso X, el Sabio, «la obtiene por delegación de la voz común.» Cuando falta el rey, sostenía otro, «la nación recobra inmediatamente su potestad legislativa, como todos los demás privilegios y derechos de la corona». El propio virrey Iturrigaray había acordado esa traslación de autoridad legítima al ayuntamiento, cuerpo cuasidemocrático que desde tiempos de la España medieval representaba esa «voz común», pero un golpe de Estado contra él, encabezado por los comerciantes españoles de la capital, había frustrado ese primer impulso de autonomía criolla.

Dos años después de aquellos sucesos que toda Nueva España conocía (el virrey había sido depuesto, apresados los miembros del ayuntamiento y muertos algunos de ellos), Hidalgo leía un *Diccionario de Ciencias y Artes* que contenía un artículo sobre artillería y fabricación de cañones y el tomo de la *Historia Universal* sobre la conspiración de Catilina. Su propósito, en este caso, no era inocentemente intelectual: él mismo conspiraba con varios oficiales criollos, contra el gobierno español. En septiembre, movido de pronto por una delación de la insurrección que planeaba, Hidalgo intentó de nuevo la asunción de la soberanía popular basado en esas mismas teorías, pero esta vez no por sus representantes criollos en el ayuntamiento —cuya iniciativa había sido decapitada en 1808—, sino por el pueblo mismo, por las masas. Actuaba «autorizado por mi nación», había sido electo «por la nación mexicana para defender sus derechos», buscaría la devolución de los «derechos santos concedidos por Dios a los mexicanos, usurpados por unos conquistadores crueles, bastardos e injustos». Aunque no están claros los detalles del «grito» que según su propia confesión dio en la madrugada del 16 de septiembre, se sabe de cierto que abrió las cárceles de Dolores para liberar a los presos y encerrar a los españoles, tomó el pendón de la Virgen, sancionó el saqueo de haciendas y casas de gachupines («¡Cojan, hijos, que todo es suyo!», exclamó en San Miguel el Grande) y disimuló venganzas y asesinatos. Sólo una vez, en los tres siglos de dominación española, se había visto a una «chusma» indígena similar asaltar el palacio del virrey, siguiendo a un cura —en aquel caso el arzobispo— al grito de «¡Viva el Rey, muera el mal gobierno!». Pero aquel «tumulto» de 1624, del que la pacífica sociedad novohispana había perdido todo recuerdo, había durado unos días, mientras que la revolución que encabezaba el cura de Dolores pareció inmediatamente a quienes la vivieron un fenómeno distinto y duradero. Tras los exiguos y desordenados regimientos formales comandados por militares criollos venía su grey, su ejército:

«... una chusma de indios y gente del campo, con piedras, con palos, con malas lanzas, sin organización de ninguna clase ... Las hordas desnudas y hambrientas venían mezcladas con un sinnúmero de mujeres cubiertas de harapos ... eran familias enteras ... como si se tratara de las antiguas emigraciones aztecas».

En la ciudad de Guanajuato, los varones de la azorada población española se parapetaron en la alhóndiga de Granaditas. Como si la historia se hubiese cobrado una venganza atroz de las matanzas de indígenas por los conquistadores en Cholula y el Templo Mayor, la población de Guanajuato, unida a las cuadrillas indias de Hidalgo, los masacró a todos. Sólo unas cuantas familias criollas se salvaron, entre ellas la de una joven viuda apellidada Alamán, protegida por Hidalgo. Vivía con Lucas, su hijo de dieciocho años, que presenció la terrible escena: españoles arrojando dineros desde la alhóndiga para saciar la codicia de los indios; indios husmeando los cadáveres españoles para buscar la cola, marca infamante del judío; mujeres despavoridas que huían a las casas vecinas trepando por las azoteas: «de los saqueos que se hacían, se llevaban las puertas, mesas, sillas y hasta las vigas sobre sus hombros». Hidalgo era ya «capitán general de América».

Su móvil personal era el mismo que acariciaba la mayoría de los criollos: la independencia con respecto a España. El 21 de septiembre de 1810, al intimar rendición al intendente de Guanajuato, José Antonio Riaño, Hidalgo había escrito:

«Me encuentro actualmente rodeado de más de cuatro mil hombres que me han proclamado su capitán general. Yo, a la cabeza de este número, y siguiendo su voluntad, deseamos ser independientes de España y gobernarnos nosotros mismos. La dependencia de la Península por trescientos años ha sido la situación más humillante y vergonzosa, en que han abusado del caudal de los mexicanos con la mayor injusticia».

Interpelado por un cura amigo suyo sobre la naturaleza de su lucha, Hidalgo contestó que «más fácil le sería decir lo que hubiera querido que fuese la revolución, pero que él mismo no comprendía realmente lo que era». Lo que seguramente «hubiera querido» era la incorporación de los criollos a su ejército, pero éstos no lo secundaron porque desde el principio interpretaron los hechos como una guerra social y de castas que buscaba la eliminación de toda la población acomodada y blanca del país, tanto criolla como peninsular (aproximadamente un millón de un total de seis). Por su parte, Hidalgo confesaba no conocer otro método de encender la lucha que el que había puesto en práctica: apelar, desde el prestigio de su investidura sacerdotal, a las pasiones elementales de sus indios feligreses, entre ellas el pillaje y la venganza.

Hidalgo no tenía mayor estrategia militar. Tampoco tuvo una idea clara de la nueva nación por la que luchaba. «La Revolución», comentaba Abad y Queipo, «[era] como la cría de los gusanos de seda.» Hidalgo actuaba de modo expansivo, con un solo, enfebrecido propósito. Quería destruir el viejo orden, reparar sus iniquidades sociales y étnicas, vengar los viejos agravios de los criollos y vengar a Manuel, su hermano muerto. Quería un incendio general. Significativamente, al tomar tiempo después Valladolid, respondería a la excomunión dictada contra él por Abad y Queipo, con un manifiesto que aludía a su agravio personal: «Abrid los ojos, americanos, no os dejéis seducir de nuestros enemigos: ellos no son católicos sino por política; su Dios es el dinero...». En el mismo sentido, Hidalgo emitiría un decreto en el que abolía la esclavitud, una de las declaraciones formales más antiguas, si no la más, en el continente americano. Alguien recogería o inventaría la leyenda de que al pasar por unas minas, Hidalgo había liberado a las mulas que daban vueltas a la noria y quemaban sus pezuñas con el mineral. En su conciencia no había duda: convertía la caridad en libertad, acaudillaba una guerra justa y estaba «resuelto a no entrar en composición alguna, si no es que se ponga por base la libertad de la nación y el goce de aquellos derechos que el Dios de la naturaleza concedió a todos los hombres, derechos verdaderamente inalienables, y que deben sostenerse con ríos de sangre si fuese preciso».

Con todo, tanto el historiador liberal Jose María Luis Mora (1794-1850) como Alamán señalarían con acierto que el móvil principal del pueblo en la revolución había sido otro: Mora lo llamaría «superstición» y Alamán «religión». Luchamos «por una santa libertad, que no libertad francesa contra la religión», diría Aldama, uno de los lugartenientes de Hidalgo. Los europeos —es decir, los peninsulares—, sostendría Allende, «se habían afrancesado y corrompido». Por la prédica del Cura, las masas creían lo mismo: defendían la religión que peligraba en manos de los herejes franceses y de sus encarnaciones concretas, los gachupines. Aquélla era una guerra contra el demonio, a favor de Dios y con la ayuda de la Virgen. En su *Historia de México,* escrita cuarenta años después, Alamán recordaría que los inermes soldados de Hidalgo habían fijado en «palos o en carrizos marcados de diversos colores la imagen de Guadalupe, que era la enseña de la empresa» y que «todos llevaban en el sombrero la estampa de la Virgen de Guadalupe». Entre la tropa se oía la frase: «el Cura es un santo ... la Virgen le habla varias veces al día». Que aquella insurrección tenía un carácter de guerra santa lo probaba también el otro bando, el realista, encomendado a la virgen «rival» de la Guadalupana, la de «los Remedios», y bendecido para la campaña por los mismos sacerdotes del alto clero que, «armados de sable y pistola, y con el crucifijo en la mano, como los obispos en tiempos de las cruzadas», hacían circular innumerables folletos, invectivas y anatemas en contra del cura «hereje», «monstruo frenético y delirante», «abominable», «impío», «enemigo de Dios», a quien su propio amigo Abad y Queipo había decidido excomulgar.

El avance de aquella caravana se detuvo a fines de octubre en el Monte de las Cruces, cercano a la ciudad de México. «Seguía a Hidalgo una muchedumbre de indios (y *castas)* que no bajaba de ochenta mil, armados de lanzas, piedras y palos, tan prevenidos para el saqueo de México que traían consigo los sacos para llevarse lo que cogiesen.» De pronto, el fuego de la artillería realista sembró por primera vez auténtico pavor entre los indios, quienes, en su desesperación, querían tapar la boca humeante de los cañones con sus sombreros de paja. Desatendiendo, como había ocurrido ya en varias ocasiones, la opinión de Allende, Hidalgo rehusó asaltar la capital. ¿Fue su raíz española la que lo movió a evitar una nueva masacre de españoles en México? ¿Fue su prudencia la que evitó nuevas muertes de los indígenas?

Hidalgo ordenó la retirada rumbo al occidente del país y, por un tiempo, sentó su cuartel en Guadalajara. En esa ciudad publicó dos importantes decretos de reivindicación social y agraria: el primero abolió los tributos («esa gabela vergonzosa ... que hemos sobrellevado tres siglos como signo de la tiranía y la servidumbre») y el segundo ordenó la restitución de tierras a las comunidades indígenas, «pues es mi voluntad que su goce sea únicamente de los naturales en sus respectivos pueblos». Ya en su manifiesto de Valladolid se había referido a la celebración de un Congreso «que se componga de representantes de todas las ciudades, villas y lugares de este reino, que teniendo por objeto principal mantener nuestra santa religión, dicte leyes suaves, benéficas y acomodadas a las circunstancias de cada pueblo: ellos entonces gobernarán con la dulzura de padres, nos tratarán como a sus hermanos, desterrarán la pobreza...». Para entonces, el uso mayestático de la primera persona se le había vuelto habitual. Hidalgo se hacía tratar como un soberano: prodigaba empleos, vivía rodeado de guardias, andaba del brazo de una joven hermosa y había consentido que se le diese el título de «Alteza Serenísima». Asistía a banquetes, *tedeums*, bailes, ceremonias, representaciones teatrales, desfiles, funciones de gala en los que recibía el homenaje de políticos, militares y eclesiásticos en medio de banderas, estandartes, exquisitos refrescos, golpes de música, repiques de campana: «al entrar S. A.», refería un cronista, «fue recibido por todo el Pueblo con un viva general a que correspondió S. A. con demostraciones de la mayor ternura». Ahora Guadalajara era su «Francia Chiquita» e Hidalgo el rey Sol. Efímeramente, parecía cumplir los deseos teocráticos que un capitán suyo había expresado al joven Alamán en Guanajuato: él sólo quería «ir a México a poner en su trono al señor cura».

Aquel sacerdote rey podía ser munificiente con unos y terrible con otros: en Guadalajara —apunta Mora—, «por una resolución privada de Hidalgo ... un lidiador de toros llamado Marroquín tomaba por las noches, cuando la ciudad se hallaba en silencio, las partidas de españoles que conducía a la barranca del Salto ... y los pasaba a cuchillo». Estas matanzas de españoles en Guadalajara tuvieron varios rasgos ominosos. Ofreciéndoles indulto y seguridad, Hidalgo atrajo «gachupines» de varios rumbos y los concentró en los Colegios de San Juan y el Seminario. Hubo personas que entregaron a sus familiares para protegerlos. Cuando se supo el propósito verdadero de esa concentración —el degüello ejecutado por Marroquín—, el propio Allende, que desde hacía tiempo disentía del «cabrón del Cura» —así le llamaba—, consideró la posibilidad de envenenar a Hidalgo. No lo hizo ni pudo evitar el mes de matanzas que comenzó el día de la Virgen de Guadalupe de 1810 y culminó el 13 de enero de 1811. Según Mora, Abasolo —otro de los grandes caudillos insurgentes— «salvó a muchos proporcionándoles la fuga, a otros escondiéndolos y a dos arrancándolos de las manos de Marroquín cuando los sacaba para acuchillarlos». En el proceso militar que meses después se levantó en su contra, el propio Hidalgo confesó:

«los ejecutados de su orden ... [en] Guadalajara ... ascenderían como a trescientos cincuenta, entre ellos un lego carmelita, y un dieguino, si mal no se acuerda, que no sabe si era lego o sacerdote ... Que es cierto que a ninguno de los que se mataron de su orden se les formó proceso ni habría sobre qué, porque bien conocía que estaban inocentes».

Tan inocentes —pensaría seguramente— como su hermano Manuel.

A diferencia de sus lugartenientes «Allende y Abasolo», escribe Mora, «que se oponían a la reunión de masas numerosísimas que no podían ser armadas, pagadas o disciplinadas, y que la experiencia había probado ya bastantemente ser si no perjudiciales sí inconducentes al objeto; Hidalgo, por el contrario, todo lo esperaba de ellas, y aseguraba que si no se había vencido era porque no se habían reunido las necesarias». Se equivocaba. Como solía ocurrir en la época colonial, las rebeliones propiamente indígenas eran un incendio que se apagaba pronto. En Guadalajara, por cansancio, por saciedad o por razones tan misteriosas como la súbita desaparición —inexplicable para Hidalgo— de la estampa de la Virgen en sus sombreros, las huestes indígenas terminaron casi por desbandarse. Este factor, aunado al notorio despilfarro y desorden de la economía insurgente, a la vaguedad de su programa, a las desavenencias internas entre los jefes, a la pesada y gravosa burocracia que empezaba a formarse, y a la firme reacción de las tropas realistas que derrotaron a las desordenadas huestes en Puente de Calderón, empujó a Hidalgo hacia el norte, hacia las Provincias Internas de Oriente.

En Saltillo lo encontraron dos capitanes insurgentes —Menchaca y Colorado—, en cuyas tropas venían unos cuantos indios comanches. Hidalgo se entusiasmó al verlos. «Traían sus cuerpos rayados de varios colores», apuntó un testigo, «cubriéndose con cueros de cíbolo.» Sería la última vez que el cura criollo podría predicar a una grey indígena, si bien muy distinta a la de la parroquia de Dolores. Significativamente, su homilía tocó el tema clave de la identidad criolla, la vinculación ideal de los criollos con los indios en el agravio de ambos a manos de los españoles:

«por su medio les dijo que venía del interior, de hacer la guerra a los españoles para arrancar de sus manos un país que no les pertenecía y que con crueldades y tiranías lo habían poseído por mucho tiempo con grave perjuicio de los naturales, hijos de la nación; que sus antepasados los indios, sin advertirlo, habían obrado de un modo heroico, pues cuando ya no pudieron hacerles la guerra con alguna esperanza a los conquistadores, se decidieron a internarse a las montañas primero que sufrir la humillación».

Poco después del sermón vendría el desastre. Su propósito de llegar a la villa de San Antonio Béjar y quizá refugiarse en los Estados Unidos se frustró por la traición de uno de sus antiguos lugartenientes.

En la ciudad de Chihuahua fue sometido a un doble proceso: militar e inquisitorial. En el primero narró los pormenores de su efímera campaña. Declaró hallarse «vivamente arrepentido»; aceptó la responsabilidad en las matanzas de españoles en Valladolid y Guadalajara; afirmó que lo había hecho para complacer a «los indios y la ínfima canalla ... [únicos] que deseaban esas escenas». Sobre la justificación de estos medios violentos para sus fines, adujo la «necesidad que tenían de gente para su empresa, y la de interesar en ella a la plebe [lo cual] no le permitía escrupulizar sobre los medios para llevarla adelante». Calificó su «impremeditada» empresa como «una ligereza inconcebible y un frenesí», pero en ella había creído «de buena fe», sin detenerse a «calcular el estado de vigor y fuerza en que quedaría el reino». La experiencia lo había desengañado: «su proyecto de independencia seguramente hubiera terminado en una absoluta anarquía o en un igual despotismo». Deseaba que todos los americanos conocieran su declaración «que es conforme a todo lo que siente su corazón».

No hay razón para suponer que su remordimiento —como lo ha llamado Luis Villoro— fuera insincero. Tampoco hay motivo para dudar de que, hasta muy avanzada su lucha, su propósito hubiese sido —como él mismo declaró— «el de poner el reino a disposición de don Fernando VII». Hidalgo había querido la independencia como una vaga utopía, algo que advendría como fruto de un milagro tan incomprensible y súbito como la revolución que con su prédica había desatado. Por eso nunca se atrevió a declararla abiertamente. Era tanto como suplantar a la providencia. En su ánimo de viejo criollo pesaba de igual forma el resentimiento contra los «gachupines» y la tradicional lealtad al soberano. Hidalgo no era un republicano o un liberal en potencia. No tenía proyectos políticos de alternativa claros a los cuales asirse. Era un criollo educado en la monarquía, atrapado en ella, aunque recelara del tiránico y despótico gobierno español, que históricamente había «tenido esclavizada a la América por trescientos años ... [y] calificado a los americanos de indignos de toda distinción y honor». Atrapado en la tensión entre pasado y futuro, Hidalgo quería las dos cosas –monarquía y libertad– y al entrever que las dos cosas podían ser excluyentes se abandonó a la «pompa regia», vivió con «frenesí» una fantasía imperial.

Ante todo era lo que siempre había sido: un teólogo, un teólogo excéntrico y un poco extraviado en los caminos prácticos de la vida. Joseph Pérez Calama tenía razón: Hidalgo había llegado a ser «luz puesta en candelero, ciudad colocada sobre un monte», pero la luz que irradiaba esa ciudad teologal no era racional ni constructiva, era cegadora. No iluminaba: incendiaba. Los rasgos específicos de Hidalgo –la caridad, el contacto directo con los indios, el «finísimo argüir», las empresas incesantes, el desorden, el dispendio, el tono festivo, el brillo– no desaparecieron en la Insurgencia: estallaron a partir del «grito», se expandieron como el fuego y como él se apagaron. Los documentos de la época hablan de su empresa como una vasta seducción. Poseído de un violento, vengativo, vindicativo estado de alma –el *frenesí*–, Hidalgo «seduxo» a sus huestes indígenas que lo seguían porque encarnaba la etimología de su oficio (sacerdote, *sacher dux,* quien conduce a lo sagrado), pero él, no sin ambigüedad, quería guiarlas en un salto histórico de sentido opuesto: no hacia la tradición sino hacia la libertad.

En Chihuahua, en la inminencia de su muerte, Hidalgo pudo contestar las viejas imputaciones teológicas acumuladas en contra suya desde 1800 y que el nuevo proceso de la Inquisición había reabierto. Es el momento en que puede escucharse casi el discurrir ordenado, fundamentado y clarísimo de quien había sido uno de los mejores teólogos de su época. Refutó con éxito los doce cargos que se le hicieron. Si alguna fragilidad había tenido en materia de religión –concluía– era por «vicisitudes de mi miseria ... no por efectos de simulación». Su error era otro: no teológico sino moral: haber acaudillado al pueblo con facultades que fueron «peste de mi seducción», haber profesado ideas de las que «abjuro, detesto y retracto ... tengo ya confesado haber sido ellas contrarias a la moral de Jesucristo, lo que lloro con amargura y de lo que espero me ayude la bondad de su señoría a pedir Misericordia». En unos cuantos meses, aquel teólogo doctísimo había transitado entre dos misterios insondables: el de la iniquidad, «ejecutada de su orden» sobre inocentes, y el de la misericordia, a la que en su hora final, con humildad, se acogía.

El juez eclesiástico que lo degradó «ante la presencia de autoridades, venerable clero y religiosos del convento de San Francisco y personas de séquito del comandante militar», le preguntó sobre las razones que tuvo para rebelarse contra el Rey y la patria. Hidalgo contestó que no agregaría más, y que supuesto que iba a morir, «sólo encargaba que no se le cortara la cabeza según la sentencia que se le había leído, sin más delito que haber querido hacer independiente esta América de España». Después de la degradación y despojado de los ornamentos sacerdotales, Hidalgo fue registrado. «Se le encontró», escribe el juez, «llena de sudor, la soberana imagen de Nuestra Señora de Guadalupe ... bordada de seda sobre pergamino.» Al quitarla de su pecho Hidalgo dijo:

«Esta señora, Madre de Dios, ha sido la que he llevado de escudo en mi bandera, que marchaba delante de mis huestes ... y es mi voluntad sea llevada al convento de las Teresitas de Querétaro, donde fue hecha por las venerables madres, quienes me la dieron en mi santo en 1807».

El 30 de julio de 1811 murió ejecutado tras cuatro largas, interminables descargas. «Nos clavó aquellos hermosos ojos que tenía», recordaba un oficial llamado Pedro Armendáriz, que comandaba el pelotón. Contra su última voluntad, su cabeza fue cortada y exhibida para escarmiento del pueblo, junto con las de tres de sus más cercanos compañeros de armas (Allende, Aldama y Jiménez), en jaulas colocadas en los cuatro costados de la alhóndiga de Granaditas de Guanajuato. Allí permanecieron por diez años, hasta la consumación de la independencia.

*

¿Cuál había sido, en definitiva, la naturaleza de su revolución? El propio jefe del ejército realista, el general Calleja, había escrito al virrey en enero de 1811:

«Este vasto reino pesa demasiado sobre una metrópoli cuya subsistencia vacila. Sus naturales, y aun los mismos europeos, están convencidos de las ventajas que les resultaría de un gobierno independiente, y si la insurrección absurda de Hidalgo se hubiera apoyado sobre esta base, me parece, según observo, que hubiera sufrido muy poca oposición».

Años más tarde, consumada la independencia, Iturbide repetiría el argumento: «lejos de conseguir la independencia, los insurgentes aumentaron los obstáculos que a ella se oponían». Lo mismo pensaría, en su momento, Alamán:

«Hidalgo, Allende y sus compañeros se lanzaron indiscriminadamente en una revolución que eran enteramente incapaces de dirigir ... no hicieron otra cosa que llenar de males incalculables a su patria ... habiendo sido desgraciado el resultado de su empresa, no pudieron cubrirlos y hacerlos olvidar con el triunfo, que muchas veces hace perder de vista los medios inicuos que han servido para obtenerlo».

En los años treinta del siglo, Mora sostendría un punto de vista levemente distinto. La revolución de Hidalgo había sido:

«... tan necesaria para la consecución de la independencia como perniciosa y destructiva para el país. Los errores que ella propagó, las personas que tomaron parte o la dirigieron, su larga duración y los medios de que echó mano para obtener el triunfo, todo ha contribuido a la destrucción de un país que en tantos años, como desde entonces han pasado, no ha podido aún reponerse de las inmensas pérdidas que sufrió».

En cuanto a la figura de Hidalgo, casi todos los historiadores liberales de la primera mitad del siglo XIX —anteriores al romanticismo— lo criticaron: «ligero hasta lo sumo», escribió el más clásico de ellos, el propio Mora, «Hidalgo se abandonó enteramente a lo que diesen las circunstancias ... jamás se tomó el trabajo, y acaso ni lo reputó necesario, de calcular el resultado de sus operaciones ni estableció regla ninguna que le sistemase...». «Es evidente», apuntó el liberal más radical de la época, Lorenzo de Zavala (1788-1836), «que este célebre corifeo no hizo otra cosa que poner una bandera con la imagen de Guadalupe y correr de ciudad en ciudad con sus gentes sin haber indicado siquiera qué forma de gobierno quería establecer.» «Hidalgo no fue un santo», sostuvo el liberal más heterodoxo, el padre Servando Teresa de Mier (1765-1827), «ni santa la obra que emprendió ... jamás un abismo semejante de males y crímenes me arrancará demasiados panegíricos.» Sólo Carlos María de Bustamante (1774-1848), en su *Cuadro histórico de la revolución mexicana,* vería la guerra de Hidalgo con los ojos de un Michelet mexicano: el cura iluminado al mando de un pueblo ávido de libertad, prosperidad y justicia. Conforme avanzó el siglo y el espíritu romántico, la apreciación de Bustamante prevaleció. En busca de poder y legitimidad, los liberales fueron esculpiendo un Hidalgo a su medida: un Hidalgo republicano, federalista y liberal. El cura de Dolores, según el testimonio de Alamán —que lo conoció personalmente—, era «cargado de espaldas, de color moreno y ojos verdes vivos, la cabeza algo caída sobre el pecho», se convirtió finalmente, hasta en la iconografía, en el «divino anciano», el blanco y erguido «viejecito de canas inmaculadas», el perfecto «padre de la patria». Hacia 1910 pocos recordaban ya los detalles incómodos de su biografía. Justo Sierra, que casi siempre hacía honor a su nombre, no se abstuvo de aludir a las «tristísimas y crueles complacencias» de Hidalgo con sus «hordas frenéticas», pero, a la postre, cedió a la necesidad de consolidar el mito de un padre fundador en quien *anclar* la legitimidad de la patria. Sierra, como todo el México liberal, consideraba a Hidalgo «el mexicano supremo de la historia», ante quien palidecían todos los otros caudillos de la Independencia: «Su propósito se lo dictó el amor a una patria que no existía sino en ese amor; él fue, pues, quien la engendró: él es su padre, es nuestro padre». Aquella mañana del 16 de septiembre de 1910, uno de los grandes poetas de la época, Salvador Díaz Mirón, declamó «melena al viento» y con voz estentórea, la oda dedicada «al Buen Cura»:

Hay crisis en que un hombre,
ávido de justicia y de renombre,
sirve a trocar la suerte;
y entonces riñe a muerte
combate de querube con vestiglo;
y hoy una libertad, hija de un fuerte,
consagra un esplendor que cumple un siglo.

En tiempos de don Porfirio, la beatificación había llegado al extremo de convencer al más polémico y rebelde de los historiadores positivistas, el ingeniero Francisco Bulnes, autor de *Las grandes mentiras de nuestra historia* y de un libro que había cometido el sacrilegio de criticar al santo patrono del altar liberal: *El verdadero Juárez.* Con estos temibles antecedentes, los lectores esperaban tal vez que su obra sobre la guerra de Independencia (fechada el 16 de septiembre de 1910, el mismo día en que se inauguraba la Columna de la Independencia) demoliese al padre de la patria. Ocurrió todo lo contrario.

Bulnes fue uno de los pocos escritores que vindicó a Hidalgo desde un punto de vista original: no desde el romanticismo o el liberalismo, tampoco desde la moral pura, sino a la luz de una especie de sociología revolucionaria. Una sociología y una moral: privado del apoyo de los criollos por una ley inexorable, natural, y sin armas o pertrechos para llevar a cabo su empresa, Hidalgo había hecho la única revolución que en sus circunstancias podía hacer: una guerra de castas, una guerra agraria, una guerra política y, sobre todo, una guerra santa. Esa lucha salvaje, encarnizada, irracional, de un profeta armado al mando de una turba fanática no tenía —a juicio de Bulnes— más paralelos en la historia moderna que un hecho posterior: la revolución de «el Mahdi» («el Esperado»), que en 1883, al mando de sus afiebradas tribus del desierto, había asaltado y aniquilado a las tropas británicas del general Gordon en Kartum:

«... la forma externa de la horda de insurgentes que levantó el cura Hidalgo se puede considerar igual a la horda del Mahdi de Sudán. Ambas obraban por cuatro exaltaciones: la del número, el pillaje, la patriótica y la religiosa. [En ambos está] el cetro espiritual enroscado con el temporal».

¿Tenía razón Alamán al temer que esa «horrenda revolución» se convirtiese, a la postre, en «la cuna de la República Mexicana»? A estas alturas del siglo XX, cuando todas las revoluciones modernas —empezando por la francesa— han alcanzado el duro veredicto de una posteridad que no cree más en la violencia como la partera de la historia, es difícil menospreciar el juicio amargo de aquel gran historiador conservador. En todo caso, su apreciación fue profética: en la imaginación colectiva, México nació de una guerra santa emprendida por un solitario «Mahdi» criollo que entrevió apenas la patria independiente que buscaba, y sus «hordas» indígenas que, entre el pillaje y la fe, ignoraban el sentido elemental de la palabra patria.

A casi dos siglos de distancia, el mito de fundación permanece. No hay mexicano que se sustraiga ni quiera sustraerse al respeto por el padre de la patria. Es y será el héroe tutelar en el panteón nacional. «Sus errores, sus equivocaciones, sus debilidades, y hasta la crueldad misma de Hidalgo», escribe, no sin razón, Mora, «desaparecen a la vista de sus desgracias, y sobre todo del imponderable servicio de haber emprendido una revolución, perniciosa, destructora y desordenada, es verdad, pero indispensablemente necesaria en el estado a que habían llegado las cosas.» México nació en verdad de la costilla de aquel hidalgo con nombre de arcángel que en un acto emblemático —un grito— emitido en un lugar emblemático —Dolores— arrasó tres siglos de orden virreinal con la tea de su frenesí libertario.

Pero el propio Hidalgo —tan libre de pensamiento— admitiría que es lícito recordar los «ríos de sangre» con que, en sus propias palabras, sostuvo su lucha, y preguntarse si fueron necesarios. ¿Qué hubiese ocurrido si en vez de un grito Hidalgo hubiera convocado a un pacto encabezado por los criollos que casi sin excepción anhelaban la independencia? Y aun considerando inevitable la violencia, ¿debió asumir las proporciones a que llegaron sus huestes, y que Morelos procuraría al menos esquivar? La respuesta no admite ambigüedad: por más entrañable que sea como un sustento de dignidad en el pueblo mexicano, el mito —el grito— de fundación ha sido también un llamado justificatorio a la crueldad, un llamado de intolerancia, de irracionalidad en la historia mexicana: la terrible convicción, puesta en práctica una y otra vez, de que la violencia, sólo la violencia, redime.

Siervo de la nación

Hidalgo murió a ciegas, sin saber que su impremeditada y frenética empresa se propagaba con éxito por casi la mitad del virreinato de Nueva España y que el caudillo ungido por él mismo en el sur, «ignorado y despreciado en su principio», iba «creciendo en poder e importancia, y levantándose como aquellas nubes tempestuosas, que naciendo en la parte del sur, cubren en breve una inmensa extensión del país, anunciando su aproximación con el aparato de una terrible tempestad».

De haber dedicado un capítulo único de sus *Representative Men* a México, con toda probabilidad Emerson hubiese elegido a un típico sacerdote de pueblo originario de Valladolid, en la provincia de Michoacán: José María Morelos y Pavón. Desde tiempos de la conquista espiritual llevada a cabo por los misioneros, en el siglo XVI, el sacerdote se había vuelto una figura sagrada, el «padrecito» de la comunidad. Morelos se ajustaba particularmente a la descripción que de estos protagonistas de la vida colonial hizo en 1799 Manuel Abad y Queipo, que por entonces ejercía como juez de capellanías en el obispado de Michoacán:

«Los curas dedicados únicamente al servicio espiritual y al socorro temporal de estas clases miserables, concilian por estos ministerios y oficios su afecto, su gratitud y su respeto. Ellos los visitan y consuelan en sus enfermedades y sus trabajos. Hacen de médicos, les recetan, costean y aplican a veces ellos mismos los remedios. Hacen también de sus abogados e intercesores con los jueces y con los que piden contra ellos. Resisten también las opresiones de los justicias y de los vecinos poderosos».

Nació en 1765. De joven, pasó diez años en el rancho o hacienda de San Rafael Tahuejo, que tenía arrendado un tío suyo. Allí aprendió los secretos de la construcción y la ganadería, hizo algunos viajes y se ejercitó como vaquero (persiguiendo un toro se rompió la nariz, a re-

El cura Morelos, 1828

sultas de lo cual le quedó una cicatriz). Por las noches atendía a una pasión proveniente quizá de su lado materno: era gramático autodidacta. En 1789, y justamente para aprender gramática, ingresó al Colegio de San Nicolás, cuyo rector era don Miguel Hidalgo. Años más tarde pasó al Seminario Tridentino de Valladolid donde estudió artes, filosofía, teología moral y teología escolástica. En 1795 se gradúa de bachiller. Lentamente asciende la escala eclesiástica hasta ordenarse como presbítero, frente a una imagen de la Virgen Guadalupana y en presencia del benefactor obispo San Miguel, predecesor de Abad. Tanto como su profunda religiosidad lo había llevado al sacerdocio la necesidad económica. Su madre –hija de un maestro de escuela– había sufrido los frecuentes abandonos del padre de Morelos, un carpintero despreocupado. Para solucionarlos, no vio más remedio que optar por la herencia que un bisabuelo de Morelos había dejado en la forma de una capellanía. Doña Juana Pavón –la madre de Morelos– vindicaría por largos años ante las autoridades eclesiásticas los derechos legítimos de su hijo a esa herencia, pero ésta sólo se haría efectiva en 1807, a ocho años de su muerte (1799) y reducida ya a una cantidad irrisoria.

Nada de esto perturbó demasiado al cura Morelos. Desde el principio asumió sus deberes económicos y sacerdotales con igual responsabilidad. Al poco tiempo de ordenarse, comenzó a ejercer el sacerdocio en pueblos pobres «de mal clima y escaso provecho», como Churumuco, La Huacana, Urecho, Carácuaro y Nocupétaro, y hubiese sido uno de esos «clérigos sueltos que», según Abad, «no tienen beneficio ni reciben nada del gobierno, que subsisten sólo de los pequeños estipendios de su oficio», de no ser porque después de su tardía ordenación –sin dejar de atender su ministerio, antes al contrario, reforzándolo–, Morelos se convirtió en un activo aunque modesto comerciante.

En Carácuaro, tuvo un conflicto significativo con los indios. Morelos no era un «padrecito» protector y compasivo, sino exigente; no quería una grey de niños eternos sino formar hombres de trabajo. «Me es inconcuso», escribió al obispo, «que den el servicio personal, como único medio para obligarlos a que asistan a la doctrina cristiana ... [tienen] mucha morosidad y desidia ... son muy vagamundos.» A su vez, los indios respondieron: «nos regaña y se enoja y aun nos maltrata». Le desesperaban el «ocio y vicios» de los naturales de Carácuaro en comparación con la diligencia de los de Nocupétaro. Eran notables por su precisión los padrones de habitantes, tierras de producción y casas que Morelos levantaba en aquellos pueblos polvosos e insalubres de Tierra Caliente donde oficiaba. No menos extraordinarios fueron los actos de caridad que tuvo con colegas y moribundos, así como la serenidad y escrúpulo con que trató el misterioso episodio de una mujer llamada Candelaria, «subintrante y aun maleficiada», que oía voces del Purgatorio y durante toda su vida había padecido «entumecencia de vientre, expelido sabandijas, vomitado cabellos, vidrios, tepalcates...», todo por no haber recibido el bautismo. El esposo, que también oía voces («Guillermo, Guillermo, búscale padrino a tu mujer, estás casado con una judía, esta muchacha no está bautizada»), terminó por separarse de ella «sin escándalo», pero en Candelaria observaba el cura «una naturaleza aniquilada y el espíritu azorado». «A vuestra señoría ilustrísima [el obispo San Miguel] le pido proveer todo lo conveniente en el caso, en el que parece no haber malicia respecto de los declarantes.» El bachiller Morelos avanzó en su investigación de las voces del Purgatorio, interrogó a muchos testigos; supo por ellos que las voces correspondían a los padres de Candelaria y buscó afanosamente, en varios curatos, la fe de bautizo que salvaría a la mujer. Se ignora el desenlace del caso, pero prueba la constancia del carácter y el espíritu inquisitivo del modesto cura.

Fue en Nocupétaro, comunidad de indios y mestizos, donde comenzó de verdad a poner manos a la obra:

> «... fabriqué yo en este citado pueblo una iglesia (lo más de mi propio peculio...), la que después de la de Cuzamala es la mejor de Tierra Caliente. Y desde el año de 1802 en que concluí esta iglesia, seguí con el empeño de su cementerio hasta estarle poniendo hoy mismo las últimas almenas a la puerta del sud, y ha quedado tan sólidamente construido y tan decente, que sin excepción no hay otro en Tierra Caliente».

La carta estaba fechada en 1809. Hacía años que Morelos había organizado un grupo de arrieros para llevar granos, aguardiente y ganado de Nocupétaro a Valladolid, donde, gracias a su previsión, su hermana y el esposo de ésta tenían casa y local comercial. En 1809, completó con un préstamo el pago de un rancho llamado de la Concepción. Sus ahorros y sus bienes, sin embargo, no lo enriquecieron: los puso al servicio de la «caridad que siempre me ha compelido». En varios documentos consta la traducción práctica de estas palabras: «Soy un hombre miserable, más que todos, y mi carácter es servir al hombre de bien, levantar al caído, pagar por el que no tiene con qué y favorecer con cuanto puedo de mis arbitrios al que lo necesita, sea quien fuere». Era, en suma, un cura gestor del bienestar material y espiritual de su pueblo pero no un santo: «tuvo», refiere Alamán, «varios hijos con mujeres desconocidas del pueblo». Brígida Almonte fue una de ellas.

En 1808, durante la invasión napoleónica de España, Morelos afirma «estar prontísimo a sacrificar la vida por la católica religión y libertad de nuestro soberano». Dos años más tarde, los informes del cabildo eclesiástico de Valladolid y del obispo Abad y Queipo eran aún más alarmantes: la invasión francesa de América era inminente, se requerían donativos, se exhortaba al patriotismo y la religiosidad del clero. Morelos donó el sueldo de un mes (20 pesos). En el otoño de 1810, se entera de que su admirado maestro don Miguel Hidalgo se había alzado en armas. En Charo, una población cercana a Valladolid, se entrevista con él y acepta la encomienda de levantar la revolución en el sur. Tiene cuarenta y cinco años.

*

Su éxito indisputado por más de tres años debía algo al carácter de la región en la que actuaba: más agreste y montañosa, menos desarrollada que el Bajío —la región minera y agrícola donde había operado Hidalgo—, el sur tenía muchas etnias indígenas y considerables pueblos de castas pero menor número de mestizos y criollos. En este paisaje físico y social, Morelos pudo construir su empresa casi desde los cimientos.

Su desempeño como general fue, en sí mismo, la mejor confirmación de las quejas de Allende sobre Hidalgo («Ni la gente era susceptible de mucho orden», había declarado Allende en su proceso, «ni Hidalgo se prestaba a reglamentos»). Inspirado en las *Instrucciones Militares* de Federico de Prusia pero guiado sobre todo por su talento práctico, Morelos eligió a sus subalternos —los hermanos Galeana, los hermanos Bravo— entre los rancheros mestizos de la montañosa región del sur. Un sentido de orden permeaba todos sus actos: reducía a regimientos y brigadas las divisiones sueltas, manejaba con toda honradez y cuidado la tesorería, establecía talleres de armas, fábricas de pólvora y fundiciones de plomo y cobre. Los ascensos en el campo de Morelos tenían como único criterio el mérito: «No he querido subir a mayor graduación la oficialidad de plana mayor, con el fin de premiar solamente a los que pongan primero el pie en las plazas del enemigo y no a los que vienen del arado a ser coroneles, que no cumplen con sus deberes». Entre sus compañeros —como entre aquellos indios de Carácuaro— su disciplina fue llamada despotismo. Morelos contestó al cargo: «El no tener yo capitán sin compañía, coronel sin regimiento, brigadier sin brigada no arguye despotismo sino buen orden».

En cuanto a la composición de sus ejércitos, «voy exceptuando en ellos a los inútiles», decía Morelos. A diferencia de Hidalgo, los inútiles eran: «los eclesiásticos, al cuidado de las ánimas; y los laicos, a lo preciso del gobierno político y económico, a la agricultura, a la industria y artes de primera necesidad».

A la luz de la fuerza numérica y los inagotables recursos con que contó Hidalgo, la trayectoria victoriosa de Morelos demostró que era mucho más efectiva la acción de miles de hombres jóvenes debidamente entrenados, uniformados, organizados, que la de una masa inconstante, frenética y amorfa. «Pueblos enteros me siguen queriendo acompañarme a luchar por la independencia», escribió al principio de su campaña, en noviembre de 1810, «pero les impido diciéndoles que es más poderosa su ayuda labrando la tierra para darnos el pan a los que nos lanzamos a la guerra.» Para incorporarse a la insurgencia no bastaba el ardor. A veces, a juicio de Morelos, el ardor era más bien un obstáculo:

«aunque vuestras mercedes pretenden canonizar su reunión», escribió en septiembre de 1812 a los miembros de una súbita Junta revolucionaria en Naulingo, «con todo son vuestras mercedes turbulentos y subversivos. La Junta de Naulingo es por todos lados írrita y viciosa, porque existe la Suprema, cuya soberanía es legítima».

Esta Suprema Junta Nacional tenía como caudillo a un compañero directo de Hidalgo: Ignacio Rayón. Rayón no era un sacerdote insurgente sino un civil en armas. Minero y abogado, patriota y culto, admirador de Cromwell, había quedado al frente de la insurgencia no como un comisionado más sino como jefe general. Así lo reconocieron los cabecillas reunidos en Zitácuaro tras la muerte de Hidalgo. Durante más de dos años, Morelos mantuvo este reconocimiento y adoptó numerosas ideas e iniciativas de Rayón: jerarquización e insignias del movimiento, acuñación de moneda, administración de justicia, etc. Sobre todo, Morelos adoptó en un principio los *Elementos constitucionales* de Rayón en casi la totalidad de sus puntos. En esta obra, que Morelos llamaba «nuestra constitución», Rayón discurrió una fórmula que, según él, resolvería la aparente contradicción que se daba entre la independencia de España y la fidelidad al Rey: «La soberanía dimana inmediatamente del pueblo, reside en la persona del señor don Fernando VII y su ejercicio en el Supremo Congreso Nacional Americano». Es decir, nace aquí, reside allá, pero vuelve a regresar porque aquí se ejerce.

Mientras Rayón y la Junta se hundían en un excesivo juridicismo y un papeleo incesante, las campañas de Morelos eran eficaces y casi siempre exitosas. Ciudad tras ciudad, el sur caía en sus manos: Acapulco, Tixtla, Izúcar, Taxco. A principio de 1812 se fortifica en Cuautla. Lo cerca Calleja, el comandante de las fuerzas realistas. Morelos espera inútilmente a que la Junta venga en su auxilio para dar el golpe de gracia a los sitiadores. Estos creen que el bastión caerá en unos días pero resiste 63. Azorado, el propio Calleja informaba al virrey:

«Si la constancia y actividad de los defensores de Cuautla fuese con moralidad y dirigida a una justa causa, merecería algún día un lugar distinguido en la historia. Estrechados por nuestras tropas y afligidos por la necesidad, manifiestan alegría en todos los sucesos. Entierran sus cadáveres con repiques en celebridad de su muerte gloriosa, y festejan con algazara, bailes y borrachera, el regreso de sus frecuentes salidas, cualquiera que haya sido el éxito, imponiendo pena de la vida al que hable de desgracias o rendición. Ese clérigo es un segundo Mahoma, que promete la resurrección temporal y después el paraíso con el goce de todas las pasiones a sus felices musulmanes».

Una de las claves de aquel Mahoma para mantener el espíritu de los sitiados no era precisamente musulmana: el humor. «Su estilo propendía mucho a lo burlesco», dice Alamán. El propio Calleja lo comprobó en su cuartel de Cuautla, al recibir una misiva del «Mahoma»:

«Supongo que al señor Calleja le habrá venido otra generación de calzones para examinar esta valiente división, pues la que trae de enaguas no ha podido entrar en este arrabal; si así fuere, que vengan el día que quieran, y mientras yo trabajo en las oficinas, haga usted que me tiren unas bombitas, porque estoy triste sin ellas».

En otra ocasión, Rayón le previno en nota reservada que el virrey le había enviado un sujeto «grueso y barrigón» para envenenarlo. Morelos contestó con su modo característico: «que no hay aquí otro barrigón que yo, la que en mi enfermedad queda desbastada».

Otra prenda suya, no exclusiva de los musulmanes, era el valor personal, que Alamán definía como «calmoso, sin entusiasmo, sin ardimiento». Resistió fríos, caídas de caballo, descomposturas de pierna, contusiones y enfermedades que lo ponían en los «umbrales de la muerte». El pañuelo que cubría siempre su cabeza era probablemente un remedio para paliar sus frecuentes migrañas y defenderse del sol terrible de aquella zona. En medio de tupidas balaceras caminaba con tranquilidad. Es natural que siguiendo su ejemplo, su ejército estuviese resuelto «a morir o vencer» a los realistas, a quienes Morelos bautizó como «el dragón infernal».

La revolución de Hidalgo se había caracterizado por sus saqueos. En su guerra insurgente, Morelos los condenó:

> «la peste destructora de hombres viciosos que entregados a la rapiña talan y asolan propiedades de sus conciudadanos con notable descrédito de la santa y justa causa que sostenemos, abusando del honroso nombre de americanos...».

A uno de sus principales lugartenientes, Valerio Trujano, le advertiría: «procederá vuecencia contra el que se deslizare en perjudicar al prójimo en materia de robo o saqueo, y sea quien fuere, aunque resulte ser mi padre lo mandará vuecencia encapillar y disponer con los sacramentos despachándolo alcahuceado dentro de tres horas, si el robo pasa de [un peso]; y si no llegara, me lo remitirá para despacharlo a presidio ... Si resultaren ser muchos los diezmará vuecencia, remitiéndome los novenos en cuerda para el mismo fin de presidio ...».

Así como expidió órdenes contra el saqueo y protegió la propiedad, fue implacable con sus enemigos. Implacable, no sanguinario. «Nadie ofende a las familias ni nosotros somos las fieras que V. pinta», exclamó ante el aterrado cura de Tixtla que esperaba una escena digna de la alhóndiga de Granaditas. Aunque no creía en la magnanimidad y se quejaba de «la demasiada clemencia de que se ha usado con los culpados», Morelos no buscaba el aniquilamiento: «¿Qué negocia la nación ni menos yo con el exterminio?», escribiría un año después de Cuautla al comandante Vélez, a quien sitiaba en Acapulco. «Nuestro sistema no es sanguinario, sino humano y liberal.» Según Bustamante —a veces fantasioso en sus recuerdos— Morelos recibió la espada de Vélez con estas palabras: «¡Viva España!; pero España hermana, no dominadora de América». Es claro que lo movía un objetivo político y militar, no un odio étnico o una venganza social. En «dos palabras» podía «cifrar el designio»: «la nación quiere que el gobierno recaiga en los criollos y como no se le ha querido oír ha tomado las armas para hacerse entender y obedecer». Morelos no confundía la guerra con el incendio teológico. Su criterio, en consecuencia, no había sido ni sería exterminar a sus adversarios sino desterrarlos a una isla, enviarlos a las prisiones de Zacatula o Tecpan y, frecuentemente, ponerlos en libertad o invitarlos a engrosar las filas insurgentes. Sólo en contadas ocasiones dejó que la ira vengativa guiara sus actos. El más doloroso de todos ocurriría mucho después, en represalia por el juicio y fusilamiento de su brazo derecho, el cura Mariano Matamoros. Morelos había propuesto a las autoridades virreinales el canje de esa sola vida por la de decenas de españoles presos. Al enterarse de los hechos, ordenó el fusilamiento de cien de ellos.

Según Alamán —el más objetivo de sus adversarios—, Morelos tenía penetración, claridad, alegría, severidad, valentía, fidelidad, orden, escrupulosidad, originalidad, honradez, y, por si faltara, devoción religiosa auténtica («antes de entrar en acción se confesaba siempre»). Se entiende que este nuevo Mahoma haya convocado no sólo la adhesión sino el amor de sus felices musulmanes. Fue precisamente en el sitio de Cuautla, cuando la voz del pueblo entonó esta canción:

> Por un cabo dos reales,
> por un sargento un tostón;
> por mi general Morelos
> doy todo mi corazón.

Luego de romper el sitio exitosamente, los ejércitos de Morelos pasaron la estación de lluvias de 1812 preparando sus efectivos en Tehuacán. Meses más tarde, en su momento cumbre, tomaban Oaxaca. En esta ciudad, Morelos expidió una serie de decretos y reglamentos orientados al orden y buen gobierno. Era ya el amo supremo de buena parte del centro y sur del país, de Colima a Guatemala, Oaxaca, el sur de Puebla y el sur de Veracruz, Michoacán, pero al año siguiente cometió su primer error verdaderamente grave: perder un tiempo precioso sitiando Acapulco. Para entonces sus relaciones con la Junta Suprema se habían vuelto insostenibles. Las dificultades entre Morelos y Rayón se originaron en el excesivo afán de éste por inspeccionar, mediante enviados o comisionados, las tropas y la jurisdicción del caudillo del Sur. «El enemigo», les escribía Morelos, «se ha aprovechado de vuestras discordias.» No tenía interés en presidir el movimiento, pero por razones de efectividad práctica entrevió que debería hacerlo. Los insurgentes de diversas provincias entendieron que el mando supremo correspondía legítimamente a Morelos y éste lo aceptó sin aspavientos. De un golpe despojó a Rayón, suprimió la moribunda Junta y convocó en su lugar al Congreso de Anáhuac que tendría lugar en la villa de Chilpancingo en septiembre de 1813. Para integrar el nuevo organismo, invitó a los antiguos miembros de la Junta pero se excluyó a sí mismo a fin de reservarse el supremo mando ejecutivo y militar.

*

Más allá de sus notables campañas y victorias militares, a la postre infructuosas, el aporte mayor de la lucha acaudillada por Morelos fue introducir en la revolución un cuerpo altamente original de argumentos ideológicos que la legitimaran, un alegato moral que incluía prescripciones económicas, políticas y sociales plenamente modernas, aunque salpicadas de antiguas tonalidades mesiánicas. El lugar para expresarlas, darles forma legal y, en su caso, constitucional fue precisamente el Congreso de Anáhuac. El nuevo papel de profeta y legislador que asumía Morelos revelaba que no veía la lucha por la independencia sólo como un asunto terrenal de armas o de política: la consideraba, en el sentido cristiano del término, una *misión*.

Acaso por su posición social inferior a la de Hidalgo y por su origen étnico tan mezclado, en la doctrina de Morelos el ideal de igualdad dentro del país cobró tanta importancia como el ideal de libertad nacional respecto de España. Para aliviar la condición de los indios que, en palabras del obispo Abad, vivían en «el abatimiento, la degradación, la ignorancia y la miseria», y la de las castas (mezclas variadas de indios y negros) «infamadas por derecho como descendientes de negros esclavos ... [y atadas] a la marca indeleble del tributo», Morelos expondría, a partir de septiembre de 1813, ideas similares a las «liberales y benéficas» que en 1799, infructuosamente, había propuesto Abad a la Corona española: entre otras, libertad de contrato y movimiento, abolición general de tributos en indios y castas, abolición de la infamia de derecho. «En México», había escrito Abad, «no hay graduaciones ni medianías; son todos ricos o miserables, nobles o infames.» Cuatro años después, Humboldt, que en su viaje por el país había hablado con Abad y Queipo, repetiría el veredicto en su *Ensayo político sobre el reino de la Nueva España:* «México es el país de la desigualdad. Acaso en ninguna parte la hay más espantosa en la distribución de las fortunas, civilización, cultivo de la tierra y población ... la piel más o menos blanca decide el rango que ocupa el hombre en la sociedad. Un hombre blanco, aunque monte descalzo a caballo, se imagina ser de la nobleza del país». De la diaria experiencia con esta situación de desigualdad en los modestos curatos donde ofició, Morelos extrajo su ideario: no era, como en el caso de Hidalgo, un grito de lucha entre las clases y las castas, sino un proyecto de construcción y concordia para todos los habitantes del país, salvo los peninsulares. Tres años antes del Congreso, en noviembre de 1810, Morelos había expedido una reglamentación interna de sus ejércitos que prefiguraba la imagen de su sociedad ideal:

«Si entre los indios y castas se observase algún movimiento, como que los indios o negros quieran dar contra los blancos o los blancos contra los pardos, se castigará inmediatamente al que levante la voz ... los comisionados y oficiales procederán en toda armonía ... en la mayor cristiandad castigando los pecados públicos ... de acuerdo y hermandad unos con otros».

Un año más tarde aclara que «un gravísimo equívoco» iba a precipitar a los habitantes de la zona en «la más horrorosa anarquía». Por ello Morelos se veía en la necesidad de declarar que el *único* propósito de su lucha es lograr que el gobierno pase de los europeos a los criollos. Con el triunfo de su causa advendría el nuevo y armónico orden étnico, económico y social:

«que no haya distinción de calidades, sino que todos nos nombremos americanos, para que mirándonos como hermanos vivamos en la santa paz que nuestro Redentor Jesucristo nos dejó cuando hizo su triunfal entrada a los cielos ... que no hay motivo para que las que se llamaban castas quieran destruirse unas con otras, los blancos contra los negros y éstos contra los naturales, pues sería el yerro mayor que pudieran cometer los hombres y en la presente época la causa de nuestra total perdición espiritual y temporal ... que siendo los blancos los primeros representantes del reino y los que primero tomaron las armas en defensa de los pueblos y demás castas, deben ser ... por este mérito el objeto de nuestra gratitud y no del odio que se quiere formar contra ellos ... Que no siendo como no es nuestro sistema proceder contra los ricos por razón de tales, ninguno se atreva a echar mano a sus bienes por muy rico que sea, por ser contra todo derecho semejante acción ... y también la ley divina nos prohíbe hurtar y tomar lo ajeno contra la voluntad de su dueño y aun el pensamiento de codiciar las cosas ajenas...».

En 1812, en Oaxaca, declara con su estilo peculiar y burlesco: «quedan abolidas la hermosísima jerigonza de calidades (indios, mulatos y mestizos) nombrándolos a todos generalmente americanos».

Un día antes del Congreso de Chilpancingo, Morelos completó el esbozo de su utopía personal ante un abogado de su entera confianza que lo escuchó conmovido, Andrés Quintana Roo:

«Quiero que hagamos la declaración de que no hay otra nobleza que la de la virtud, el saber, el patriotismo y la caridad; que todos somos iguales, pues del mismo origen procedemos; que no haya privilegios ni abolengos, que no es racional, ni humano; ni debido que haya esclavos, pues el color de la cara no cambia el del corazón ni el del pensamiento; que se eduque a los hijos del labrador y del barretero como a los del más rico hacendado; que todo el que se queje con justicia, tenga un tribunal que lo escuche, lo ampare y lo defienda contra el fuerte y el arbitrario ... que se declare que lo nuestro ya es nuestro y para nuestros hijos, que tengan una fe, una causa y una bandera, bajo la cual todos juremos morir, antes que verla oprimida, como lo está ahora y que cuando ya sea libre, estemos listos para defenderla...».

Al día siguiente, 13 de septiembre, «celebrada la misa del Espíritu Santo», escribe Alamán, «y exhortados [los diputados] en el púlpito por ... el vicario castrense a alejar de sí toda la pasión e intereses, guiándose sólo por lo que fuese más conveniente a la Nación», el secretario de Morelos lee «un papel hecho por el señor general ... en el que se ponen de manifiesto sus principales ideas para terminar la guerra y se echan los fundamentos de la constitución futura». El documento sería conocido con el nombre de *Sentimientos de la Nación*. No había ya en él —como en Hidalgo o Rayón— sombra de duda o ambigüedad entre la independencia y la fidelidad a Fernando VII. Constaba de 23 puntos, entre los cuales los más salientes eran:

1.º Que la América es libre e independiente de España y de toda otra nación, gobierno o monarquía, y que así se sancione, dando al mundo las razones.

2.º Que la religión católica sea la única, sin tolerancia de otra.

5.º La soberanía dimana inmediatamente del pueblo, el que sólo quiere depositarla en sus representantes dividiendo los poderes de ella en legislativo, ejecutivo y judicial, eligiendo las provincias sus vocales, y éstos a los demás, que deben ser Sujetos sabios y de probidad.

9.º Que los empleos los obtengan sólo los americanos.

12.º Que como la buena Ley es superior a todo hombre, las que dicte nuestro Congreso deben ser tales que obliguen a constancia y patriotismo, moderen la opulencia y la indigencia, y de tal suerte se aumente el jornal del pobre, que mejore sus costumbres, aleje la ignorancia, la rapiña y el hurto.

14.º Que para dictar una ley se discuta en el Congreso, y decida a pluralidad de votos.

15.º Que la esclavitud se proscriba para siempre, y lo mismo la distinción de castas, quedando todos iguales, y sólo distinguirá a un Americano de otro el vicio y la virtud.

19.º Que en la misma se establezca por ley constitucional la celebración del día 12 de diciembre en todos los Pueblos, dedicado a la Patrona de nuestra libertad María Santísima de Guadalupe, encargando a todos los pueblos la devoción mensual.

23.º Que igualmente se solemnice el día 16 de septiembre todos los años, como el día aniversario en que se levantó la voz de la Independencia y nuestra Santa Libertad comenzó, pues en ese día fue en el que se abrieron los labios de la nación para reclamar sus derechos y empuñó la espada para ser oída, recordando siempre el mérito del grande héroe el señor don Miguel Hidalgo y su compañero don Ignacio Allende.

A mediados de siglo, Alamán creyó ver en el ideario de Morelos rasgos «comunistas y socialistas», pero lo que en Morelos predominaba, junto con las modernas ideas políticas, económicas y sociales que había adoptado, era una concepción de raíz mucho más antigua que propugnaba una vuelta al origen, al reino de la igualdad cristiana. Ahora bien, ¿cuáles eran las fuentes intelectuales y morales de Morelos? ¿De dónde extrajo este modesto cura de pueblo sus ideas igualitarias, republicanas, religiosas, nacionalistas?

*

Gracias a los furibundos inquisidores que lo condenarían dos años más tarde, y a la incautación de un «huacal» de libros del caudillo, se conservó la lista pormenorizada de las obras que componían la biblioteca personal de Morelos, libros que lo acompañaron desde sus tiempos de bachiller en Valladolid y que trazan un perfil preciso de su cultura.

Unas cuantas decenas de libros formaban el acervo, la gran mayoría sobre materias religiosas con acento en la práctica moral del sacerdote: prontuarios, directorios, sermones, breviarios. Había también obras de teología dogmática, teología moral, oratoria sacra, sagrada escritura, hagiografía, guadalupanismo. De su Antiguo Testamento solía extraer analogías históricas que lo inspiraban: Morelos veía al pueblo mexicano en la imagen del pueblo hebreo esclavizado por los babilonios. Las *Fábulas* de Fedro se avenían con su excelente sentido del humor. Un libro sobre derecho comercial, la *Curia filípica,* debió de ser el prontuario para su negocio de arriería. Curiosamente, la biblioteca incluía varias gramáticas y diccionarios: hebreo, japonés, tagalo, italiano, francés, mexicano, cora, latín y griego.

Las ideas de Morelos tenían un doble origen: cercano y remoto. Las lecturas que, como él mismo indicó en su proceso, provenían de «los últimos tiempos», de los años posteriores a la lucha, eran los *Concisos* y *El Despertador Sevillano,* periódicos representativos del espíritu de las Cortes de Cádiz, que proponían un liberalismo moderado no antirreligioso. Morelos habría tomado de ellos, de los *Elementos constitucionales* de Rayón, y del propio constitucionalismo gaditano, los principios del sistema representativo, la división de poderes, la soberanía popular.

Pero la huella más profunda correspondía a los libros que leyó a través de su vida. Algunos de ellos los recordó de memoria en su proceso. Había un *Prontuario de teología moral* del dominico español Francisco Lárraga, que servía de texto en el seminario donde Morelos estudió y en cuyas páginas se prescribía, por ejemplo, la posible licitud del homicidio: «es lícito matar en guerra justa». Uno más, el *Directorio moral e Instrucción y examen de ordenados,* de otro moralista del siglo XVII, el franciscano Francisco Echarri, contenía preceptos sobre el comportamiento de los sacerdotes que Morelos practicaba y citaba casi al pie de la letra. Ya en tiempos de la insurgencia, Morelos se refirió abiertamente a la doctrina de la lícita insurrección, común a varios teólogos morales del siglo XVII, reformulándola por su cuenta:

«A un reino conquistado le es lícito reconquistarse y a un reino obediente le es lícito no obedecer a su rey, cuando es gravoso en sus leyes, que se hacen insoportables, como las que de día en día nos iban recargando en este reino los malditos gachupines...».

En la sensibilidad moral y la penetrante inteligencia de Morelos estas doctrinas sobre el origen de la autoridad, la residencia del poder público, las condiciones de resistencia en caso de tiranía, se enlazaban con ideas muy claras sobre la dignidad de la persona y el sentido del orden y la justicia, formando, junto con las últimas corrientes del liberalismo español, un cuerpo coherente y original. «Sin conocer los principios de la libertad pública», escribe Mora, «Morelos se hallaba dotado de un instinto maravilloso para apreciar sus resultados ... apenas conoció los principios del sistema representativo cuando se apresuró a establecerlos en su país.» Si Hidalgo había sido, en esencia, un hombre formado en la monarquía y creyente en ella, Morelos era un republicano natural: «jamás admitiré el tirano gobierno», apuntó en marzo de 1813, «esto es el monárquico, aunque se me eligiera a mí mismo por primero». Su republicanismo, sin embargo, no tenía rasgos de fanatismo: las constituciones en sí mismas no lo conmovían. Frente a la propia carta de Cádiz comentó: «europeos, ya no os canséis de inventar gobiernitos». Hombre práctico ante todo, Morelos creía que sus *Sentimientos de la Nación* (sentimientos, no pensamientos) comprendían todos los aspectos necesarios para un gobierno ordenado, eficaz y decoroso. Su instinto, en todo caso, propendía más a limitar el poder que a ejercerlo.

Al adoptar el sistema representativo, la separación de poderes, los derechos del ciudadano y la libertad de expresión, la nueva nación con que soñaba Morelos se asemejaría a la admirada vecina del norte en varios aspectos fundamentales, salvo en uno, el religioso: debía nacer como una república católica. Que los principios modernos de republicanismo y democracia coexistieran con la absoluta intolerancia en materia religiosa no resultaba extraño, porque en aquella revolución habían resonado desde el principio ecos medievales de las guerras religiosas.

La apelación religiosa a las masas que habían «hecho el papel principal» en la revolución de Hidalgo se formalizó, con Morelos, hasta teológicamente: era *lícita* —así lo prescribían los neoescolásticos como Francisco Suárez— la insurrección contra el tirano, en este caso contra un gobierno «hereje», «impío», «idólatra», «libertino», compuesto por «jacobinos terroristas», «entregado a Bonaparte». Era *lícita,* además, porque desde su acceso a la Corona española a mediados del siglo XVIII, los propios Borbones habían ido arrebatando a la Iglesia, tanto en la metrópoli como en los dominios de ultramar, los tradicionales fueros, inmunidades y privilegios que ahora los caudillos insurgentes de Nueva España —sacerdotes en gran medida— pretendían reivindicar. No era casual que la divisa militar del cura Matamoros fuese «morir por la inmunidad eclesiástica», ni que en uno de sus primeros decretos el Congreso dispusiera la vuelta de los jesuitas a México. En ese sentido, contradictoriamente con sus ideas políticas, su lucha tenía carácter liberal frente a la monarquía absoluta de España pero antiliberal frente al poder espiritual y terrenal, no menos absoluto en México, de la Iglesia. Los insurgentes querían acabar con unos privilegios, los de la Corona y los peninsulares, pero restaurar plenamente otros, los de la Iglesia. No veían la contradicción porque equiparaban la libertad civil con la libertad de la Iglesia frente a la Corona.

Curiosamente, Simón Bolívar, republicano clásico, lector de Montesquieu y de Plutarco, no se alarmó ante esta extraña mezcla de política y religión. Al contrario, vio en ella una táctica efectiva:

«Felizmente», escribió en su «Carta de Jamaica» de 1815, «los directores de la independencia de México se han aprovechado del fanatismo con el mejor acierto, proclamando a la famosa Virgen de Guadalupe por reina de los patriotas, invocándola en todos los casos arduos y llevándola en sus banderas. Con esto, el entusiasmo político ha formado una mezcla de religión que ha producido un fervor vehemente por la sagrada causa de la libertad. La veneración de esta imagen en México es superior a la más exaltada que pudiera inspirar el más diestro profeta».

Bolívar tenía razón en cuanto al efecto de esta apelación religiosa pero se equivocaba al juzgar los móviles de los caudillos. Si en el ilustrado Hidalgo pudo haber un asomo de oportunismo al utilizar el pendón de la Virgen (había sido una «ocurrencia» —declaró en su proceso— que «aprovechó por parecerle a propósito para atraerse las gentes»), Morelos veía en la Virgen no sólo a la protectora de la causa sino, en cierto sentido, a su principal protagonista.

La Virgen de Guadalupe era más que un mito: era el toque de Dios al pueblo mexicano. (*Non fecit taliter omni nationi,* «no hizo algo semejante con ninguna otra nación», decían ciertas copias de la imagen en el siglo XVIII.) La más superficial mirada al paisaje social de la capital mexicana reparaba en las largas procesiones de hombres, mujeres y niños que año con año, día tras día, llegaban al santuario en el cerro del Tepeyac para postrarse ante el altar de la imagen de «la Virgen morena» que —según la leyenda— un piadoso indio llamado Juan Diego halló estampada en su ayate en 1531. En el siglo XIX, los mexicanos podían disputar sobre los padres de la patria, no así sobre la Madre de todos los mexicanos. «En los casos desesperados», escribió uno de los grandes liberales del siglo XIX, Ignacio Manuel Altamirano, «el culto a la Virgen es el único vínculo que nos une; el día que desapareciese, la nacionalidad mexicana desaparecería con ella.» Su discípulo, Justo Sierra, pensaba de modo semejante:

«La mujer indígena que se arrodilla frente al altar de María de Guadalupe, su madre, india como ella, y le cuenta sus penas y sus esperanzas en un diálogo que tiene por respuesta perenne la dulce mirada de la imagen, resume toda la teología de la raza indígena».

A esta teología centenaria se había acogido Morelos en su revolución. Su fervor guadalupano se manifestaba en los menores detalles: bautizar a la nueva provincia de Tecpan «Nuestra Señora de Guadalupe», consagrar constitucionalmente el 12 de diciembre a «la patrona de nuestra libertad», ordenar la celebración de una misa el día 12 de cada mes («deberán los vecinos exponer la Santísima Imagen de Guadalupe en puertas y balcones»), atribuir sus triunfos a la «emperadora Guadalupana», pedir a los miembros de un recién integrado ayuntamiento que jurasen «defender el misterio de la Purísima Concepción de Nuestra Señora», calzar el sello del Congreso de Chilpancingo con el anagrama guadalupano:

«La Nueva España espera más que en sus propias fuerzas en el poder de Dios e intercesión de su Santísima Madre, que en su portentosa imagen de Guadalupe, aparecida en las entrañas del Tepeyac para nuestro consuelo y defensa, visiblemente nos protege».

Uno de sus subalternos, llamado Félix Fernández, llegó al extremo de cambiar su nombre por el de Guadalupe Victoria. Con el tiempo, sería el primer presidente de la República Mexicana.

Morelos vivía en los principios del siglo XIX, pero su voz, como sus lecturas, se remontaba a los tiempos de la Biblia. No por casualidad comparó el destino de México con el del pueblo de Israel: «La causa que defendemos es justa: el Señor de los ejércitos que la protege es invencible». El *Correo Americano del Sur* del 12 de agosto de 1813, «Año tercero de nuestra gloriosa insurrección», comenzaba con esta prédica: «Hermanos nuestros que trabajan como los Israelitas en Egipto día y noche, en las cañas y barbechos para engrosar la fortuna de este nuevo Faraón: el cielo os ha suscitado un Moysés y un Josué para sacaros de tan afrentoso cautiverio». ¿Se reconocería Morelos en estas imágenes bíblicas? Quizá, pero su humildad proyectaba otra imagen, más sencilla, derivada de aquel otro hijo de un carpintero y enlazada al sentimiento de amor por la embrionaria nación: «soy cristiano, tengo alma que salvar, y he jurado sacrificarme antes por mi patria y mi religión, que desmentir un punto mi juramento».

*

Los abogados del Congreso de Anáhuac, que adquirieron una fuerza creciente en la revolución de Morelos, solían recurrir también a estas imágenes. Pero lo que en el fondo acentuaban era el alegato nacionalista, típicamente criollo, de legitimación patriótica: la evocación del pasado precolombino como el verdadero origen de la historia mexicana, el mismo que había utilizado Hidalgo en su homilía final a los comanches. Según Alamán, Morelos veía con desconfianza estas «extravagantes alusiones» y por ello se negó a pronunciar el discurso escrito por Carlos María de Bustamante para la apertura del Congreso. Como buen mestizo, Morelos era nacionalista en los hechos: no sentía necesidad alguna de legitimar sus derechos sobre las tierras americanas de donde procedían, materialmente, sus antepasados. Bustamante, oriundo de Oaxaca pero hijo de peninsulares, encarnaba en cambio la extraña y antigua identificación *intelectual* criolla con el pasado indígena y el consiguiente rechazo del pasado español:

«Genios de Moctezuma, Cacahma, Quautímozin, Xicotencal y Calzontcin celebrad en torno de esta augusta Asamblea ... el fausto momento en que vuestros ilustres hijos se han congregado para vengar vuestros ultrajes y desafueros, y librarse de las garras de la tiranía y francmasonismo que los iban a absorber para siempre. Al 21 de agosto de 1521 sucedió el 8 de septiembre de 1813; en aquél se apretaron las cadenas de nuestra servidumbre en México Tenochtitlán; en ése se rompen para siempre en el venturoso pueblo de Chilpancingo».

Mediante esta persistente apelación al pasado, sin apartarse un ápice de las teorías naturalistas de la neoescolástica española y evitando toda posible «contaminación» con las heréticas ideas de Rousseau, los abogados criollos de la insurgencia podían reclamar para sí —y por encima de Morelos— la representación del pueblo soberano. La única liga que reconocían entre ellos y la Colonia era, por supuesto, con los frailes misioneros del siglo XVI, que en su momento habían sido los más severos críticos no sólo de la Conquista sino de su legitimidad histórica y moral y, por extensión, de los derechos de España a imperar sobre sus colonias. El *Semanario Patriótico Americano* que circulaba entre los insurgentes a fines de 1812, solía incluir cartas como ésta:

«Bartolomé de Las Casas, el verdadero apóstol, el abogado infatigable, el padre tiernísimo de los americanos ... nos dejó por testamento que Dios no tardaría en castigar a la España como ella había destruido a las Américas y parece que la justicia divina aceptó el albaceazgo del santo obispo de Chiapa ... O no hay dios en los cielos que vengue la inocencia sobre la cabeza de los conquistadores ... o estos países deben quedar enteramente libres de los españoles y sus reyes».

Pero las diferencias entre el Congreso y Morelos llegarían mucho más allá de los gustos ideológicos y las analogías históricas. Entre aquellos abogados, criollos en su mayoría, y Morelos, terminó por plantearse un conflicto de potestades *provocado deliberadamente por él.* Toda la resolución que exhibió al desplazar al abogado Rayón del mando, comenzó a volverse aquiescencia frente a los abogados del Congreso que él mismo había promovido. Era como si una vez creado el Congreso y declarada la independencia de la América Septentrional (noviembre de 1813), Morelos hubiese sentido que su misión había culminado. Ya en Chilpancingo, se había negado a aceptar el poder ejecutivo porque, al parecer, lo creía superior a sus fuerzas y a su capacidad. Impelido por las «expresiones públicas y por la autoridad del Congreso», escribe Bustamante, «admitió por fin el empleo», no así el tratamiento de «Alteza», que trocó en el título, discurrido por él, de «Siervo de la Nación». La expresión provenía, como tantas otras de Morelos, del Evangelio: «... el que quisiere hacerse grande entre vosotros, será vuestro servidor y el que quisiere entre vosotros ser el primero, será siervo de todos, puesto que el hijo del hombre no vino a ser servido, sino a servir y a dar su vida como rescate por muchos» (san Marcos, 10, 42-45).

A fines de 1813, la buena estrella de Morelos declinó por varias razones. La efectividad de los ataques realistas, comandados por jefes jóvenes como Agustín de Iturbide, era una de ellas. En diciembre de 1813, Iturbide derrotó a Morelos en Valladolid, la ciudad natal de ambos. Poco después, Morelos perdió a Matamoros y a Galeana. Otro factor que incidió fue la actitud de Rayón: resentido contra Morelos, se negó a proporcionarle informes sobre la zona del Bajío que Rayón, a diferencia de Morelos, conocía muy bien. Pero la causa fundamental del derrumbe fue la creciente subordinación de Morelos al Congreso. Con el tiempo, el Congreso le quitó el mando del ejército y el dinero, dejándolo con una insignificante tropa. Más tarde, lo privaría del poder ejecutivo e incluso llegaría a considerar la idea de devolverlo a su curato en Carácuaro. A las reprensiones del Congreso sobre sus movimientos militares, Morelos respondió alguna vez: «cuando el Señor habla, el siervo debe callar. Así me lo enseñaron mis padres y maestros». «Es infame la opresión en que está condenado», escribió el doctor Cos, uno de sus hombres más inteligentes. Aun cuando Morelos entendía con claridad que la desunión en las filas insurgentes y la «diversidad de dictámenes no permitía tomar providencias acertadas», no parecía perturbarse: «Mi vida es de poca importancia siempre y cuando el Congreso se salve. Mi carrera terminó desde el momento en que vi establecido un gobierno independiente».

En Guadalajara, Hidalgo había vivido una fantasía imperial. A partir de 1814, Morelos fue el siervo de una fantasía republicana:

«El señor Morelos», escribe Lorenzo de Zavala, «se halló desde luego embarazado con decretos inejecutables, con leyes que no tenían objeto ni estaban en consonancia con las necesidades de la nueva patria. ¿Qué podían, en efecto, legislar sobre una población errante, que ocupaba los cerros, los bosques, y no podía permanecer mucho tiempo en el mismo lugar? Se disputaba el mando al que había formado el Congreso, se señalaban rentas los diputados, se daban el tratamiento de *excelencia* y el generalísimo no podía hacer una salida para defender estos mismos diputados de un enemigo que los tenía sentenciados a pena capital, sin encontrar un decreto que restringiera sus facultades y disminuyese su fuerza».

Aquella caravana de letrados que de pueblo en pueblo, bajo los árboles, redactaba una constitución, consumó finalmente su obra en el pueblo de Apatzingán, no muy lejos de los pobres curatos donde había oficiado Morelos. Dio al país su primera constitución republicana. Inspirada en las constituciones francesas de 1793 y 1795, esta constitución confirmaba la preponderancia del poder legislativo sobre el ejecutivo y el judicial. «La nación», escribió Zavala, «parecía tomar una existencia política que no tenía. ¡Cuánto mejor hubiera hecho el señor Morelos en fijar él por sí mismo, ciertos principios generales que tuviesen por objeto asegurar garantías sociales y una promesa solemne de un gobierno republicano, representativo, cuando la nación hubiese conquistado su independencia!» ¿Entrevió Morelos este dilema? Cuando, finalmente, la Constitución se promulgó, aunque la consideraba «impracticable», tuvo su último día de felicidad: «depuso su natural mesura, y con jovial alegría danzó y abrazó a todos».

Al poco tiempo, las esperanzas de recibir ayuda de los Estados Unidos se desvanecieron. Protegiendo siempre al Congreso en fuga y con la idea de refugiarse en Caracas o Nueva Orleans, Morelos cayó en manos de un antiguo colaborador y fue conducido a La Ciudadela, una prisión de la capital. La gente se agolpaba en las puertas, algunos para admirarlo en silencio, otros para vituperarlo abiertamente, todos para ver con sus propios ojos al hombre que había alcanzado proporciones de leyenda. Las autoridades militares y eclesiásticas y el Tribunal de la Inquisición lo sometieron a tres diferentes procesos. Uno de los inquisidores dejó esta descripción física del caudillo caído: «... estatura de poco menos de cinco pies, grueso de cuerpo y cara; barba negra poblada, un lunar entre la oreja y el extremo izquierdo, dos verrugas inmediatas al cerebro por el lado izquierdo, una cicatriz en la pantorrilla izquierda; y trae en su persona camisa de bretaña, chaleco de paño negro, pantalón de paño azul, medias de algodón blancas, zapatos abotinados, chaqueta de indianilla, fondo blanco pintado de azul, mascada de seda toledana y montera de seda y en su cárcel, tiene una chaqueta de indiana, fondo blanco, una camisa vieja de bretaña, un sarape listado, un pañito blanco, dos taleguillas de manta, unas calcetas gallegas y un chaleco acolchado».

*

Era preciso que el juicio de Morelos fuese el escarmiento definitivo. En el primer proceso de las Jurisdicciones Unidas (militares y eclesiásticas), los jueces le imputaron el delito de alta traición. Ante los cargos, Morelos negó haberse batido contra las tropas del Rey: durante el tramo mayor de su campaña, el rey Fernando VII no había regresado y de hacerlo, vendría napoleonizado, contaminado de francesismo, de irreligiosidad. En todo caso, a diferencia de Hidalgo, Morelos admitió sin ambages las razones de la insurgencia:

«él mismo viene a confesar que desde el principio no estuvo por Fernando Séptimo, sino por la independencia ... que no era razón engañar a las gentes haciendo una cosa y siendo otra, es decir, pelear por la independencia y suponer que se hacía por Fernando Séptimo».

Con parsimonia y claridad contestó cada punto: no hubo asesinatos sino por excepción, cuando el gobierno de México se había rehusado al canje de prisioneros por la vida de Matamoros; se dieron órdenes expresas contra el saqueo; no hizo caso de las excomuniones en su contra porque sólo tendría facultad para decretarlas el Papa o el Concilio General; dejó sus funciones sacerdotales y no celebró misa hasta que comenzó «a haber muertes en el territorio a su mando». En definitiva, no consideraba haber incurrido en el delito de alta traición que se le imputaba: la insurrección era justa porque el rey Fernando VII «se había puesto en manos de Napoleón ... entregándole la España como un rebaño de ovejas». En cuanto a los males causados por la guerra, «son consiguientes a toda revolución popular».

En torno al Rey, el razonamiento de Morelos se fundaba en dos de las premisas habituales en los tratados y prontuarios que había estudiado: el Rey no es indefectible y es lícito rebelarse contra él, matarlo incluso, si encarna al mal gobierno. Los jueces eludieron toda discusión sobre el «francesismo» del Rey y probablemente impidieron que el reo hablara de lo más importante: la justicia de su rebelión, la justicia histórica de la Independencia. Apuntaron en cambio las censuras de «varios concilios ... contra los que se levantan contra la soberanía de los reyes». Se trataba, por supuesto, de un abuso regalista de una legislación conciliar que el propio Francisco Suárez había rebatido en una obra célebre publicada a principios del siglo XVII: *Defensio Fidei.* Cuidando las formas, la jerarquía concedió al acusado un abogado defensor, a pesar de lo cual la sentencia fue terrible: lo condenó a la degradación sacerdotal y a la muerte, además de amenazar con negarle la comunión, a menos que se arrepintiera y abjurara de su vida revolucionaria. Sólo así podía morir con los sacramentos.

Más arduo aún fue el proceso de la Inquisición. El cargo en este caso era nada menos que «herejía». Se le imputaba por varios motivos, entre ellos: actuar como secuaz de Hidalgo, condenado por la Inquisición; haber sido él mismo excomulgado por el obispo Abad y Queipo en julio de 1814; tener «una extraviada creencia sobre el poder de la Iglesia»; despreciar las censuras que se le habían lanzado por celebrar misa no siendo regular; frecuentar en esa condición los sacramentos; no rezar el *Breviario;* valerse del sacerdocio para seducir al pueblo; enviar a su hijo a formarse como hereje y libertino en los Estados Unidos; mandar que se jurara y observase el decreto constitucional, que «igualaba la fe católica con las máximas de la insurgencia»; ser ateísta y materialista, aparte de estar imbuido de las doctrinas de Rousseau y otros sobre la ley y la sociedad; autorizar robos y crímenes; usurpar la autoridad eclesiástica y, por fin, el cargo clave —siempre eludido por los jueces—, sobre el cual Morelos podía construir su defensa: «tener por lícito el levantamiento contra el legítimo príncipe bajo el pretexto de la tiranía».

En los *Sentimientos de la Nación*, Morelos había citado el original en latín del pasaje del Evangelio según san Mateo (15, 13) que hablaba de la «planta que no plantó mi Padre Celestial». El «Sentimiento» explícito de Morelos consistía en «arrancar» esa planta, es decir, la Inquisición. De esa convicción íntima partieron muchas de sus respuestas, pero sin negar en ellas la autoridad de la Inquisición sino apuntando a las circunstancias de «opresión» en que el tribunal se hallaba durante la invasión napoleónica. Por lo demás, la mayoría de los cargos encerraban notoria falsedad: había mandado a su hijo a Nueva Orleans para educarlo y protegerlo, no para extraviarlo; jamás leyó a Rousseau; había leído apenas, en un día, la Constitución de Apatzingán, y aunque la consideraba «mala por impracticable» pensaba que sus preceptos «eran del bien común»; había hecho nombramientos eclesiásticos a fin de que la insurgencia no careciese de atención espiritual. Con todo, no dejaba de ser extraño que en el descargo de la pregunta clave, Morelos no invocara siquiera tenuemente las doctrinas que conocía sobre la licitud de una guerra justa contra el tirano y, menos aún, la justificación de la independencia. Renglones antes había dicho que «siempre contó con la justicia de la causa, en que habría entrado, aunque no hubiera sido sacerdote»; sin embargo, no tocó las verdaderas causas de la insurgencia sino de modo tangencial, como si la guerra hubiese sido contra Francia y por la religión, no contra España y por la independencia:

«dijo que entró en la insurrección no haciendo reflexión en lo que contiene el cargo y llevado de la opinión de su maestro Hidalgo, pareciéndole se hallaban los americanos, respecto a España, en el caso de los españoles que no querían admitir el gobierno de Francia; y más, cuando oía decir a los abogados que había una ley, en cuya virtud, faltando el rey de España, debía volver este reino a los naturales, cuyo caso creían verificado pues hasta ahora no han creído la vuelta del rey a España, aunque el confesante ya la cree, aunque a ratos se le dificulta que haya vuelto tan católico como fue, por haberlo conducido las tropas francesas...».

Morelos no abundó en los motivos de la insurgencia, ni siquiera en la extensa relación de sus campañas que hizo en el último interrogatorio de la Capitanía General. Al contrario, lejos de defenderse, quizá sinceramente, se acusó: «a la luz de las reflexiones que me han hecho, he reconocido lo injusto del partido que abracé». Su retractación atañía sólo a su carrera insurgente, no a su conciencia cristiana: nunca aceptó el cargo de hereje con que la Inquisición lo sentenció. Alamán, el crítico más acerbo de los insurgentes, condenó a su vez a quienes lo condenaron: «De todo podía ser acusado Morelos menos de herejía».

El 26 de noviembre, Morelos refirió a la Jurisdicción Unida (y, días después, con mucho mayor detalle, a la Capitanía General) la localización, los recursos y las señas personales de los jefes insurgentes que continuaban alzados. El 12 de diciembre, día de la Virgen, reveló incluso los escondites de armas y demás material bélico. Para entonces había ofrecido algo más:

«Si le dan avíos para escribir, formará un plan de medidas que el gobierno debe tomar para pacificarlo todo, y en especial la costa del sur y Tierra Caliente».

Según Alamán, este ofrecimiento y el de escribir a los restantes jefes de la Revolución para «terminarla si se le concedía la vida, fueron los únicos actos de debilidad en que incurrió en su proceso». Es improbable que todavía albergara la esperanza de salvar la vida. ¿Lo había quebrado la amenaza de morir sin sacramentos en caso de no abjurar? Seguramente, pero ¿era necesario, además de la delación, proponer un plan contra sus propios compañeros?

El Santo Oficio, que creía haber contribuido a extinguir la rebelión y a lograr la pacificación del reino, «obró», en opinión de Alamán, «contra sus autores, pues el proceso de Morelos fue el último golpe del descrédito de este tribunal cuyo postrer acto público fue el auto de fe de aquel caudillo». Ese mismo día, Morelos fue sometido a la peor humillación que puede enfrentar un clérigo, un acto raro en los anales de la Iglesia: la degradación. La narración de Alamán proviene de un testigo presencial:

«El obispo de Oaxaca aguardaba revestido de pontificial en la capilla que está a los pies de la sala del tribunal; Morelos tuvo que atravesar toda ésta de uno a otro extremo, con el vestido ridículo que le habían puesto y con una vela verde en la mano, acompañado por algunos familiares del Santo Oficio: el concurso numeroso, más ansioso cada vez de verlo de cerca, se levantó sobre las bancas ... Morelos, con los ojos bajos, aspecto decoroso y paso mesurado, se dirigió al altar ... se le revistió con los ornamentos sacerdotales y puesto de rodillas delante del obispo, ejecutó éste la degradación...».

Morelos escuchó las terribles palabras: «Apartamos de ti la facultad de ofrecer el sacrificio de Dios y de celebrar misa ... Con esta raspadura te quitamos la potestad que habías recibido en la unción de las manos ... Te privamos... te deponemos, degradamos, despojamos ... como a hijo ingrato te arrojamos de la herencia del Señor».

«Todos estaban conmovidos con esta ceremonia imponente», continúa Alamán; «el obispo se deshacía en llanto; sólo Morelos con una fortaleza tan fuera del orden común que algunos calificaron de insensibilidad, se mantuvo sereno, su semblante no se inmutó, y únicamente en el acto de degradación se le vio caer alguna lágrima.»

Quedaba el calvario. El 21 de diciembre de 1815, exactamente el día en que dieciocho años antes había recibido la dignidad del sacerdocio de manos del obispo San Miguel, de rodillas como entonces, Morelos escuchó su sentencia de muerte. Al día siguiente, acompañado por un fraile, un padre y un oficial, subió en un coche cerrado. Tomaron el camino del santuario de Guadalupe:

«Morelos», escribe Alamán, «iba rezando diversas oraciones y en especial los salmos "Miserere" y "De profundis", que sabía de memoria, y su fervor se encendía en cada plazuela que atravesaban de las varias que hay en el tránsito, creyendo que en alguna de ellas iba a ejecutarse la sentencia, y manifestaba mucho deseo de padecer en este mundo temeroso de las penas del purgatorio, aunque confiaba en la misericordia de Dios, que sus pecados habían sido perdonados. Al llegar a Guadalupe, quiso ponerse de rodillas, lo que hizo no obstante el estorbo de los grillos».

Más adelante, en el patio de un antiguo caserón de los virreyes del árido caserío de San Cristóbal Ecatepec, sería la ejecución. Al ver aquel paisaje Morelos comentó: «Donde yo nací fue el jardín de la Nueva España». Bebió con apetito un caldo con garbanzos y fumó su acostumbrado puro. Pidió un crucifijo: «Señor, si he obrado bien tú lo sabes; y si mal, yo me acojo a tu infinita misericordia». Escuchó las palabras del padre: «Haga usted cuenta que aquí fue nuestra redención».

«Diose», narra Alamán, «la voz de fuego y el hombre más extraordinario que había producido la revolución de Nueva España cayó atravesado por cuatro balas; pero moviéndose todavía y quejándose, se le dispararon otras cuatro, que acabaron por extinguir lo que le quedaba de vida.»

Las autoridades creyeron que la muerte de Morelos produciría «un pavor saludable» que cortaría de raíz la insurrección. El Congreso, en efecto, se disolvió y algunos insurgentes se acogieron al indulto; no obstante, por cinco años, sus lugartenientes más cercanos continuaron tenazmente la guerra de guerrillas. A partir de 1817, el liberal español Francisco Xavier Mina, se aunó a la lucha en Michoacán y Guanajuato y murió fusilado. Cuando en 1821 llegó la oportunidad histórica de consumar la independencia, dos de los caudillos más cercanos y fieles a Morelos seguían vivos: Guadalupe Victoria —acosado y exhausto— en

Veracruz, y —mucho más activo— Vicente Guerrero, en el escenario mismo a donde Morelos había dado sus más célebres batallas: las intrincadas, indomables montañas del suroeste de México.

*

Todos los historiadores del siglo XIX, liberales y conservadores, respetaron a Morelos. Zavala lo ponderaba sin reservas: humilde, valiente, sereno, constante, desinteresado, puro, noble, enérgico. Para Alamán, que apreciaba sobre todo su religiosidad, es decir, su lealtad a las tradiciones del pasado, Morelos es el enemigo equivocado pero «memorable ... el más notable que hubo entre los insurgentes». Inversamente, Mora realzaba su republicanismo, es decir, su visión del futuro, y lo vindicó sobre todo por sus «superiores prendas morales». Los liberales románticos lo exaltaron, a veces, hasta la mentira: «no comprometió a nadie en sus declaraciones», escribió Prieto. El positivista Sierra lo llenó de adjetivos: «enérgico, implacable, bravío, grande». Lo mismo hizo el implacable Bulnes: «figura torva y ... verdaderamente imponente».

No sólo los historiadores del siglo XIX admirarían a Morelos: también los caudillos liberales y conservadores. Curiosamente, fue Maximiliano de Habsburgo quien en 1864 levantó la primera estatua de Morelos en la ciudad de México y en su discurso exclamó:

«Hemos visto al humilde hombre del pueblo triunfar en el campo de batalla; hemos visto al sencillo cura gobernar las provincias a su mando en los difíciles momentos de su penosa regeneración, y lo hemos visto morir físicamente derramando su sangre como mártir de la libertad y de la Independencia; pero este hombre vive moralmente en nuestra patria y el triunfo de sus principios es la base de nuestra nacionalidad».

Al restaurar la República, Juárez refrendó el nacimiento del nuevo estado de Morelos, vecino al Distrito Federal. Pero quizá nadie como el último caudillo mestizo del siglo se sentiría tan cerca del primero. Para Porfirio Díaz su afinidad con Morelos no era sólo étnica y social sino militar (conocía de memoria las campañas de Morelos) y, sobre todo, política. De haber triunfado Morelos, afirmaba Díaz en 1891: «Hoy en día sería la República poderosa que habríamos esperado a base de sus 70 años de desarrollo iniciado por la valentía, la prudencia, y los talentos políticos, de los cuales fue el dechado aquel hombre extraordinario». Por eso lo emocionó tanto recibir de manos del marqués de Polavieja durante las fiestas del Centenario, las prendas de Morelos. Tanto, que siendo una esfinge se atrevió a decir:

«Yo no pensé que mi buena fortuna me reservara este día memorable, en que mis manos de viejo soldado son ungidas con el contacto del uniforme que cubrió el pecho de un valiente, que sintió palpitar el corazón de un héroe y prestó íntimo abrigo a un altísimo espíritu, que peleó contra los españoles, no porque fuesen españoles, sino porque eran los opositores de sus ideales».

A pesar de la admiración universal, Morelos no sería cabalmente comprendido. Los liberales olvidaron el embrión conservador en la vida de Morelos. Los conservadores olvidaron el embrión liberal. En medio de esos dos olvidos: ¿qué representó el Siervo de la Nación? La encrucijada de México, un país en permanente tensión entre la profunda tradición y la modernidad ineludible, entre el proyecto religioso de los misioneros del siglo XVI en quienes «había tornado el espíritu angélico del fundador» y los vientos republicanos y liberales que soplaban en Occidente.

En su *Historia política,* Justo Sierra pidió la generosa comprensión del lector para «aquellos primeros padres de la República [que] se asían a sus creencias religiosas como de una tabla de salvación. Cuando ellos decían Dios y patria, traducían toda la fe de su conciencia y todo el amor de su corazón. Hijos de este siglo que muere escéptico, desilusionado y frío, sepamos respetar y admirar a los que identificaron su fe y su esperanza en una religión sola, hasta en las gradas del cadalso».

El siglo XIX moría escéptico, desilusionado y frío, pero no en el México popular. Ese México seguía allí, identificando su fe espiritual y su esperanza terrena en una religión sola; seguía allí, crucificado entre las dos palabras que formaban el anagrama vital de aquel hombre cuya profética biografía anunciaba las tensiones futuras de México: religión y patria.

III
El derrumbe del criollo

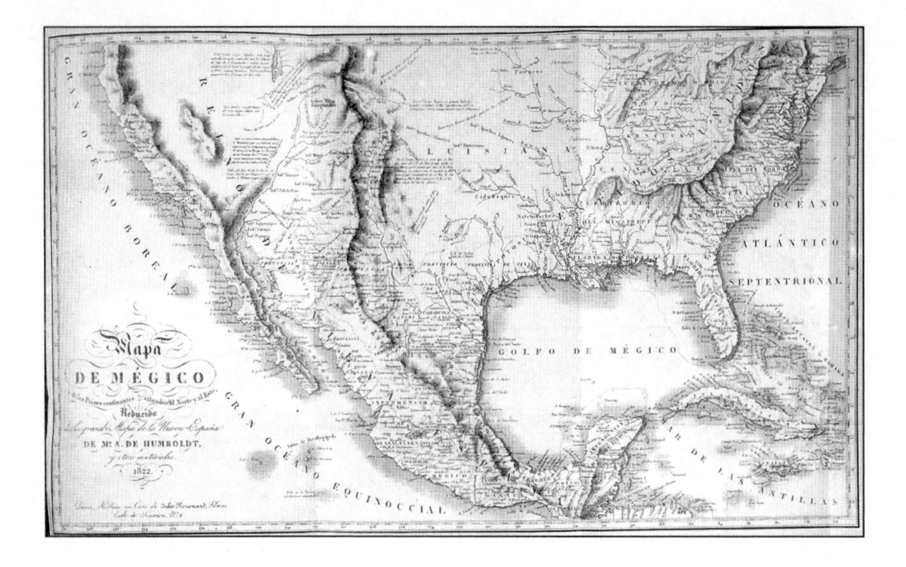

México en 1822

Sueño imperial

México nació en 1821 a su vida independiente con unas expectativas inmensas sobre su legendaria riqueza, las mismas que habían albergado los criollos ilustrados de fines del siglo XVIII, como si la metáfora que hacía del territorio nacional un «cuerno de la abundancia» hubiese sido, más que una metáfora, una descripción. El cumplimiento de la profecía hecha por Humboldt en su *Ensayo* parecía inminente: «El vasto reino de Nueva España, bien cultivado, produciría por sí solo todo lo que el comercio va a buscar en el resto del mundo».

Aquel fue un año dorado en la historia nacional. En septiembre se vivía el capítulo final de un movimiento de independencia inverso al que, once años antes, había encabezado Hidalgo: breve, incruento, ordenado y, ante todo, exitoso. En el lapso de siete meses ocurrió lo increíble: por la audaz iniciativa del jefe realista Agustín de Iturbide, los estratos criollos del país –sacerdotes, militares, empresarios y profesionales– se unieron con vastos sectores del pueblo campesino y urbano bajo el manto protector de un pacto concertado en la pequeña población sureña de Iguala, entre quienes habían sido, desde tiempos de Morelos, irreductibles enemigos: el propio Iturbide y el último caudillo de los insurgentes, un mestizo a quien Morelos conocía desde los remotos años de Carácuaro y que había llegado a ser su heredero: Vicente Guerrero.

Alguien llegaría a consignar, con el tiempo, que la conquista de México la hicieron en 1521 los indios –los tlaxcaltecas que secundaron a Cortés– y la Independencia en 1821 los españoles –los peninsulares avecindados en México que, temerosos de la nueva aplicación de la Constitución liberal de Cádiz, buscaron el caudillaje salvador de Iturbide–. La paradoja tiene mucho de verdad, pero olvida dos elementos sin los cuales la consumación de la independencia es inexplicable: la porfía de los guerrilleros insurgentes y la biografía de Iturbide.

Nacido como Morelos en Valladolid, Iturbide era hijo de un rico hacendado español y una criolla nacida en Pátzcuaro. En 1798, a sus quince años de edad, administraba ya la hacienda de Quirio propiedad de su padre. A los veintidós se alistó como teniente alférez en el regimiento de infantería provincial de Valladolid. Ese mismo año se casó con Ana Huarte, hija de don Isidro Huarte, el mayor potentado español de la región. Cuando estallaron los primeros conatos y conjuras independentistas en la ciudad de México y la propia ciudad de Valladolid hacia 1808 y 1809, la posición social del joven Iturbide era casi la inversa de la del cura criollo que encabezaría finalmente la insurgencia. Mientras Hidalgo enterraba a su hermano Manuel y recobraba tardíamente sus haciendas embargadas, Iturbide adquiría una hacienda propia —la de San José de Apeo— no lejos de las de Hidalgo. No es casual que la familia Iturbide apoyara al gobierno en aquellos episodios de frustrada autonomía criolla ni que Iturbide rechazara la oferta que le haría Hidalgo de sumarse a su causa con el grado de teniente general. El saqueo de la hacienda paterna y la huida de la familia a la casa que poseían en la capital fueron motivos suficientes para incorporarlo a las filas realistas.

A partir de su primer enfrentamiento con los insurgentes (justamente en el Monte de las Cruces) la carrera militar de Iturbide fue meteórica. «Siempre fui feliz en la guerra», escribiría años después en sus *Memorias,* «la victoria fue compañera inseparable de las tropas que mandé. No perdí una acción, batí a cuantos enemigos se me presentaron o encontré, muchas veces con fuerzas inferiores de uno a diez ...» Petulancia aparte, no exageraba. Su hoja de servicios —y su propio, meticuloso diario de guerra— consignaban capturas de feroces caudillos, tomas de difíciles fortificaciones y, ante todo, derrotas a los jefes insurgentes más connotados: Liceaga, Rayón y el mismísimo Morelos en Valladolid.

Lo que sus *Memorias* omitían era un rasgo característico que sus contemporáneos, sin distinción de bandos, describieron con una misma palabra: la crueldad. «Se distinguió por espacio de nueve años por sus acciones brillantes», apuntó Zavala, «y por su crueldad contra sus conciudadanos.» «Una estela de sangre fue señalando todos los pasos de [su] derrotero», escribiría Alamán, que si bien no quería a Iturbide debido a ciertos pleitos mercantiles que involucraron a ambos, quería menos a los rebeldes: «Severo en demasía con los insurgentes, deslució sus triunfos con mil actos de crueldad y por la ansia de enriquecer por todo género de medios».

En su *Historia de México,* el propio Alamán documentaría con creces los excesos de Iturbide. Fusilaba con liberalidad y a menudo sin extremaunción a sus enemigos y a la población civil inocente, pero no era más piadoso con sus propios soldados si advertía en ellos la míni-

Agustín de Iturbide, 1852

ma señal de cobardía: a un inocente apellidado Arenas «lo mandó pasar por las armas, e impuso la misma pena a otro que se sacó en suerte entre todos, exceptuando de entrar en el sorteo a los que se habían conducido con valor». En la toma de un fuerte rodeado por el lago de Yuriria en el que «sin escapar uno solo» perecieron los insurgentes, Iturbide exclamó, en tono de guerra santa: «¡Miserables, ellos habrán conocido su error en aquel lugar terrible en que no podrán remediarlo! (Suponiendo condenados a todos a las penas del infierno por excomulgados) ...». En sus propias palabras, Iturbide gustaba de «colear» insurgentes más que de «colear ganado», pero quizá su acto más cruel fueron los bandos que decretó a fines de 1814. A ellos precisamente hacían referencia ciertas mujeres encarceladas, «sepultadas» por órdenes suyas, que años después pedían «se nos despache al Purgatorio, que juzgamos habitación menos asfixiente *[sic]* que en la que estamos»:

«El señor Yturbide mandaba publicar bandos para toda clase de individuos ... y dispuso en uno de ellos: Que las Mugeres *[sic]*, Madres y más próximos parientes de los rebeldes que se hallaran separados de éstos, se retirasen de los pueblos dentro de cierto tiempo y fuesen a unirse con sus maridos, hijos y consanguíneos, a pena de que las personas que así no lo ejecutasen serían presas. Añadió luego en otro bando: que las mujeres aprendidas lejos de sus padres, esposos, hijos, hermanos, etc., infidentes, deberían ser diezmadas, quintadas o terciadas [padeciendo] irremisiblemente la decapitación, siempre que los traidores cometiesen tales y tales despropósitos».

¿Cuál era el origen de tales extremos de crueldad? Según afirmaría Iturbide en sus *Memorias*, «Hidalgo y los que lo sucedieron desolaron el país, destruyeron las fortunas, radicaron el odio contra europeos, sacrificaron a millares de víctimas, obstruyeron las fuentes de las riquezas, desorganizaron el ejército, aniquilaron la industria, hicieron de peor condición la suerte de los americanos ... Si tomé las armas en aquella época, no fue para hacer la guerra a los americanos sino a los que infestaban el país». Pero de nueva cuenta, como con Hidalgo, cabe preguntarse: ¿era preciso contestar el odio con el odio?, ¿era necesario, sobre todo frente a un adversario como Morelos? Tampoco en este caso la respuesta admite ambigüedad. Los extremos de crueldad no se justificaban. El odio entre Hidalgo e Iturbide, los dos hacendados de Michoacán, era inmenso quizá porque era un odio entre hermanos, entre hermanos en el criollismo: el mayor caudillo criollo de la insurgencia y el mayor caudillo criollo de los realistas. Para desgracia del país, la mala yerba de ese odio no murió en 1821: creció con el siglo, cobijando otras causas y bajo otros nombres.

En Iturbide, la otra cara de la crueldad era la ambición, tan grande que el propio Abad y Queipo sostenía: «no sería extraño que andando el tiempo él mismo fuese el que hubiese de efectuar la Independencia». No se equivocaba. A principios de 1815, el día de la única batalla en que la suerte le fue adversa, «sentado», cuenta Alamán, «al abrigo de una peña con el general Filisola, Iturbide lamentaba tan inútil derramamiento de sangre, llamando la atención de Filisola a la facilidad con que la independencia se lograría, poniéndose de acuerdo con los insurgentes las tropas mexicanas que militaban bajo las banderas reales; pero considerando el completo desorden de los primeros y el sistema atroz que se habían propuesto, concluyó diciendo, que era menester acabar con ellos antes de pensar en poner en planta ningún plan regular».

Filisola, agrega Alamán, se manifestó conforme con las opiniones de Iturbide y éste le dijo: «quizá llegará el día en que le recuerde a V. esta conversación, y cuento con V. para lo que se ofrezca». Con todo, a mediados de 1814 y conforme la Insurgencia cedía terreno, la ambición de Iturbide tenía otras miras: gloria, reconocimientos, la Cruz de la Orden de San Fernando y otros galardones que creía merecer y que conseguiría, de ser preciso, viajando a España.

La fortuna tenía otros planes. A partir de 1816 Iturbide se vio envuelto en un ruidoso escándalo público concerniente a su desempeño moral durante los años de guerra. «Pigmalión de América» lo llamaba un doctor Labarrieta —su detractor más enconado—, detallando la serie de latrocinios, saqueos, incendios y tráficos de comercio ilícito que había practicado Iturbide. La defensa que el antiguo comandante de las fuerzas realistas y virrey Félix María Calleja hizo de él no bastaría para limpiar su nombre. Tampoco la intercesión de un abogado que Iturbide contrató ante la Corona. Aunque según Alamán «fue absuelto, no quiso regresar al mando». No quería una exoneración vaga sino plena, y algo más: la Cruz de Isabel la Católica que por esos días, y con méritos similares a los suyos, había recibido Calleja.

Esperó en vano. En 1818 rentó una hacienda cercana a la ciudad de México que no debió administrar demasiado bien a juzgar por los préstamos en que comenzó a incurrir:

«En la flor de la edad», narra Alamán, «de aventajada presencia, modales cultos y agradables, hablar grato e insinuante, bien recibido en la sociedad, se entregó sin templanza a las disipaciones de la capital ... en tales pasatiempos menoscabó en gran manera el caudal que había formado con sus comercios en el Bajío, hallándose en muy triste estado de fortuna, cuando el restablecimiento de la Constitución y las consecuencias que produjo, vinieron a abrir un nuevo campo a su ambición de gloria, honores y riqueza».

Fue entonces cuando debió de recordar su conversación con Filisola. Ahora sí sentía en carne propia el agravio de su condición criolla. De pronto, Iturbide podía resolver su propia biografía y la de la nación en un solo acto reivindicatorio. Su honor ultrajado y el de México valían un abrazo con el último de los insurgentes: Vicente Guerrero.

*

Según el Plan de Iguala, el ejército unificado de ambos caudillos se llamaría «trigarante» porque garantizaría tres principios fundamentales: la unión entre todos los grupos sociales, la exclusividad de la religión católica y la absoluta independencia respecto de España. Los lazos con ésta no se rompían: se desataban. No habría sombra siquiera de parricidio: la nueva nación adoptaba la monarquía constitucional como sistema de gobierno y para ejercerla le abría los brazos al propio Fernando VII —constreñido a partir de 1820 por el restablecimiento de la Constitución liberal de Cádiz—. En caso de que el monarca no aceptara, los Tratados de Córdoba (firmados el 24 de agosto de 1821 por Iturbide y el último virrey, Juan O'Donojú) mencionaban a otros sucesores de la casa de los Borbones para ocupar el codiciado trono. Si no aceptaban, sería emperador «el que las cortes del imperio designaren». Iturbide abría así las puertas de su propia designación. Las palabras iniciales del plan, pronunciadas por Iturbide, dan una idea de la alegría casi mesiánica del momento:

«Americanos, bajo cuyo nombre comprendo no sólo a los nacidos en América, sino a los europeos, africanos y asiáticos que en ella residen, tened la bondad de oírme ... Trescientos años hace, la América Septentrional que está bajo la tutela de la nación más católica y piadosa, más heroica y magnánima. España la educó y engrandeció formando esas ciudades opulentas, esos pueblos hermosos, esas provincias y reinos dilatados que en la historia del universo van a ocupar lugar muy distinguido. Aumentadas las poblaciones y las luces, conocidos todos los ramos de la natural opulencia del suelo, su riqueza metálica, las ventajas de su situación topográfica, los daños que originan la distancia del centro de su unidad y que ya la rama es igual al tronco, la opinión pública y la general ... es la independencia absoluta de España».

El 27 de septiembre de 1821, día del 38 cumpleaños de Iturbide, los dieciséis mil hombres del «Ejército Trigarante», realistas e insurgentes unidos, entraron a la capital. Era la primera vez que el movimiento independentista se hacía presente en la «Ciudad de los Palacios» cuyos edificios de tezontle rojo y negro, según Humboldt, podían «figurar muy bien en las mejores calles de París, Berlín y Petersburgo». La primera vez y la definitiva. La bandera de aquel ejército que simbolizaba el contenido del Plan de Iguala fue tan popular que, con leves modificaciones, sería adoptada como bandera nacional: sobre el fondo blanco que representaba la pureza de la religión católica, al lado del verde que aludía a la independencia y del rojo encarnado que recordaba a España, se colocó el emblema de la mítica fundación de México-Tenochtitlán por los aztecas: un águila que, sobre un nopal, devora una serpiente. «Aquel 27 de septiembre», escribiría Alamán, «ha sido ... el único día de puro entusiasmo y de gozo, sin mezcla de recuerdos tristes o de anuncios de nuevas desgracias, que han disfrutado los mexicanos.» México nacía de una múltiple reconciliación, de un abrazo entre realistas e insurgentes, entre peninsulares, criollos, indios, castas y mestizos, entre el pasado prehispánico y los tres siglos coloniales, entre la rama y el tronco.

La opinión mayoritaria del momento lo percibió así y atribuyó a Iturbide el mérito principal no sólo en la consumación de la independencia sino en el proyecto equilibrado y pertinente que discurrió para la nueva nación. «Los tres puntos principales», escribe Alamán, «estaban perfectamente acomodados a las circunstancias en que el país se hallaba». En cuanto a la elección de la monarquía representativa y constitucional como forma de gobierno y el consiguiente rechazo a la «manía de las innovaciones republicanas», el propio Iturbide había formulado sus razones a Gabino Gainza, jefe militar y político de Guatemala, provincia que se adheriría al Imperio mexicano:

«Los pueblos no pueden querer que sus gobernantes ... arrojen en su seno las simientes de la anarquía en los momentos de restituirlos a la posesión de su libertad ... Es preciso que al destruir en su raíz [al poder absoluto] ... evitemos ... pasar al cuerpo político de la excesiva rigidez a la absoluta relajación de todas sus partes ... Si aspiramos al establecimiento de una monarquía es porque la naturaleza y la política, de acuerdo en el particular, nos indican esta forma de gobierno en la extensión inmensa de nuestro territorio, en la desigualdad enorme de fortunas, en el atraso de las costumbres, en las varias clases de población, y en los vicios de depravación identificada con el carácter de nuestro siglo».

En aquel momento de expansión y optimismo, la mera contemplación del mapa imperial mexicano movía a admiración: abarcaba desde el río Arkansas y la Alta California en el norte hasta Centroamérica en el sur, desde la inmensa costa del Pacífico hasta el golfo de México. Comprendía prácticamente toda la América meridional. No es casual que Iturbide considerara la «unión íntima» futura del nuevo imperio con la isla de Cuba, acosada por los «ingleses de uno y otro continente» y en peligro de «ser desgarrada por luchas intestinas». México no podía «ser indiferente a ninguna de esas contingencias». Tampoco es casual que Iturbide viese con una mezcla de admiración y recelo a los Estados Unidos de Norteamérica: admiración por su régimen político interior y su creciente prosperidad, recelo frente a su sed territorial. En particular le preocupaba Texas, «por el abandono con que el anterior gobierno miró ese punto tan interesante del imperio».

En espera de la confirmación española de los Tratados de Córdoba, Iturbide labraba su gloria y su posterior exaltación imperial. Hombre de «modales cultos y agradables» y de «hablar grato e insinuante», lo que le ganó la idolatría nacional no fue, sin embargo, su «aventajada presencia» sino los méritos de su maniobra (más política que militar), la triple promesa del Plan de Iguala y una antigua idea religiosa que «lisonjeaba» —como se decía entonces— la imaginación de los mexicanos: la idea de la providencia. En su vertiente natural, la providencia había creado «nuestras floridas y ricas tierras», la «nación más opulenta, señora de las riquezas del mundo», pero faltaba el hombre providencial que sacara de su seno «los bienes imponderables de México». En 1821, la mayor parte de los mexicanos conscientes de su nueva nacionalidad creyeron encontrarlo en Iturbide. Iturbide mismo, por un tiempo, se creyó también ese hombre.

Todos los temperamentos bombásticos, toda la capacidad «lisonjera», toda la angustia reprimida por diez años de guerra, todas las esperanzas nobles y las ambiciones mezquinas salieron a la superficie en la forma de un torrente de loas, poemas, himnos, frases o simples epítetos dedicados al «padre de la patria», «varón de Dios», «columna de la Iglesia», «benjamín idolatrado», el semidiós llamado Agustín de Iturbide. «A ti se te ha debido destrozar la melena del León Hispano», le decía un aprendiz de poeta, mientras que otros ponderaban su excelsi-

Vicente Guerrero, 1828

tud, su eminencia, su grandeza y lo elevaban al rango de «confusión de España, admiración de Europa, honor de América, héroe original sin ejemplo en la historia». Todos los adjetivos elogiosos del adjetival idioma castellano se aplicaron a aquel enviado de la providencia: Iturbide el magnánimo, sin par, libertador, generoso, inimitable, inmortal, ínclito.

Meses más tarde, cuando aún no cesaba aquella borrachera de optimismo, ocurrió otro suceso providencial... en sentido inverso: la nación más «heroica y magnánima», España, se negó a regalar un heredero al Imperio de México. (Años después, no dejaría de intentar, infructuosamente, la reconquista de su antigua colonia y sólo establecería relaciones diplomáticas con ella en 1836.) Una pauta similar de rechazo siguió el Vaticano, que consideró cancelados, de paso, los tradicionales derechos del Patronato Regio que desde tiempos de la Conquista había otorgado a la Corona (en esencia, voto de calidad al poder civil en la designación de sacerdotes). De pronto, en medio de la euforia optimista, una sensación psicológica de orfandad empañó el bautizo histórico de la nueva nación. Ante el rechazo paterno, la solución universalmente aceptada fue *crear* la paternidad: ungir y elegir «por la Divina Providencia y por el Congreso de la nación, a Agustín, emperador constitucional de México».

El Congreso Nacional, que el propio Iturbide eligió para formular la nueva constitución y que había jurado lealtad al Plan de Iguala y los Tratados de Córdoba, estaba dominado por españoles llamados «borbonistas», porfiados en que el trono se entregase a un descendiente de esa casa imperial. A pesar del rechazo de España, los borbonistas no cejaron en su intento y se aliaron con sus enemigos ideológicos, los incipientes republicanos organizados en las sectas masónicas llamadas «escocesas». Desde un principio, ambos grupos reclamaron para el Congreso la representación popular y soberana de que carecía pero que Iturbide, presidente de una Regencia provisional y colectiva, le concedió, sin advertir que al hacerlo creaba de inmediato una dualidad de poder similar a la de Morelos y el Congreso de Chilpancingo. Con todo, la mayoría de este Congreso votó por la exaltación de Iturbide al trono imperial. Aunque no dejaron de influir en el ánimo de los legisladores la abierta presión de los militares y las amenazantes manifestaciones del «populacho» urbano en favor de su héroe («¡Emperador o muerte!»), lo cierto es que «en todas las provincias, fue unánime el aplauso con que se recibió la elevación del generalísimo al trono» (Alamán). En palabras del representante de Zacatecas, Valentín Gómez Farías (que pasados los años sería un republicano radical), la corona era una forma de «recompensar al libertador».

*

La coronación se efectuó el 21 de mayo de 1822. En la ceremonia ocurrieron extraños incidentes, «cosas todavía como vacilantes», diría Alamán, como si a despecho de la pompa y circunstancia, los asistentes y el emperador se hubiesen sabido marionetas de una representación teatral, de una parodia en la que, inútilmente, se pretendía «transplantar a América instituciones y ceremonias, cuya veneración en otras partes no puede venir sino de la tradición y de la historia». Sin expresarlo abiertamente, muchos sospechaban o temían que aquel imperio «sin cimientos, sin legitimidad, sin el respeto del tiempo y las tradiciones» estaba destinado desde un principio al fracaso. Cuando el presidente del Congreso, un amigo de Iturbide, procedió a ponerle la corona en su cabeza, le dijo: «No se le vaya a caer a Vuestra Majestad», a lo que Iturbide respondió «Yo haré que no se me caiga». Era extraño que el emperador ungiera por sí mismo a su mujer, era extraño que el Congreso lo hubiese ungido, faltaba a ojos vistas «aquel respeto y consideración que», en concepto de Alamán, «sólo es obra del tiempo y de un largo ejercicio de autoridad». Lo más significativo de todo, sin embargo, fueron las palabras de Iturbide después de su juramento: en vez de festejar con firmeza su acceso al trono, como un rey decepcionado y viejo, lo lamentó:

«la dignidad imperial no significa más que estar ligado con cadenas de oro, abrumado de obligaciones inmensas; eso que llaman brillo, engrandecimiento y majestad, son juguetes de la vanidad».

Con imágenes, con metáforas, manifestaba un sombrío estado de ánimo. ¿Lo fingía? En ese momento, ya no. Es verdad que la misma aceptación de la corona probaba la ambición cumplida de Iturbide. Con todo, algo ocurrió realmente en el fuero interno del emperador en aquellos días, como si sus dos móviles en la vida (el espíritu de gloria y engrandecimiento nacional y el amor de los mexicanos hacia su persona), hubieran debido configurarse de otra manera en relación a él, consumarse en una investidura diferente. Bolívar, en circunstancias de «lisonja» similares y con un prestigio y poder mucho mayores, había entendido el problema y por ello rehusaría siempre el destino de César o Napoleón («el título de libertador es superior a todos los que ha recibido el orgullo humano»). Iturbide, menos versado que Bolívar en los clásicos latinos, mucho menos profundo, fue incapaz de decir no, de administrar su victoria, y tuvo que llegar a la cumbre para sentir el abismo.

«Vi la repugnancia del héroe de Iguala en admitir la corona», escribió por entonces el autor más leído de la época, José Joaquín Fernández de Lizardi, llamado «el Pensador Mexicano». Su percepción era correcta: «Hube de resignarme», confesaría Iturbide, en sus *Memorias*, «a sufrir esta desgracia que para mí era la mayor». Quiso creer que su decisión había sido la única posible en aquellas circunstancias, pero la falsa conjetura no lo consolaba: podía haber asumido una regencia única, intentado, como Bolívar, un papel de legislador, insistido con la casa borbónica, o como Cincinato, podía haberse retirado para volver con plena fuerza. Pero no era fácil advertir la debilidad propia en medio de la veneración universal. Sólo en la vana apoteosis de su coronación entrevió con «horror» que la corona, en efecto, se caía.

Para «el Pensador Mexicano», las reticencias del emperador eran un presagio excelente de liberalidad, la prueba de que México tendría el mejor de los gobiernos posibles: nada menos que una «monarquía republicana»: «Si no me engaño», concluía Lizardi, «lo mismo dice gobierno moderado con emperador que república con presidente». ¿Qué otra conclusión cabría desprender del discurso de Iturbide? Pero las palabras del emperador no eran en realidad autocríticas sino autolesivas, deprecatorias de su propia autoridad, señales de inseguridad. Más que un indicio liberal formulaban una profecía. Iturbide declaraba, entre otras cosas, que *no debía ser obedecido* si no respetaba la constitución que el Congreso promulgaría. Hablaba no como un emperador sino como un miembro del Congreso:

«Quiero mexicanos que si no hago la felicidad del Septentrión, si olvido algún día mis deberes, cese mi Imperio: observad mi conducta, seguros de que si no soy por ella digno de vosotros, hasta la existencia me será odiosa. ¡Gran Dios!, no suceda que yo olvide jamás que el príncipe es para el pueblo y no el pueblo para el príncipe».

Afuera, en la calle, siguieron cuatro días de fuegos artificiales; la ruidosa designación de la «familia imperial» con su cauda de ujieres, mayordomos, infantes, damas, pajes; la fundación de la Orden Imperial de Guadalupe, especie de nobleza mexicana formada lo mismo por eclesiásticos que por insurgentes. De la provincia y la capital llovían felicitaciones serviles que, según Lizardi, al «amado emperador» le repugnaban. Rechazó dineros, tierras, nombramientos de ducados para sus hijos y familiares. La «lisonja» no provenía sólo del pueblo anónimo, también recurrían a ella personas de trayectoria insospechable, como Vicente Guerrero, quien, al informarle del júbilo con que se había recibido en su cuartel de Tixtla la proclamación —salvas de artillería, repiques y dianas—, agregaba esta declaración rendida: «nada faltó a nuestro regocijo sino la presencia de Vuestra Majestad Imperial; resta echarme a sus imperiales plantas y el honor de besar su mano». Pero ninguna muestra de adhesión, ningún ¡Viva Agustín Primero! borraba la sombra de debilidad íntima, casi de ilegitimidad, que lo perseguía. Sin haber usurpado una corona, Iturbide vivía como un usurpador atormentado. A la semana de la coronación, confiaba sus pensamientos al hombre que mejor podía entenderlos en toda América: «¡Cuán lejos estoy de considerar un bien lo que impone sobre mis hombros un peso que me abruma!», escribió a Bolívar. «Carezco de la fuerza necesaria para sostener el cetro; lo repugné, y cedí al fin por evitar males a mi patria, próxima a sucumbir de nuevo, si no a la antigua esclavitud, sí a los males de la anarquía.»

Al poco tiempo, el «horror» con que entreveía su destino empezó a traducirse en hechos. El problema fundamental —como en el caso de Morelos— fue su competencia de autoridad con el Congreso. Aquel padre colectivo que le había ungido emperador... se sintió con derechos sobre el emperador e intentó ejercerlos desde el primer día: objetó su poder de veto, obstruyó el despacho eficaz de la economía, bloqueó la designación imperial de un Supremo Tribunal de Justicia, pospuso el debate sobre una nueva constitución, y en la secreta urdimbre de las reuniones masónicas tramó conspiraciones y deposiciones. De pronto, por una extraña inversión de papeles históricos, el emperador actuaba de modo republicano —dividiendo el poder, procurando compartirlo con el legislativo—, mientras que el Congreso adoptaba posturas imperiales, absolutistas. Esta actitud del Congreso no pasó inadvertida para un agudo observador inglés que, por lo demás, no creía en la abnegación de Iturbide: «sobre el severo despotismo en el que han sido educados, injertan las teorías más audaces de la escuela francesa».

Precisamente contra las consecuencias prácticas de estas audaces teorías escribió un autor francés muy conocido en la época, Benjamin Constant: «cuando la autoridad legislativa lo abarca todo no puede hacer otra cosa que mal». Uno de sus lectores mexicanos, el yucateco Lorenzo de Zavala, propuso una reforma al Congreso, en particular a su dimensión y atribuciones. Años después, en su formidable *Ensayo crítico de las Revoluciones de México desde 1808 hasta 1830,* Zavala formularía con claridad el dilema de su tiempo: «Yo no sé qué era lo que convenía a una nación nueva, que no tenía hábitos republicanos, ni tampoco elementos monárquicos». Sus dudas, sin embargo, no le impedirían colaborar con Iturbide en el manejo de las difíciles cuestiones económicas que al poco tiempo enfrentaría el Imperio ni aducir que el Congreso actuaba de modo ilegal: había pasado sobre el acta de fundación original del nuevo imperio, el Plan de Iguala, que preveía la integración de dos cámaras, y se arrogaba, además, una autoridad soberana que el plan y los Tratados de Córdoba no le daban. Para entonces, Iturbide había ordenado ya el arresto de varios diputados (entre ellos Carlos María de Bustamante y fray Servando Teresa de Mier) aduciendo con firmeza que la nación estaba tan cansada de las disputas entre los poderes como de la apatía de los legisladores.

Su deseo auténtico, según Alamán, no era la disolución del Congreso sino su reforma: «He jurado a la nación regirla bajo un sistema constitucional, seré fiel a mi palabra ... Consecuente con mis principios y con los más fervientes deseos de mi corazón, seré un monarca constitucional». Sus enemigos veían la prueba de tiranía en cada acto de Iturbide y, para su horror, lo comparaban con Fernando VII. Por su parte, Iturbide procuraba persuadir a tirios y troyanos de su adicción al Congreso: «lo sostendré a la par de las garantías ... amo al Congreso, veo en él el baluarte de la libertad». En realidad, amaba el concepto de congreso, no a *ese* congreso, por lo que a fines de octubre tomó una resolución que recuerda a Cromwell: lo disolvió. Cromwell, sin embargo, se erigió en Lord Protector, mientras que Iturbide, «monarca republicano», designó de inmediato una Junta Nacional Instituyente. Desde la cárcel, el célebre cura heterodoxo fray Servando Teresa de Mier (amigo de Blanco White, enemigo de todas las coronas) escribió unos versos alusivos:

> Un Obispo, presidente,
> dos payasos, secretarios,
> cien cuervos estrafalarios
> es la Junta Instituyente
> tan ruin y villana gente
> cierto es que legislarán
> a gusto del gran Sultán,
> un magnífico sermón
> será la Constitución
> que estos brutos formarán.

En el fondo de los problemas del Imperio había algo más grave que las desavenencias políticas: la penuria del erario y la de todas las fuentes de riqueza nacional, severamente afectadas por los años de guerra. Mientras la Junta Instituyente discurría inútiles proyectos de colonización y retrasaba la convocatoria a un congreso constituyente, Iturbide recurría a medidas de guerra económica que mermaron su crédito interno: préstamos forzosos, captura de fondos, exacciones fiscales. De pronto, la verdadera situación económica del «opulento imperio» pareció clara: con las minas azolvadas, las haciendas destruidas y la incipiente industria inmovilizada; con la inmensa fuga de capitales acumulada desde 1810 y calculada en 100 millones de dólares o pesos (diez veces el presupuesto anual) y con un déficit de 4 millones para 1822, la situación tenía un nombre: bancarrota. No hacían falta grandes cálculos para comprobarlo. Bastaba escuchar las canciones de la calle:

Soy soldado de Iturbide,
visto las tres garantías
hago las guardias descalzo
y ayuno todos los días.

En el frente diplomático el cuadro no era menos amenazador: sin crédito externo, sin reconocimiento de los Estados Unidos e Inglaterra, rechazado con vehemencia por España, el Vaticano y los miembros de la Santa Alianza, y con la única esperanza de un vínculo con la gran Colombia de Bolívar, la circunstancia tenía un nombre: aislamiento. Entonces –diciembre de 1822– Iturbide se entrevista con el enviado del gobierno norteamericano, Joel R. Poinsett, que dejaría esta estampa en sus *Notas sobre México:*

«El emperador conversó con nosotros durante media hora ... aprovechando la ocasión para elogiar a los Estados Unidos, así como a nuestras instituciones y para deplorar que no fuesen idóneas para las circunstancias de su país ... De trato agradable y simpático, y gracias a una prodigalidad desmedida, ha atraído a los jefes, oficiales y soldados a su persona, y mientras disponga de los medios para pagarles y recompensarles, se sostendrá en el trono. Cuando le falten tales medios, lo arrojarán de él».

*

Días antes, un joven e imperioso brigadier veracruzano cumplió la predicción de Poinsett: se levantó en armas contra Iturbide y así, sin saberlo, inauguró una práctica que en el siglo XIX se volvería consuetudinaria. El sonoro nombre de ese «genio volcánico» al que Iturbide colmó infructuosamente de elogios, mandos, grados era Antonio López de Santa Anna. Muy pronto, lo secunda un antiguo lugarteniente de Morelos: Guadalupe Victoria. Ambos proclaman el Plan de Casamata, cuyo propósito expreso no es atentar contra la persona del emperador sino exigir la reinstalación del Congreso. Por esa fecha, otras dos figuras de la insurgencia, Vicente Guerrero y Nicolás Bravo, se habían levantado en armas por su cuenta. Iturbide, que en los remotos tiempos de la insurgencia y los más recientes del Plan de Iguala se caracterizó por su resolución militar, decide no decidir: «Tengo fuerza y concepto para hacerme respetar y obedecer, pero costaría sangre y por mí no se verterá jamás ni una sola gota». Temía actuar no por miedo a sus enemigos ni por falta de recursos o porque albergara dudas sobre el apego general del ejército sino por miedo a la anarquía y a que la opinión pública atribuyese cualquier medida a «intereses privados» y a un «deseo de mantener en su cabeza la corona que había aceptado sólo para servir a la nación». Mientras sus más cercanos amigos y colaboradores renuncian, lo abandonan o, como en el caso de los generales Echávarri y Negrete, defeccionan para unirse al Plan de Casamata, Iturbide ofrece toda suerte de dimisiones simbólicas: renunciar al derecho de sucesión hereditaria, ofrecerlo a otra familia, «porque nada quiero con respecto a mi persona ni he querido jamás cosa alguna que pueda ser contra la voluntad general». Lo único que en verdad quiere es que le crean sus convicciones constitucionales. Daba su reino por dejar su reino.

La humillante y extemporánea restitución del Congreso depuesto a la que accede «sin culpas ni acusaciones», con espíritu «de reconciliación», termina por cerrar el ciclo. El 19 de marzo abdica el trono. Tres días después, en su exposición de motivos al Congreso, Iturbide toca, sin conmover un ápice a los diputados, experiencias de soledad y desesperanza que eran comunes a los Enriques y Ricardos de la literatura shakespeareana:

«El que sube al trono no deja por eso de ser hombre, y el error es la herencia de la humanidad. No debe considerarse a los monarcas como infalibles, si bien son más excusables por sus faltas ... porque estando colocados en el centro de todos los movimientos, en el punto a que se dirigen todos los intereses ... al que van a encontrarse todas las pasiones humanas, su atención está dividida entre una multitud de objetos, su espíritu fluctúa entre la verdad y la mentira. El candor y la hipocresía, la generosidad y el egoísmo, la lisonja y el patriotismo, usan todos el mismo lenguaje».

Sabía que su decisión sería interpretada como una debilidad, pero «su sistema no era el de la discordia», veía «con horror» la anarquía y deseaba «la unidad en bien de la nación». ¿Debía haber corrido el riesgo de enfrentarse él mismo a los sublevados? Su victoria entonces habría sido tachada de despotismo. De una u otra forma perdería:

«¡Triste es la situación del que no puede acertar y más triste cuando está penetrado de esta impotencia! Los hombres no son justos con los contemporáneos; es preciso apelar al tribunal de la posteridad, porque las pasiones se acaban con el corazón que las abriga».

El Congreso humilló a Iturbide al declarar «viciosa de origen» la elección que el propio Congreso había hecho. La abdicación no procedía porque el imperio era ilegal. Siguieron el exilio en Italia y el escarnio público. El hombre providencial se convirtió, providencialmente, en chivo expiatorio... injusto, traidor, caníbal, nuevo Calígula, tirano. «Es un error político de mucha trascendencia», apuntó *El Sol*, periódico republicano de la época, «llamarle libertador de su patria y creer que algo le debemos.» Simbólicamente, el 17 de septiembre de 1823, los restos de Hidalgo, Morelos y los demás insurgentes fueron colocados en una urna especial en la catedral metropolitana sin reconocimiento a Iturbide. En medio de aquella euforia de satanización, «el Pensador Mexicano» trataba de juzgar el efímero imperio con espíritu de equilibrio: la insensatez, el capricho, el desacierto, la inexperiencia, la ceguera, la adulación habían perdido a su antiguo ídolo, al «Augusto César» que había admirado (y adulado); no obstante, el extremo a que llegaba la execración, la ira, la venganza, el encono, el olvido de su misma nación le parecía injusto. En una obra que escribió sobre Iturbide, trazó el ciclo entero del imperio y capturó fielmente el dolor del exilado:

> No siento la corona que he perdido,
> no mexicanos, no: yo lo que siento
> es perder vuestra gracia, vuestro amparo,
> vuestra grata amistad y vuestro afecto.

En Liorna, adonde luego de una travesía y una espera de tres meses llegó en agosto de 1823, Iturbide escribe sus *Memorias*. Hacia finales de año lo alcanzan las noticias sobre una posible invasión a México de la Santa Alianza, en apoyo de España. Inglaterra amagaría militarmente contra la maniobra y James Monroe promulgaba en esos días su célebre doctrina, pero en el momento y circunstancias de Iturbide el peligro de reconquista es real. Cada vez con menos recursos económicos de los cuales echar mano —en su administración personal había sido honrado— viaja a Inglaterra. Pasa un tiempo en Bath, a donde le llegan cartas mexicanas que imploran su regreso. El caudillo San Martín intenta disuadirlo. Es inútil: convencido de los peligros de anarquía interna e invasión externa, llamado nuevamente por la ambición de gloria, como en 1820, como Napoleón en Santa Elena, Iturbide se embarca hacia México con parte de su familia. Va desarmado. Ignora que el Congreso lo ha proscrito y condenado a muerte si pisa tierras mexicanas. A principios de julio llega al puerto de Soto la Marina en el golfo de México y es apresado por uno de sus antiguos lugartenientes, que vacila entre cumplir ahí mismo la orden o remitir el caso al Congreso local del estado de Tamaulipas, reunido en el pueblo de Padilla. Hasta allá llega Iturbide a preguntar qué crimen ha cometido para merecer ese castigo. Ningún jurado lo escucha: el Congreso local actúa como poder judicial y militar. Antes de su fusilamiento, el 19 de julio de 1824, escribe a su mujer encinta:

«la Legislatura va a cometer en mi persona el crimen más injustificado ... Dentro de pocos momentos habré dejado de existir ... busca una tierra no proscrita donde puedas educar a nuestros hijos en la religión que profesaron nuestros padres, que es la verdadera ... [recibe] mi reloj y mi rosario, única herencia que constituye este sangriento recuerdo de tu infortunado Agustín».

Frente al pelotón alzó la voz: «Muero con honor, no como traidor; no quedará a mis hijos y su posteridad esa mancha; no soy traidor, no ... no digo esto lleno de vanidad porque estoy muy distante de tenerla». Se había excusado de nuevo, frente a los soldados, frente a sí mismo, ¿de qué? No es aventurado conjeturarlo: de la sangre derramada en tiempos de la insurgencia. Esa culpa pesó más en su derrota histórica que la oposición de todos sus enemigos. Ni siquiera frente al pelotón estuvo seguro de expiarla.

*

Años después, el libertador Bolívar confiaba al general Santander sus reflexiones sobre el efímero imperio mexicano:

«El tal Iturbide ha tenido una carrera algo meteórica, brillante y pronta como una brillante exhalación. Si la fortuna favorece la audacia, no sé por qué Iturbide no ha sido favorecido, puesto que en todo la audacia lo ha dirigido. Siempre pensé que tendría el fin de Murat. En fin, este hombre ha tenido un destino singular, su vida sirvió a la libertad de México y su muerte a su reposo. Confieso francamente que no me canso de admirar que un hombre tan común como Iturbide hiciese cosas tan extraordinarias. Bonaparte estaba llamado a hacer prodigios, Iturbide no, y por lo mismo, los hizo mayores que Bonaparte. Dios nos libre de su suerte, así como nos ha librado de su carrera, a pesar de que no nos libremos jamás de la misma ingratitud».

Para Zavala, el más radical de los liberales, «la primera y principal falta de Iturbide fue el estado de indecisión en que permanecía en las más críticas circunstancias», su incapacidad para conducir los acontecimientos y su propensión a dejarse conducir por ellos. En el otro extremo ideológico, Alamán criticó también las reticencias de Iturbide, incomprensibles en un hombre con su experiencia de mando, sus dotes políticas y morales. Ambos le reprochaban, en suma, su renuncia al poder, exactamente el cargo contrario que desde entonces le harían dos historiadores que habían sufrido prisión durante el Imperio: el fundador de la historia de bronce —Carlos María de Bustamante— y fray Servando Teresa de Mier, que festejó la muerte de Iturbide con estos versos:

> Y sabrán todos los reyes
> que si amor patrio se enciende
> jamás impune se ofende
> ni a los pueblos ni a las leyes.
> Tenga el tirano presente
> y su gavilla falaz
> que la era de la paz
> a todos por igual mide
> y como acabó Iturbide
> *acabarán los demás.*

Por su parte, Mora, equilibrado siempre, no le negaba méritos, prendas para gobernar y el prestigio de consumador de la Independencia, pero criticaba sus «tropelías y violencias» con la oposición.

Alamán diría que el de Iturbide, más que imperio, había sido «una representación teatral o un sueño». Sin embargo, en la conciencia de algunos personajes prominentes de esa época, el recuerdo de Iturbide no volvería en la forma de un sueño sino en la de una dolorosa pesadilla, una opresiva sensación en la que se mezclarían la solidaridad póstuma y la piedad. El caso más dramático de esta identificación con Iturbide lo representó uno de los pocos lugartenientes criollos de Morelos: el general Manuel Mier y Terán.

Todos los hombres de su tiempo lo admiraron: ingeniero militar, había sido un elemento clave en los aspectos de fundición, maestranza y artillería en los ejércitos insurgentes. En sus procesos, Morelos lo citaba en primer lugar: «de todos los comandantes que hay en el día, éste es el que tiene más disposición, así por su talento, como porque agrega a él algunos conocimientos matemáticos». En 1815 Mier y Terán había disuelto el Congreso y emprendido después hazañas legendarias (como la proyección y ejecución, en diez días, de un camino militar a través de un pantano). Tras vivir indultado y bajo vigilancia en Puebla, se había adherido a Iturbide, a quien le aconsejó asumir una regencia única, no el trono. Ministro de Guerra y Marina por un breve tiempo durante la presidencia de Guadalupe Victoria, hacia 1827 Mier y Terán «llevaba una vida muy privada» cuando el enviado inglés Henry C. Ward lo conoció: «[se ocupa de sus] afanes científicos y de las matemáticas, en las que siempre ha sobresalido ... Su división se distinguió siempre por su disciplina y se dice que poseía el arte de inspirar en sus seguidores el más cálido apego a su persona ... Todavía es joven, y su talento, tarde o temprano, lo llevará a distinguirse». En 1828, a sus treinta y nueve años, Mier y Terán encabezaría la comisión de límites que debería fijar en Texas la frontera definitiva entre México y los Estados Unidos. A aquel viaje, el primero de su género en el México independiente, Mier y Terán llevaría un equipo de científicos, geómetras y dibujantes para dar noticia «sobre la física y la historia natural de aquellos países remotos». Un año después, se distinguiría en el triunfo contra una invasión española de reconquista en el puerto de Tampico. Y en plena década de los treinta, con el prestigio intacto, aceptaría una encomienda de inmensa complejidad: la comandancia general de las Provincias Internas de Oriente, que comprendía el inestable territorio de Texas, siempre al borde de la secesión: «ese departamento se norteamericaniza», le escribiría a Lucas Alamán, en abril de 1831, y agregaba: «¿En qué parará Texas?, en lo que Dios quiera».

Un año más tarde, Mier y Terán sería el hombre a quien 12 de los 19 estados de la República favorecerían para las elecciones presidenciales. Era el candidato ideal del progresista doctor Mora y mantenía una vieja amistad con el tradicionalista Alamán. Pero el espectro de Iturbide lo perseguía. Le pesaba la «norteamericanización» de Texas, que no había podido detener, y la pérdida de ese Departamento que, con razón, veía inminente. Le pesaba la perspectiva de gobernar un país de eternas revoluciones. En esas circunstancias, la providencia —y los azares de la más reciente revolución— lo pondrían en el pueblo de Padilla, donde murió Iturbide. En 1828, en el viaje de la comisión, Mier y Terán visitó esa villa fantasmal que, según el diario de los científicos, «no merece fijar nuestra atención». Entonces había caminado por el cuarto oscuro del cuartel donde Iturbide estuvo en capilla y se había detenido en el camposanto. El 2 de julio de 1832 Mier y Terán volvería a recorrer los mismos lugares. Por más de una hora contemplaría el sepulcro de Iturbide. Lamentaría con su secretario la futura pérdida de Texas. Desoiría su respuesta («probablemente recibirá la mayoría de votos para la presidencia y así usted podrá remediar el mal que teme») y sólo comentaría que los cortesanos que rodean a los presidentes no permiten que les llegue ni un rayo de verdad. A la mañana siguiente, Mier y Terán caminaría de nuevo rumbo a la plaza, y exactamente de cara al lugar donde había caído Iturbide, colocaría su espada y ensartaría su cuerpo con ella. Obedeciendo sus deseos finales, su secretario lo sepultó en la misma tumba donde descansaban los restos de Iturbide, su cuerpo en abrazo póstumo con el del libertador.

Mier y Terán no fue el único militar criollo en sentir esta solidaridad con Iturbide. Hacia 1838, por orden del general y presidente Anastasio Bustamante, los restos de Iturbide se depositarían en una capilla de la catedral. A la muerte de Bustamante en 1853, su corazón sería depositado junto a los restos de su héroe.

*

Durante la segunda mitad del siglo XIX el recuerdo de Iturbide vivió en una suerte de limbo, alternativamente exaltado y deturpado, pero el triunfo liberal sobre Maximiliano, que enlazó su segundo imperio con el primero —el de Iturbide—, avivó los rencores republicanos sobre el menos absolutista de los emperadores. Con todo, no faltaron voces disonantes, como la del excelente escritor Vicente Riva Palacio: «La sangre derramada en Padilla es una de las manchas más vergonzosas de la historia de México ... El pueblo que pone las manos sobre la cabeza de su libertador es tan culpable como el hijo que atenta contra la vida de su padre».

La pacífica era porfiriana no reivindicó a Iturbide; tampoco lo denigró especialmente. Los pareceres se dividían. Para Emilio Rabasa, «el 18 Brumario de Agustín de Iturbide había tenido el efecto duradero de desprestigiar todo principio de autoridad suprema, inducir una pérdida de fe en la ley y destruir, en germen, la idea democrática». Justo Sierra, más indulgente, escribió: «Jamás mereció el cadalso como recompensa; si la patria hubiese hablado, lo habría absuelto». Pero fue Bulnes, en las fiestas del Centenario de 1910, quien puso, literalmente, el dedo en la llaga:

«encuentro inexplicable ... que cuando el criterio de los mexicanos cultos se encuentra frío, libre de las asquerosas pasiones de facción ... no haya habido movimiento en favor de un acto de rehabilitación que exige más que la memoria de Iturbide, nuestra propia vergüenza».

Las palabras de Bulnes eran una respuesta solitaria al llamado final de aquel dubitativo monarca que en sus *Memorias* del exilio, reflexionando sobre su efímero imperio, buscaba la gracia, el amparo, la amistad, el afecto de la posteridad: «Cuando instruyáis a vuestros hijos en la historia de la patria, inspiradles amor por el jefe del ejército trigarante ... [quien] empleó el mejor tiempo de su vida en trabajar porque fuesen dichosos». Buscaba algo más: el perdón. Lo merecía.

Sueño republicano

Lentamente, la nueva nación despertaría a la realidad. En su geografía habitada, el país mostraba ser mucho menos rico de lo que la leyenda de Humboldt había pretendido. Los inmensos desiertos del norte eran tan inhóspitos como las selvas del golfo; para llegar desde los dos océanos a las buenas tierras del altiplano central, debía atravesarse alguna de las dos intrincadas cadenas montañosas que bajaban desde el norte pegadas a las costas y dificultaban el tránsito de bienes y personas, aparte de impedir el paso de los vientos y las lluvias; en el campo, la unidad por antonomasia era la hacienda autárquica, improductiva, señorial, más un eco de tiempos feudales que una moderna explotación capitalista (había cerca de seis mil en el país); la plata mexicana había sido una fuente de riqueza fundamental para la Corona, pero tres siglos de inconstante explotación y once años de guerra civil inutilizaron muchas minas o, cuando menos, paralizaron el trabajo en ellas; la falta de ríos navegables daba desde entonces al paisaje mexicano un aire de «aristocrática esterilidad». Más allá, en las vastedades del norte, a donde sólo habían llegado algunos colonos, aventureros y misioneros, una riqueza natural prodigiosa aguardaba en silencio. Sin embargo, faltaban mexicanos no sólo para apreciarla y explotarla: para sospechar al menos su existencia. Al comenzar su vida independiente, el nuevo país no tenía siquiera una noción cartográfica de sus dominios, límites y recursos.

Para domeñar aquel inabarcable territorio de más de cuatro millones de kilómetros cuadrados, México contaba apenas con una población de siete millones de personas (de las cuales el 90 por ciento vivía en pequeños pueblos y rancherías, y seguía siendo predominantemente indígena). A estas circunstancias de desventaja natural y demográfica, se aunaría muy pronto la participación del hombre. El país, que nació con un atraso de siglos para construir un régimen de libertades cívicas y bienestar económico, perdería décadas preciosas en una discordia civil que a la postre lo conduciría a la bancarrota, el descrédito, la violencia interna, la guerra exterior y el desmembramiento del territorio. Una de las razones fundamentales de la discordia atañería al lugar histórico de la Iglesia en la nueva nación: prácticamente absoluto su dominio espiritual sobre los hombres, no lo era menos, contra todas las tendencias modernas del siglo, su dominio temporal. En tierras, edificios, bienes muebles, hipotecas y créditos de toda índole, poseía la quinta parte de la riqueza nacional. Visto el cuadro crónico de falta de liquidez y capital, esta situación explotaría inevitablemente.

Pese a que México había dejado de ser una colonia y no ocupaba ya un sitio en el orden supranacional del imperio español, no era todavía una nación: formaba, hasta por su accidentada geografía, un mosaico de pequeños pueblos, comunidades y provincias aisladas entre sí, sin noción de la política, menos aún de la nacionalidad, y gobernadas por los hombres fuertes de cada lugar. Estos personajes habían surgido como hongos, no sólo en México sino en toda la América hispana, a raíz del hundimiento del orden colonial. Aunque sus nombres diferirían desde las Pampas a Venezuela o México, sus características serían muy semejantes: validos de su fuerza personal, del prestigio y el poder adquiridos en las guerras de Independencia, del terror que inspiraban en sus regiones o de las promesas de beneficios para ellas, estos jefes se volvieron monarcas locales. Su nombre en México provenía de una voz del Caribe —«cacique»—, pero desde los más remotos tiempos coloniales connotaba la idea de mando total, casi teocrático, de clara raigambre indígena. Frente a estas poderosas figuras de las regiones se erguía otra con reminiscencias medievales, no sólo hispánicas sino árabes: la de los caudillos. Como los antiguos conquistadores, como los guerreros que «se alzaban» contra el reino, así estos jefes militares surgidos de las luchas de la Independencia, no circunscribían su actuación a las provincias; antes bien, las extendían al país entero, y desde las capitales reclamaban para sí un horizonte de poder más amplio que el de los caciques: un poder nacional. (Quizás el primer caudillo mexicano fue el criollo Martín Cortés, que se sublevó contra la Corona española en el siglo XVI, para, literalmente, «alzarse con el reino» que su padre había conquistado.) En el caso particular de México un rasgo distinguió marcadamente a los caciques de los caudillos: aquéllos solían ser mestizos y contaban con la lealtad de los hombres étnicamente afines, los mestizos como ellos, los indios y las castas. Los caudillos, en cambio, al menos hasta mediados de siglo, fueron predominantemente criollos.

La historia nacional, como quería Tolstoi, debería ser la suma de todas las historias regionales, e incluso, en un extremo imposible, individuales. En ese sentido, la historia de México está, en alguna medida, por escribirse. Los principales protagonistas de esa historia serían los caciques. No obstante, hay otra dimensión de la historia nacional, que, aunque limitada en cuanto al reflejo fiel de la vida mexicana en toda su extensión social y geográfica, constituyó, sin embargo, la historia decisiva. Esa historia es la de las minorías rectoras, cuyas acciones e ideas influyeron poderosamente en la vida de todos los habitantes, sin que éstos, en la mayoría de los casos, lo sospecharan. En esta acepción restringida, no es excesivo afirmar que la historia de México durante la primera mitad del siglo XIX fue la historia de sus caudillos criollos.

*

No es una historia feliz. Con el paso de los años y a despecho de los luminosos augurios del comienzo, estas minorías demostrarían con creces su incapacidad para organizar un Estado sólido en lo económico y estable en lo político. Españoles de segunda en tiempos de la Colonia, mexicanos de primera a raíz de la Independencia, los caudillos criollos revelarían una pobre sensibilidad para manejar los aspectos elementales de la vida económica y una falta de preparación casi total en el arte o la ciencia del gobierno autónomo y la diplomacia. España misma, como escribió Bolívar, los había privado de esa experiencia. Su dilatado dominio se basó justamente en las premisas contrarias: ella nombró siempre las autoridades, que casi nunca recaían en la población nativa. Por lo demás, a pesar de las reformas borbónicas, hacía tiempo que la propia España había dejado de ser un ejemplo de eficacia política y eficiencia económica. Si la rama era igual al tronco, el futuro de la rama no parecía demasiado halagüeño. En esas condiciones —observó en 1827 Henry G. Ward, el primer representante británico en México—, «despojarse del yugo había sido una tarea relativamente fácil, pero organizar a la sociedad después de la disolución de todos los anteriores lazos, frenar las pasiones una vez desatadas, dar a cualquier partido o sistema un decidido ascendiente allí donde las demandas o pretensiones son iguales y el talento superior escaso, éste es un arte que nada sino la experiencia puede enseñar».

El aprendizaje sería, en verdad, largo y doloroso. La falta de preparación se manifestó en una infinidad de aspectos. El manejo desordenado, imprevisor e improductivo de la Hacienda pública y el crédito internacional (proveniente, en un principio, de Inglaterra) fue uno de ellos: los gastos corrientes, sobre todo los del ejército, lo consumían todo. La persistencia de los odios étnicos y sociales originados en la guerra insurgente, era otro. Ante la tenaz negativa de España a reconocer la independencia de su antigua colonia y ante los continuos amagos de reconquista desde la fortaleza de San Juan de Ulúa, frente a Veracruz, o desde Cuba, el sentimiento antiespañol llegó a extremos obsesivos que no palió la capitulación de aquel fuerte, en 1825. Dos años después, los enclaves españoles en México pasaron a la sedición interna. El ánimo antiespañol explotó por fin con dos durísimas leyes que decretaban la expulsión de todos los españoles del país en un lapso de sesenta días y el saqueo de los principales almacenes del comercio español en el centro de la capital. Lucas Alamán vio en aquellos sucesos un eco de la guerra de Hidalgo: «[se repetían] todos los excesos que en la insurrección se veían cuando entraban los insurgentes en una población». Tenía cierta razón. Eran los mismos protagonistas: la Corona española frente a los últimos caudillos insurgentes que, tras el sueño imperial de Iturbide, habían alcanzado la presidencia de México: Guadalupe Victoria (primer presidente, de 1824 a 1828) y Vicente Guerrero, que gobernó al país durante nueve meses en 1829. En ese año, los rumores de reconquista se volverían realidad: España envió una escuadra al golfo de México que sería definitivamente rechazada. Sólo entonces se empezaría a considerar seriamente la opción del reconocimiento, pero el costo económico y moral de aquella recurrencia de odios fue muy grande. En el triste desenlace, una parte de la responsabilidad correspondía a España, pero otra, acaso la mayor, a la intransigencia de las élites radicales que pretendían borrar incluso la memoria de los siglos coloniales. José María Luis Mora, portavoz de la moderación, advirtió que los españoles, aparte de sus familias, se llevarían con ellos sus haberes y conocimientos, lo que dejaría un vacío difícil de llenar. Recordó que, a más de tres siglos de distancia, España no se recuperaba aún de los efectos que provocó la insensata expulsión de los judíos y moriscos. Algo similar podía ocurrirle a México: «jefes y autoridades que presidís los destinos de la patria ... del error o acierto en vuestras deliberaciones y providencias depende la salvación o la ruina irreparable de la patria».

Pero quizás el error más característico de la época haya sido el idealismo de las leyes y su consecuente desprestigio. La necesidad de confiar en principios fijos, la obsesiva concentración en los aspectos formales, abstractos, de la construcción nacional y, en cambio, el descuido de sus exigencias prácticas y concretas, eran rasgos heredados de la cultura política española que compartían muchos protagonistas de la vida pública mexicana. Entre 1822, cuando Iturbide se declara emperador, y 1847, en el punto álgido de la invasión norteamericana, México vivió en un estado casi permanente de agitación y penuria, soportó cincuenta gobiernos militares, fue alternativamente una república federalista (1824-1836) y centralista (1836-1847), sufrió secesiones (una irreversible, la de Texas en 1836, otra revertida en 1847, la de Yucatán), pero encontró tiempo para convocar siete congresos constituyentes y promulgar un acta constitutiva, tres constituciones, un acta de reformas, innumerables constituciones estatales, cada una con la idea definitiva de la redención nacional.

Ligada estrechamente a un afán legalista estaba su contrapartida: el «alzamiento», la asonada militar, a veces precedida de una proclama. Antes de cada golpe de Estado, el militar que lo encabezaba se sentía obligado a disparar no un cañonazo de pólvora sino un teatral y retórico cañonazo de palabras: un «pronunciamiento» («¡Mexicanos!... ¡Soldados de la libertad!... etc.»). A su vez, cuanto más perfectos los planes, más frecuentes los golpes de Estado para imponerlos y mayor el desprestigio de las leyes. México llegó a ser conocido como un país «de revoluciones». Tan continuas eran ya estas proclamas nacidas en los cuarteles, estas balaceras nacidas de las proclamas, que —refiere un cronista de la época— el pueblo citadino las tomaba con «aire de fiesta, entre carreras y cantos, comiendo y bebiendo» y «casi temía el establecimiento de la paz». El pueblo mismo acuñó un término propio para describirlas: «ahí viene la *bola*».

Algunos historiadores liberales atribuirían el mal de las revoluciones y pronunciamientos a Iturbide. Era él quien, al disolver el Congreso, había ahogado en su cuna la idea democrática. La apreciación era cuando menos parcial: olvidaba, entre otras cosas, la responsabilidad de las logias masónicas rivales en la corrupción del gobierno republicano, democrático y representativo. Los proyectos de país no se dirimían de modo legal y abierto en el Congreso, que supuestamente debía albergar las diversas opiniones, ni en la prensa, que con honestidad defendiese éstas, sino en la penumbra de las tenidas masónicas de los ritos de York (antiespañoles, radicales, pronorteamericanos, federalistas, embrionariamente liberales) y «escoceses» (probritánicos, moderados, centralistas, embrionariamente conservadores). Allí se decidía el destino del país mediante la conspiración militar, el cohecho de diputados, el fraude electoral y el uso de dineros o instrumentos públicos para apoyar campañas.

Gracias a un auténtico milagro de la providencia, por las nuevas inversiones británicas que fluían a las minas y por el dinero de un par de onerosos préstamos que aún no se había agotado, el honesto presidente Guadalupe Victoria terminaría su gobierno. Había confiado en la consolidación de las instituciones republicanas y la pacífica sucesión del poder, pero lo cierto es que a todo lo largo de su mandato, el poder no había residido en la presidencia sino en las logias, las cuales, infiltradas en el propio gabinete, en los diarios, en el Congreso, en los gobiernos estatales y los cuarteles, buscaban a toda costa apoderarse del país mediante la eliminación del enemigo. Los sucesos políticos finales del gobierno de Victoria demostrarían que las élites rectoras, acaudilladas por los grandes jefes insurgentes y sus asesores masónicos, guardaban muy poco respeto a las leyes de la Constitución Federal que, en 1824, ellos mismos habían jurado.

Uno de esos jefes, Nicolás Bravo, cabeza de los «escoceses», se levantó en armas contra Victoria en 1827. No se trataba de cualquier jefe relegado: era nada menos que el vicepresidente de la República. Su castigo sería el exilio y el crepúsculo de su grupo. Sin embargo, los masones «yorkinos» no supieron aprovechar su repentino monopolio político para el avance de la democracia. Cuando su caudillo mayor, el popular héroe de la Independencia Vicente Guerrero, perdió limpiamente las elecciones ante el también yorkino, aunque moderado, Manuel Gómez Pedraza, aquél recurrió a las armas. Lo aconsejaba nada menos que el gran federalista Lorenzo de Zavala, y lo apoyaba con las armas un caudillo que exhibía una vez más su vocación conspiratoria y su falta de principios: Antonio López de Santa Anna. Zavala y un tal general Lobato iniciaron un motín en la guarnición de La Acordada y, además, azuzaron al pueblo de la ciudad para que asaltase los almacenes comerciales de El Parián. Al poco tiempo, el anónimo bardo, criollo en este caso, recitaría:

> Viva Guerrero y Lobato
> y viva lo que arrebato.

El golpe de Estado logró la renuncia del presidente electo Gómez Pedraza, pero dio al traste con la legitimidad de la vida republicana. Bolívar, de nueva cuenta, al enterarse de la revuelta de La Acordada, escribiría con desilusión:

«la opulenta México [es hoy] ciudad leperada ... los horrores más criminales inundan aquel hermoso país: nuevos sanculotes, o más bien descamisados, ocupan el puesto de la magistratura y poseen todo lo que existe. El derecho casual de la usurpación y del pillaje se ha entronizado en la capital como Rey, y en las provincias de la Federación. Un bárbaro de las costas del Sur, vil aborto de una india salvaje con un feroz africano, sube al puesto supremo por sobre dos mil cadáveres y a costa de veinte millones arrancados a la propiedad. No exceptúa nada este nuevo Dessalines: lo viola todo; priva al pueblo de su libertad, al ciudadano de lo suyo, al inocente de la vida, a las mujeres de su honor... No pudiendo ascender a la magistratura por la senda de las leyes y de los sufragios públicos, se asocia al general Santana, el más protervo de los mortales. Primero, destruyen el Imperio y hacen morir al Emperador, como que ellos no podían abordar el trono; después establecen la Federación de acuerdo con otros demagogos, tan inmorales como ellos mismos, para apoderarse de las provincias y aún de la capital ... Los asquerosos léperos, acaudillados por generales de su calaña ... Guerrero, Lobato, Santana ... ¡Qué hombres o qué demonios son éstos!».

Con el mismo equilibrio con que había reprobado la «usurpación» del «tal Iturbide», Bolívar lamentaba ahora el desenlace violento de aquel sueño republicano. Había un fondo de razón en sus palabras: Imperio y República cayeron por obra de un golpe militar de Santa Anna, pero en aquel caso Bolívar confió en que el sangriento fin de un gobierno equivocado trajese el «reposo» a la «opulenta nación». El golpe de los republicanos contra el republicanismo le hería mucho más. México contribuía a la opinión que Bolívar iba formando sobre el cruel destino de la América Española: «No hay buena fe en América, no entre las naciones. Los tratados son papeles; las constituciones libros; las elecciones combates; la libertad anarquía; y la vida un tormento».

Por lo que hace a las referencias racistas en el texto del criollo Bolívar (que en su propio país llegó a temer el acceso al poder de los «pardos»), por desagradables que fuesen tocaban un hecho esencial para entender la política de la época. La oportunidad histórica correspondía a los criollos, no a los mestizos, cuyo crecimiento demográfico —silencioso pero constante— apenas se percibía. Por eso Guerrero se sentía como un extraño en el poder, como un guerrillero en el poder. Rehuía el trato con las «gentes civilizadas y las abstracciones de la política», escribe Zavala, y «su amor propio se sentía humillado delante de las personas que podían advertir los defectos de su educación, los errores de su lenguaje y algunos modales rústicos». No tenía ni remotamente el talento de Morelos, pero lo suplía con una auténtica lealtad a los ideales de federalismo, independencia e igualdad social por los que había luchado durante diez años. Aunque la opinión ponderaba estas prendas y reconocía en él al hombre que mantuvo la flama de la insurgencia, advertía sus limitaciones como político. Guerrero las advertía también: se sentía fatalmente inseguro y, por tanto, aislado en la presidencia.

Soñaba con otra vida, la de siempre, la de la sierra: «¡Ah, mi amigo», le confesaba a Zavala, cuando en el campo caminaban solos, «cuánto mejor es esta soledad, este silencio, esta inocencia, que aquel tumulto de la capital y de los negocios!».

«¿Cómo un hombre semejante ambicionó la presidencia, rodeada de tantos peligros?», se preguntaba Zavala. La respuesta era simple: en manos de los criollos yorkinos, Guerrero había sido un instrumento. Lo suyo era continuar la querella de la Independencia: emitir un nuevo decreto para expulsar a los españoles, planear una invasión a Cuba desde Haití que propiciase una revuelta de los negros, rechazar victoriosamente la expedición española de reconquista y, en recuerdo de su jefe Morelos, depositar las banderas españolas capturadas en el santuario de la Virgen de Guadalupe.

El destino deparaba a Guerrero extraños paralelos con Iturbide, el otro caudillo de Iguala. Ambos se enfangaron en una profunda crisis del erario de la cual intentarían salir a través de un novedoso régimen fiscal y otros arbitrios aconsejados por Lorenzo de Zavala; ambos tuvieron problemas para el pago del ejército (lo cual, por supuesto, avivaba los ánimos revolucionarios); ambos —por distintas razones— fueron incapaces de gobernar. Después de que el Congreso lo declarara en efecto «imposibilitado para gobernar», Guerrero volvió a la sierra del Sur, de donde provenía, donde había peleado junto con Morelos y resistido hasta la consumación de la Independencia. Como su lugarteniente, lo acompañaba un hombre de los mismos breñales del Sur, mestizo como él y como él cercano a la tierra, a los indios, a los ideales de igualdad social y étnica tan caros a Morelos: su nombre resonaría por varias décadas en la historia de México: Juan Alvarez, tal vez el cacique más prototípico del siglo XIX mexicano.

Pero esta vez la guerrilla del insurgente no duraría. El nuevo gobierno sobornó con 50.000 pesos a un marinero genovés apellidado Picaluga para que contribuyese a su aprehensión. Con «lisonjas», Picaluga invitó a Guerrero a su barco en Acapulco, lo apresó y entregó a las autoridades de Oaxaca en el puerto de Huatulco. Días después, como Iturbide, Guerrero moriría fusilado en la huerta de la antigua capilla de Cuilapa, cerca de la capital de Oaxaca. Era el 13 de febrero de 1831.

Al enterarse, Manuel Mier y Terán escribiría a su amigo y consejero José María Luis Mora:

«Siento como el que más la suerte de Guerrero; sus servicios a la Independencia y su constancia en sostenerla, lo mismo que el haber sido declarado benemérito de la patria, pedían que se le hubiere tratado con otra consideración».

El tiempo y los azares de la política consagrarían a este honrado caudillo mestizo que no se contentó con fincar un cacicazgo, que no pudo ni quiso ejercer con plenitud la presidencia, un lugar en el altar de los insurgentes sólo inferior al de Hidalgo y Morelos. Su mejor epitafio histórico lo daría Justo Sierra: «Los partidos trataban de hacer de él un político, cuando no era más que un gran mexicano».

*

Con la muerte de Guerrero se cerraba un ciclo histórico en México, el ciclo de la insurgencia y sus reverberaciones. No había podido ser un imperio, no había podido construir una república. De pronto, los ideólogos criollos concentraron sus esfuerzos en un tema distinto: no tanto la forma política que debería asumir la nación cuanto la estructura económica que la sustentaba. Las logias, que por varios años habían agitado al país, se transformaron poco a poco en corrientes de opinión y grupos más abiertos pero igualmente opuestos en torno a dos proyectos ideales para México. En palabras de Mora, «la retrogradación y el progreso»; en palabras de Alamán, «la tradición y la demagogia».

No obstante, en el centro del escenario, el papel protagónico no lo tendrían los ideólogos sino los militares y sus jefes: los caudillos. Ante la fluctuación de proyectos, el idealismo de las leyes y la debilidad e irresolución de las élites civiles, los militares sintieron que su «sagrada obligación» era prevenir la anarquía, evitar que «un déspota cualquiera» se apoderase de las riendas, contribuir a la «salvación nacional». El experto histórico en estas operaciones de «salvación nacional» sería el hombre que Bolívar consideraba «el más protervo de los mortales», pero al que el sector políticamente consciente y estratos muy amplios del pueblo adoraron, de modo ciego e inexplicable, por casi tres décadas. Fue el caudillo de caudillos: Antonio López de Santa Anna.

Seductor de la patria

«La historia de México desde 1822», escribió Lucas Alamán, «pudiera llamarse con propiedad la historia de las revoluciones de Santa Anna ... Su nombre hace el primer papel en todos los sucesos políticos del país, y la suerte de éste ha venido a enlazarse con la suya...» No exageraba. Hijo de un subdelegado del gobierno español en el puerto de Veracruz, Santa Anna fue un criollo hasta tal punto prototípico, que la definición de Alamán sobre la psicología peculiar de estos españoles nacidos en América parecería inspirada en él:

«rara vez los criollos conservaban el orden de economía de sus padres y seguían la profesión que había enriquecido a éstos ... desidiosos y descuidados; de ingenio agudo pero al que pocas veces acompañaba el juicio y la reflexión; prontos para emprender y poco prevenidos en los medios de ejecutar; entregándose con ardor a lo presente y atendiendo poco a lo venidero».

Santa Anna era criollo, pero también hijo de criollo, y no únicamente porque su padre hubiese nacido en Veracruz sino porque la definición de Alamán se ajustaba a éste por igual: hacia 1807, «esperando que la suerte no me sea menos grata», Antonio López se obligaba a retribuir 771 pesos y 7 reales y medio a trece personas hipotecando sus bienes futuros y hasta su persona. Su mujer, la criolla Manuela Pérez Lebrón, la madre del futuro personaje, tampoco las tenía todas consigo: en 1809, las malas lenguas de la ciudad de Jalapa habían hecho llegar a la Inquisición una denuncia contra ella por haber organizado en su casa un baile donde «cantaban el nombre del Señor ventoseando y maullando como gatos». Si a estos antecedentes, genéricos del criollismo y específicos de los criollos Santa Anna Lebrón, se agrega una probable ascendencia gitana, el dato de un tío seductor que en Puebla había sido —a un tiempo— sacerdote y torero, y el hecho mismo de crecer en el puerto comercial más rico, alegre, despilfarrador y laxo del país, se tiene una pintura aproximada del caudillo en potencia.

Muy joven, Santa Anna había intentado ser comerciante, pero a los dieciséis años prefirió alistarse como cadete en el ejército realista. En Texas, donde sirvió combatiendo a los insurgentes, se hizo notar por tres cosas: su valentía personal (fue herido de flecha en un brazo), sus deudas de juego y su propensión a pagarlas con documentos mercantiles falsificados. A partir de 1815, Veracruz sería su centro de operaciones. Allí continuaría sus escaramuzas contra las guerrillas, y extramuros del puerto se iniciaría en una actividad nueva: la de colonizador. Cientos de guerrilleros amnistiados se beneficiarían del frenesí constructor de aquel teniente que fundó varios pueblos provistos de casas, calles bien trazadas, corrales, iglesias y maestros de escuela. El prestigio que cimentó desde entonces entre «la jarochada» le ganó la sólida clientela política que al grito de «¡Viva Santa Anna, muera el resto!» lo seguiría siempre.

La psicología criolla descrita por Alamán se avenía muy bien con una proclividad de Santa Anna: la apuesta. El Plan de Iguala lo sorprende del lado realista. Su primera apuesta es fácil: se vuelve iturbidista, utiliza sus ímpetus militares, sus habilidades retóricas («¡Marinos!», arenga en Veracruz, «la América os promete ríos de oro, de leche y de miel, un suelo fecundo, unas gentes dulces, de trato afable y benigno») y, finalmente, gana. Al tomar el Fuerte de Perote para la causa insurgente, lanza una proclama en la que se autodesigna «el impávido teniente coronel Santa Anna», narra el hambre y la desnudez de sus valientes soldados, «héroes invencibles», y sólo pide su pago: «hágame la Patria justicia, y será bastante premio el reconocimiento público». Tiempo después, cuando en las calles de la capital se oye el grito de «¡Viva Agustín I!», una de las primeras felicitaciones que llegan al emperador es la de Santa Anna, quien «tenía dispuestas sus cosas» para proclamarlo «en caso de que no lo hubiese hecho México». «Viva Vuestra majestad», agregaba, «para nuestra gloria, y esta expresión sea tan grata, que el dulce nombre de Agustín I se trasmita a nuestros nietos, dándoles una idea de las memorables acciones de nuestro libertador.»

En sus *Memorias,* Iturbide recuerda su relación posterior con aquel «genio volcánico» que prometía dar su sangre por el emperador:

«Le había confirmado en el grado de teniente coronel ... le di la Cruz de la Orden de Guadalupe, le conferí el mando de uno de los mejores regimientos del ejército, el gobierno de una de las plazas más importantes ... lo hice segundo jefe de provincia y general de brigada ... nada de esto fue bastante para reprimir sus pasiones».

Iturbide lo visita en su natal Jalapa, donde confirma: «Este pillo es aquí emperador». Le retira el mando. Santa Anna, de pronto, comprende el error de su iturbidismo: «Un golpe tan duro hirió mi orgullo militar y me arrancó la venda de los ojos». Por fin contemplaba lo que era «el absolutismo en todo su poder». Santa Anna decide invertir la apuesta: se levanta en armas contra el emperador. Desde el Ministerio de Hacienda del Imperio —para recabar desesperadamente fondos— se lanzan anatemas contra «el ingrato y perjuro traidor Santana que ha maquinado, criminal y rastreramente, perturbar la tranquilidad de los buenos, exaltar la iniquidad de los malos, seducir a los incautos, trastornar el orden, y cortar la marcha rápida con que caminaba el Estado a su felicidad». Santa Anna obtiene una nueva victoria: su Plan de Casamata sella el principio del fin para Iturbide. Al poco tiempo, su comportamiento licencioso en la comandancia de San Luis Potosí —peleas de gallos, albures, pendencias— le ocasionan un juicio en la ciudad de México, del que lo salva la declaración de la Primera República Federal, a la que Santa Anna sirve en calidad de comandante militar de Yucatán. Desde allí, a espaldas del gobierno, haciendo siempre su «real gana», planea la invasión de Cuba, propósito que si bien no realiza, contribuye a liberar el último baluarte español en México: la fortaleza en el islote de San Juan de Ulúa, frente a Veracruz. La vida política de la ciudad de México no le interesa. El nombramiento de director del cuerpo de ingenieros que le confiere el presidente Victoria le interesa menos aún. Para entonces se ha casado con la diligente Inés de la Paz García y ha comprado, cerca del puerto de Veracruz, la espléndida hacienda Manga de Clavo, donde se retrae a la vida bucólica y a esperar que el azar le juegue una nueva partida. Por aquel tiempo aparece en un diario de la capital un retrato puntual de Santa Anna, escrito seguramente por un perspicaz conocedor de las personas, Lorenzo de Zavala:

«Es alto y delgado de cuerpo, sus ojos negros y en extremo vivos. Su nariz perfecta, no tanto su boca... El alma del general no cabe en el cuerpo. Vive en perpetua agitación, se deja arrastrar por el deseo irresistible de adquirir gloria. El calcula el valor de sus sobresalientes cualidades. Se enoja con el atrevido que le niega renombre inmortal ... Podría decirse que su valor toca los ápices de la temeridad. ... Arroja miradas de indignación sobre el campo que ocupa. Alienta a los soldados con la tierna súplica de un amigo. Se enfurece en... la derrota, después se abandona a la pusilanimidad sin cobardía. Ignora la estrategia ... Si llega a convencerse de que la guerra se hace por principios, y de que la ciencia es necesaria para matar miles o centenares de miles de hombres, entonces vendrá a obtener un lugar entre los generales de superior fama».

El frágil régimen representativo instaurado por la Constitución Federal de 1824 no resistía el embate de los militares impacientes que comenzaban a hacer de la asonada una costumbre. Santa Anna, que los había iniciado a todos con su rebelión contra Iturbide, jugaba sus cartas con genialidad. Incitaba a trasmano a unos, y cuando veía que las fuerzas del gobierno eran superiores, sobre la marcha cambiaba su apuesta y se unía resuelto a los pacificadores. Entonces retiraba sus ganancias, descansaba en su hacienda y volvía a apostar, siempre de modo certero.

En el levantamiento de Vicente Guerrero contra Manuel Gómez Pedraza, Santa Anna es un factor decisivo. Su cualidad militar específica es la audacia, virtud de apostadores. Sitiado en Oaxaca, recurre a todos los arbitrios imaginables: emprende correrías nocturnas por casas religiosas y comercios para buscar víveres; vestido de mujer, espía al enemigo; escala los altos muros de un convento, desarma a sus defensores, se disfraza y disfraza a los suyos de monjes franciscanos, llama a misa y, cuando el templo se llena de fieles, cierra las puertas e impone un préstamo forzoso a la concurrencia. Al triunfo de Guerrero, Santa Anna espera un ministerio, y espera en vano. Se retira a Manga de Clavo, decidido, como siempre, a olvidar la política... y aguardar un nuevo apremio nacional que sacie su sed de gloria.

La suerte, es decir, la providencia, le presentó una nueva oportunidad a mediados de 1829, momento en que se concreta la expedición española de reconquista que el gobierno mexicano esperaba desde hacía varios meses. La acción ocurre en el puerto de Tampico. Santa Anna, con «infatigable actividad», prepara la defensa. Según Manuel Mier y Terán, el ataque de Santa Anna al cuartel general de Barradas fue un «golpe maestro de intrepidez». Barradas se rindió. Santa Anna centuplicó sus ganancias. Fue ascendido a general de división. Su recibimiento en el puerto de Veracruz fue apoteósico:

«Apenas puso un pie en tierra, cuando una porción de jefes se disputaron el honor de conducirlo en triunfo sobre sus hombros hasta el palacio y para satisfacer la ansiedad pública, tuvo que dar un paseo por esta ciudad, acompañado del batallón 9.º, el cívico, hasta la música de los demás cuerpos permanentes y de casi todo el vecindario que sin cesar vitoreaba al libertador de la patria».

Llovieron las felicitaciones, los poemas, las loas, como en tiempos de Iturbide: «campeón de Zempoala», «héroe de Tampico», «sostén de un pueblo», «intrépido hijo de Marte». Por un momento renació el viejo optimismo criollo que compaginaba de maravilla con la actitud del apostador: Santa Anna era la nueva personificación del hombre providencial.

En 1830, una nueva revolución destronó al destronador Guerrero y encumbró a Anastasio Bustamante. El poder tras el trono lo tuvo un hombre con sentido práctico, quizás el mejor dotado en toda su época para gobernar: Lucas Alamán. Su breve administración tomó varias medidas de auténtico buen gobierno: tratado de límites con los Estados Unidos, plan de colonización en Texas, consolidación de la deuda pública y, sobre todo, fundación de un banco oficial de fomento a la industria, el Banco de Avío. Para su desgracia, Alamán fue vinculado con el asesinato del general Guerrero. Las poderosas logias masónicas le reprochaban, además, su condescendencia con el clero y la clase propietaria.

Santa Anna vivía apartado, ya no sólo en Manga de Clavo sino en su nueva hacienda, El Encero. «Más se ha ganado siempre con el sombrero que con la espada», escribió a un amigo. Ahora sólo piensa en sus plantas y su ganado. Breve sería, no obstante, su bucólico retiro, pues una sublevación contra Bustamante lo pone nuevamente en el juego. Su meta será esta vez la mayor: la presidencia de la República. Juega sus cartas admirablemente. Esta vez, a la inversa de su anterior partida, se distancia en un principio del gobierno y apoya a los sublevados. Con habilidad suprema se mueve a la posición de árbitro y logra un extraño convenio: la renuncia de Bustamante y la vuelta del presidente Gómez Pedraza, que cuatro años antes él mismo había contribuido a deponer. En una carretela, Santa Anna entra con Gómez Pedraza en la ciudad de México. Es el héroe nacional, el amado Santa Anna. Retira sus ganancias y se vuelve a Manga de Clavo. Al poco tiempo, por abrumadora mayoría, triunfa en las elecciones. Sería la primera de sus once presidencias.

*

Era el momento de gobernar, pero gobernar no es lo suyo: le fastidia, le aburre o, quizá, le asusta. Ni siquiera lo intenta. Alegando mala salud, no asiste a la toma de posesión, deja el poder en manos del vicepresidente, el doctor Valentín Gómez Farías, y se retira a sus haciendas. En su ausencia, asesorado por el más brillante pensador liberal de la época (José María Luis Mora), Gómez Farías introduce, por primera vez, un conjunto de importantísimas reformas contra los privilegios corporativos —económicos, jurídicos, políticos, educativos— de la Iglesia: libertad absoluta de opiniones, supresión de instituciones monásticas y de todas las leyes que conferían al clero conocimiento de negocios civiles, supresión de la coacción civil en el pago de diezmos, destrucción del monopolio educativo clerical, clausura de la universidad y anulación de todas las transferencias de propiedad hechas por el clero después de la Independencia (primer paso hacia la llamada «desamortización» de sus propiedades en el campo). Santa Anna no era ajeno a estas reformas. Desde su posición de aparente retiro, dejaba hacer y medía la temperatura de la sociedad. Al poco tiempo, estalla en Morelia el «pronunciamiento» de un general Durán, en favor de la «Religión y fueros» y en contra del gobierno. El general Arista marcha a sofocarlo pero, en el camino, ambos, Durán y Arista, proclaman a Santa Anna «Supremo dictador». Según testimonio de Arista, era el propio general Santa Anna, «genio fatal para el Anáhuac», quien conspiraba contra... el presidente Santa Anna. Verdad o mentira, el título lo indigna. En un «Manifiesto a la nación» fechado en junio de 1833 declara algo que en el contexto de su veleidad y cinismo parece falso, pero que su propio comportamiento confirmaba: «aborrezco la dictadura militar». Aborrecía algo más: el poder.

Sus frecuentes retiros a Manga de Clavo por razones de salud serían interpretados por sus contemporáneos y por los historiadores como una forma aún más pronunciada de la voluntad de poder. No ocurría así. Lo más probable es que siguiendo la genealogía política criolla en México, Santa Anna rehuyese el poder como quien se aleja de una bola de fuego; como Iturbide y Terán, cada cual a su trágica manera, lo habían rehuido. Todos podían haber suscrito unas palabras de Terán a Mora, meses antes de su muerte: «Yo no soy político, ni me gusta esta carrera que no trae sino cuidados y enemistades, mi profesión es la de soldado ... yo amo esta profesión porque la creo honrosa». La política, para aquellos hombres cuya infancia y juventud había transcurrido en el Virreinato y la guerra insurgente, era «una profesión» extraña, ingrata, asunto de cenáculos, pactos y componendas que no conducían al único fin que un soldado debía perseguir: la gloria. Ninguno de ellos veía en términos prácticos la construcción nacional ni entendía la necesidad de integrar un Estado. Obraban movidos no por una voluntad de poder, ni siquiera de riqueza, sino por un anhelo de gloria.

La noción implícita de poder que dominaba la mentalidad criolla se había perdido: el poder tradicional, jerárquico, corporativo, patrimonialista, de la Corona española. La otra noción, la del moderno poder republicano y representativo emanado de la Constitución, no terminaba por consolidarse y se prostituía en falsas asambleas y elecciones, o se doblegaba con facilidad al acoso de las armas. Sólo un militar criollo de la sensibilidad de Terán era capaz de sospechar —más por lealtad que por comprensión— la importancia de la Constitución: «Por lo que hace a mí, si no me da otra la nación, hasta que tenga fuerza me bato por la última hoja». De no hacerlo, agregaba, «se pierde ya en la revolución el hilo de la legitimidad». Esta era la palabra clave: legitimidad. Pero entre los militares criollos sólo Terán la usaba. Los demás —sobre todo Santa Anna— pasaban y pasarían por años y años sobre ella en cada golpe, en cualquier asonada.

Sin la antigua legitimidad monárquica, sin la incipiente y frágil legitimidad legal, ¿dónde se afianzaría el principio del poder? Sólo en los rasgos *personales* del caudillo. El problema fue que los rasgos específicos de Santa Anna no eran la diligencia, el tesón, la paciencia, ni siquiera la voluntad de dominio o de venganza, sino aquellos que en lo militar había descrito en 1825 Lorenzo de Zavala (temeridad, ambición, emotividad exaltada, imprevisión, ignorancia) y que el propio historiador yucateco definiría más finamente años después:

«Es un hombre que tiene en sí un principio que le impulsa siempre a obrar, y como no tiene principios fijos, ni un sistema arreglado de conducta pública, por falta de conocimiento, marcha siempre a los extremos en contradicción consigo mismo. No medita las acciones ni calcula los resultados...».

Es significativo que Santa Anna fuese el único militar y presidente de su época que no sintiera la necesidad de tener cerca de sí a un asesor intelectual. Zavala estuvo relativamente próximo a Iturbide y mucho más a Guerrero, Alamán había sido el cerebro de Bustamante, y Mora —que hubiese querido asesorar a Mier y Terán— lo era de Gómez Farías. De haber prevalecido alguno de esos militares, el país habría enfilado con mayor consistencia, sin fluctuar demasiado, por alguna de las dos rutas principales que aquellos consejeros sugerían: la conservación del molde colonial (Alamán) o la apertura a un orden plenamente liberal (Zavala y Mora). Sin embargo, la realidad fue otra: prevaleció sobre todos el «genio volcánico» de Santa Anna. ¿Qué papel le tocaba representar desde aquella remota silla presidencial de Manga de Clavo? No el del gobernante ocupado en el manejo cotidiano y concreto de la nación, menos aún el del legislador que —a la manera de Bolívar— busca imponer sus principios (Santa Anna no los tenía), sino un papel personal por encima de las embrionarias instituciones, una especie de parodia de Washington («siempre mi modelo, el más virtuoso de los hombres»), retirado a su Mount Vernon (como Washington) sólo que temporalmente. Un Washington activo y vitalicio: «[He resuelto] interponer la autoridad suprema que se me ha confiado, entre los partidos beligerantes, oír sus quejas, y erigirme en árbitro pacífico de sus desavenencias».

*

Tales «desavenencias» entre partidos habían tomado un curso nuevo a partir de las reformas de Gómez Farías. Santa Anna tenía razón al advertir en su manifiesto sobre los peligros de la belicosidad clerical contra las reformas del gobierno. Esta actitud entrañaba «desnaturalizar una religión toda paz y dulzura», y lo que para «una nación piadosa» era lo más grave: «excitarla a una guerra religiosa, la más peligrosa de todas las guerras, la mayor de las calamidades públicas». Luego de vencer a los conspiradores que defendían la religión, se retira a Manga de Clavo y desde su silla arbitral toma de nuevo la temperatura nacional y decide que, después de todo, los conspiradores tenían razón. El motivo es simple: el pueblo culpa a las reformas promulgadas por el impío Gómez Farías («Gómez Furias», le decían) de la terrible epidemia de cólera que recorre el país. Santa Anna escucha la queja, despide a Gómez Farías, suspende las cámaras y modifica el rumbo de su gobierno. Entonces —de mayo a julio de 1834— envía una serie de cartas justificatorias a uno de los pocos hombres cuya oposición interna podía destronarlo: el poderoso gobernador de Zacatecas, protector de Gómez Farías y federalista convencido, Francisco García. La correspondencia se iniciaba con una declaración, afectada pero no del todo inexacta, sobre el sentido de sus extraños retiros, sus sentimientos íntimos y sus esperanzas:

«Puede V. recordar que a fines del año anterior me vi precisado a dejar las riendas de la administración por la notoria y grave decadencia de mi salud. Bastante se generalizó el conocimiento de mis deseos de mantenerme lejos de la dirección de los negocios, y quizá de separarme de ellos para siempre, pues no siendo el poder objeto de mi ambición, ésta se hallaba satisfecha con la *posesión del amor de mis conciudadanos,* y con *la de la gloria de haberlos servido.* En el retiro que había elegido, procuré por cuantos medios estuvieron a mi alcance, mantenerme ignorante de lo que pasaba en mi ausencia, haciendo incesantes votos porque las leyes restablecidas a un imperio asegurasen los goces de una libertad justa, racional y moderada».

Sus esperanzas resultaron frustradas. Terminada la lucha de las armas, había comenzado una nueva lucha, mucho más profunda y peligrosa: la de las «azarosas diferencias de opinión». Santa Anna dibujaba los dos extremos, dando a ambos una implícita razón:

«No se versaban por desgracia, acerca de cuestiones subalternas en que apenas se interesa la multitud; *las que han aparecido han afectado hábitos, costumbres antiguas,* y si se quiere preocupaciones que nos dejaron los españoles en funesta herencia. El ahínco de colocar a la nación en la posesión de los goces de una civilización perfecta, a la que no han llegado los primeros pueblos del mundo, si no es después de muchos siglos, y la natural y opuesta resistencia a los adelantos sociales, cuya época indudablemente tocamos, han producido tal divergencia, una escisión tan peligrosa que ya se marcan los tristes anuncios de una espantosa crisis».

En esas circunstancias, «hombres de todas nuestras sectas políticas» se habían puesto de acuerdo en su «vuelta al ejercicio del poder como un áncora de salud en el naufragio». Después de analizar los datos de la situación, vio que ésta reclamaba actos de «prudencia reguladora». Este recurso a la moderación se había querido interpretar como oposición a las reformas liberales, «como si el conocimiento de las dificultades, conocimiento que viene de los hechos y no de simples teorías, arguyera un espíritu contrario a las innovaciones que se pretenden». García podía dormir tranquilo: «a mis sentimientos está unida mi convicción. La nación no puede retrogradar de la marcha que ha emprendido en la senda de la libertad».

En su segunda carta, con una prosa clara y fluida, Santa Anna aborda de lleno su papel como árbitro de «las pretensiones exageradas de los grandes partidos que por desgracia dividen a la República»; árbitro que, en este caso, debía justificar ante un poderoso cacique «partidario del Progreso» actos en contra de esa tendencia:

«V. ha visto que tan luego que las vicisitudes de la revolución han ido favorables al uno o al otro, ambos invocando la Constitución, se han apresurado como a porfía, por despedazarla; unos acaso porque la aborrecen, y otros porque quieren ver en el pueblo mexicano, no el que es actualmente, sino el que será acaso después de medio siglo o más.

De pronto debí lidiar con estos segundos, y nunca mis insinuaciones fueron bastantes a contenerlos en aquella circunspección, que aunque lenta, es la más segura garantía del buen éxito: desde luego se me acriminó de estar coludido con los mismos hombres a quienes había batido, o que me avanzaba hacia la tiranía de mi patria: esta segunda idea fue la que tuvo más aceptación, porque a la vez era apoyada por los que figuraban como jefes en uno y otro partido; de aquí la falta de combinación cuyo resultado final sería dar en tierra con las instituciones, o introducir la anarquía más horrorosa apellidándolas. Ningún gobierno puede ni debe ser revolucionario; los que estuvieron al frente de los negocios en las tres épocas de mi ausencia no hablaban más que de llevar adelante la revolución, sembrando el germen en la primera, cultivándolo en la segunda, y en la tercera sazonando el fruto. Yo vine al mando por la tercera vez, no cuando estaba ya hostigado de calumnias sino cuando *los males públicos se llevaban a tal extremo,* que desentenderse por más tiempo habría sido fomentarlas y cooperar a ellos directamente».

La disolución general amenazaba las garantías de los ciudadanos, su seguridad, sus posesiones. «¿Qué república era ésa?» García argumentaba que la suspensión de trabajos en el Congreso ordenada por Santa Anna era idéntica a la disolución en tiempos de Iturbide. Santa Anna negaba toda semejanza:

«Iturbide disuelve la representación nacional para erigirse después *en monarca absoluto;* yo reclamo de V. la justicia de creer que no aspiro a lo primero y que *detesto lo segundo:* y entrando en el fondo de la cuestión, ¿disolví yo la representación nacional, o la ley no le permitía funcionar más allá del tiempo prescrito por ella misma? Yo en mi manifiesto indico, aunque muy de paso, la solución de este difícil problema; mas suponiéndolo resuelto a favor de los que reprueban la medida del gobierno, resulta ésta otra cuestión. Cuando el poder legislativo excede los límites trazados por la Constitución, ¿a quién le pertenece contenerlo? Así como considero que la división de los poderes es necesaria y esencial a la conservación de la libertad, así me persuado que a ninguno le está acordada la omnipotencia, que sería el escollo donde infaliblemente se estrellaría aquélla».

El argumento final era de fuerza: «Iturbide sentó las bases del absolutismo, yo interrumpí los proyectos de anarquía». Pero, ¿quién determinaba los límites del absolutismo y la anarquía? «El áncora de salud en el naufragio» y los acontecimientos que siguieron.

Poco tiempo después, Francisco García se rebela en su terruño al mando de cinco mil hombres. Santa Anna lo reduce en un santiamén y recorre victorioso, entre flores y *tedeums,* las ciudades del centro del país: Aguascalientes, Guadalajara, Morelia: «¡Viva la República y el ilustre Santa Anna!» es el grito del momento. ¿Se decidiría, ahora sí, a gobernar? No, «no siendo el poder objeto de su ambición» sino «el amor de sus conciudadanos», este hombre a quien Justo Sierra llamó «el seductor de la patria» se retira una vez más a sus haciendas, para que lo extrañen, para que lo aprecien, para que lo llamen, si un «osado enemigo» amenaza a la nación.

El enemigo osó en 1836. En ese año, dos territorios en los extremos del país rechazan la nueva constitución centralista y se separan: Yucatán y Texas. Con un dinamismo increíble, Santa Anna levanta un ejército de seis mil hombres y emprende la marcha hacia el norte para reducir a los colonos secesionistas. Amenaza con llegar al mismísimo Capitolio si los Estados Unidos se atreven a apoyarlos: «La línea divisoria entre México y Estados Unidos se fijará junto a la boca de mis cañones». En el reclutamiento y animación de su ejército es inimitable: «Había jurado que mi espada sería siempre la primera en descargar el golpe sobre el osado cuello del enemigo». A fines de marzo de 1836, aun el cerebral y pragmático Lucas Alamán describe el cuadro del modo en que lo haría un confiado idealista: «El señor Santa Anna ha obtenido ventajas tales sobre los colonos angloamericanos sublevados en Texas que aquello debe darse por concluido». Tres meses más tarde, su tono es otro:

> «en poco tiempo, los asuntos políticos de este país han dado una vuelta terrible ... [El general Santa Anna], lisonjeado sin duda por la idea de terminar por sí mismo la guerra con un golpe decisivo, y acaso celoso de la gloria adquirida por sus subalternos, se avanzó temerariamente y con poca precaución con un pequeño cuerpo de tropas, y fue batido y hecho prisionero el día 21 de abril pasado. Cuando todas las ventajas adquiridas se perdieron, y en el interior nos hallábamos con muchos amagos de nuevas inquietudes que nos hacen temer un retroceso a los desórdenes de los últimos años, el general Santa Anna estando prisionero celebró un armisticio con el solo fin de ponerse en libertad y por efecto de él se le espera en breve en Veracruz».

En un tiempo no tan breve, después de vivir siete meses prisionero en Texas, de sufrir befas, vejaciones y amagos, saludar al presidente de los Estados Unidos, y firmar un vago tratado que propiciaba la independencia de Texas, Santa Anna arribó a Veracruz —esta vez sin demasiados vítores— y se retiró a su refugio en Manga de Clavo. Allí publicó un «Manifiesto» exculpatorio no sólo de su campaña —hecha con hombres poco experimentados, cansados, hambrientos, en un terreno difícil, con una responsabilidad excesiva, napoleónica, sobre su influjo y su persona—, sino de la mexicanísima «siesta» que durmieron él, su estado mayor y muchos soldados, precipitando el desenlace de la batalla de San Jacinto a manos de Sam Houston: «nunca pensé que un momento de descanso ... ya inevitable ... nos fuese tan funesto».

Como fue temido y previsto tanto por Iturbide como por Mier y Terán, México perdió el inmenso territorio de Texas. Por su parte, Santa Anna perdía algo más doloroso para su aprecio personal: el amor de sus conciudadanos. Necesitaba recobrarlo con una nueva apuesta, jugarse el todo por el todo. Al año siguiente, la providencia, en la forma de una escuadra de guerra francesa que se había apoderado de Veracruz, le dio la nueva oportunidad.

Con febril actividad y energía, e indudable valor, batiéndose como un soldado raso, Santa Anna obligó a su enemigo a «embarcarse a punta de bayoneta». En la acción es herido en una pierna. Viendo próxima la muerte —o fingiéndolo— escribe:

«Al concluir mi existencia no puedo dejar de manifestar la satisfacción que también me acompaña de haber visto principios de reconciliación entre los mexicanos ... Pido al gobierno de mi patria que en estos mismos médanos sea sepultado mi cuerpo, para que sepan todos mis compañeros de armas, que ésta es la línea de batalla que les dejo demarcada: que de hoy en adelante no osen pisar nuestro territorio con su inmunda planta los más injustos enemigos de los mexicanos ... Los mexicanos todos, olvidando mis errores políticos, no me nieguen el único título que quiero donar a mis hijos: el de *buen* mexicano».

La providencia le cobró barata la apuesta: perdió la pierna izquierda. El pueblo, enternecido, volvió a adorarlo. «Una actitud heroica, un requiebro romántico», escribiría, cincuenta años más tarde, Justo Sierra, «y la nación entera estaba a los pies de aquel Don Juan del pronunciamiento, del Te Deum y del préstamo forzoso», el «gran seductor» para quien «la República era una querida... una concubina».

«¿Qué traía ese hombre», se preguntaba Justo Sierra, «en quien las masas populares ... se empeñaban en ver como un Mesías?» «Disimulo, perfidia, astucia, perspicacia», se contestaba a sí mismo, «todo al servicio de la vanidad y la ambición»; pero había algo más, un comportamiento histriónico, como extraído de una ópera italiana. Porque no tenía sustancia interna, fidelidades o principios a los que asirse, Santa Anna era, ante todo, un «gran comediante», un actor tan plenamente identificado con su papel que siempre parecía sincero. Así lo pareció al menos, un día de diciembre de 1839, a Frances Erskine Inglis, mujer del embajador español en México, Angel Calderón de la Barca, y autora de un libro de memorias sobre su breve estancia en México que se volvería clásico:

«Muy señor, de buen ver, vestido con sencillez, con una sombra de melancolía en el semblante, con una sola pierna, con algo peculiar de inválido y, para nosotros, la persona más interesante del grupo. De color cetrino, hermosos ojos negros, de suave, penetrante mirada, e interesante la expresión de su rostro. No conociendo la historia de su pasado, se podría decir que es un filósofo que vive en digno retraimiento, que es un hombre que después de haber vivido en el mundo, ha encontrado que todo en él es vanidad o ingratitud, y si alguna vez se le pudiera persuadir de abandonar su retiro, sólo lo haría, al igual que Cincinato, para beneficio de su país ... Se le notaba a veces una expresión de angustia en la mirada, especialmente cuando hablaba de su pierna amputada debajo de la rodilla. Hablaba de ella con frecuencia ... Resultó ser un héroe mucho más fino de lo que yo me esperaba».

Si en aquel momento interpretaba el papel de Cincinato, que le salía muy bien, pronto y sin mucha dificultad volvería a su verdadera vocación: conspirar; conmover al público con sus palabras, «que tienen un no sé qué de inexplicable superioridad»; poner y quitar militares en «el sillón presidencial» y congresos en la Cámara. La revolución en turno recordaba a las del pasado y presagiaba las del porvenir: «parece», apuntó la marquesa Calderón, «una partida de ajedrez en la que los reyes, torres, caballos y alfiles hacen movimientos diversos, mientras que los peones miran sin tomar parte en el juego». Todo para que se le pidiese hacer «lo que creyese conveniente por la felicidad de la nación». Entonces retornaba, hacía su entrada triunfal *«en roi,* con un séquito de espléndidos carruajes y magníficos caballos», se convertía en patrono de las artes, ponía la primera piedra de un teatro que llevaría su nombre, acudía a la ópera (donde, según la marquesa Calderón, «Su Excelencia no es insensible a la belleza, *tout au contraire»),* posaba para sus estatuas ecuestres o de pie, establecía una guardia de granaderos uniformada a todo lujo, disfrutaba de su flamante título de «benemérito de la patria», imponía aranceles, impuestos, confiscaciones y exacciones a su antojo (hasta al intocable y celoso clero), asistía a desfiles, fiestas y *tedeums*, enterraba con lágrimas a su esposa, 41 días después contraía nupcias con una hermosísima joven de quince años, y enterraba algo aún más valioso para él:

«El pie que cayó cortado por la metralla francesa en Veracruz, ha sido desenterrado de Manga de Clavo. Una comitiva de todos los ministros, todos los estados mayores, todas las tropas, los niños de las escuelas, la artillería, los cadetes del Colegio Militar, las músicas y curiosos de todas las clases sociales, lleva los venerables trozos de canilla y demás huesos al cementerio de Santa Paula. Un lujoso cenotafio los espera. Un orador, inspirándose en Milton, cubre su elocuencia de sombra y luto. Otro hace desfilar a los vencedores de Maratón y de Platea, a los Manes de Tarsíbulo, Harmodio y Timoleón ... y declara que el nombre de Santa Anna durará hasta el día en que el sol se apague y las estrellas y los planetas vuelvan al caos donde durmieron antes».

En las calles, mientras tanto, el anónimo bardo popular proponía esta adivinanza:

Es Santa sin ser mujer,
es rey sin cetro real,
es hombre, mas no cabal,
y sultán, al parecer.
Que vive, debemos creer:
parte en el sepulcro está
y parte dándonos guerra.
¿Será esto de la tierra
o qué demonios será?

Santa Anna, como siempre y a pesar de todo, se aburría, y entonces terminaba por refugiarse en esa sucursal del Palacio Nacional que durante sus muchos gobiernos fue la gran plaza de gallos de San Agustín de las Cuevas, al sur de la ciudad de México. Allí, en la lid de gallos «que lo enajena», lo vio alguna vez el joven escritor Guillermo Prieto:

«Santa Anna era el alma de este emporio del desbarajuste y de la licencia. Era de verlo en la partida, rodeado de los potentados del agio, tomando del dinero ajeno, confundido con empleados y aun con oficiales subalternos; pedía y no pagaba, se le celebraban como gracias trampas indignas, y cuando se creía que languidecía el juego, el bello sexo concedía sus sonrisas y lo acompañaba en sus torerías ... Allí presidía Santa Anna ... conocía al gallo tlacotalpeño y al de San Antonio el Pelón o Tequisquiapam, daba reglas para la pelea de pico y revisaba ... que estuviesen en orden las navajas de pelea ... Había momentos en que cantor de gallos, músicas, palmadas y desvergüenzas se cruzaban, en que los borrachines con el gallo bajo el brazo acudían al jefe supremo, y éste reía y estaba verdaderamente en sus glorias en semejante concurrencia».

¿Dónde había quedado el suave, melancólico, humilde, filosófico Cincinato? Atrás, en Manga de Clavo. Seguirían nuevas apuestas, ya no en el palenque, con los gallos, sino en la política nacional. Más pronunciamientos, conspiraciones y exilios. El mismo pueblo de la ciudad que lo festejaba en los gallos al verlo caído, con el mismo ánimo festivo, lo execraba: «La multitud rabiosa», recordaba Prieto, «se dirigió al teatro y demolió en un instante la estatua de yeso erigida a Santa Anna. Corrió furibunda al Panteón de Santa Paula y con ferocidad salvaje exhumó la pierna de Santa Anna, jugando con ella y haciéndola su escarnio».

*

Santa Anna era, sin duda, causante principal de la inquietud, el desorden, la irresolución y la desorientación que vivió el país en sus primeras décadas de vida independiente, pero también fue la consecuencia de esos estados, su expresión personalizada. Todos los defectos «criollos» que le achacaba Alamán, su «inconsecuencia consigo mismo», su «espíritu emprendedor sin designio fijo ni objeto determinado», reflejaban a su vez estados colectivos similares en las élites rectoras del país. «Santa Anna», escribiría uno de sus múltiples biógrafos, se limitaba a «seguir la corriente tumultuosa del día», era el «barómetro de las agitaciones nacionales», el «espectro de la sociedad, de su romanticismo y megalomanía».

Lo era en formas muy concretas, no sólo en las políticas. Su pasión por el juego, por ejemplo, la comparte la gente del pueblo que, según la marquesa Calderón, «le hace la corte a la fortuna al aire libre» y los «grandes señores ... sentados alrededor del tapete verde con la gravedad perteneciente a un Congreso de Ministros ... el juego es aquí una manía que todo lo invade». Incluso la extremada cortesía mexicana que tanto llamó la atención de la marquesa (el uso generalizado de fórmulas como «a sus órdenes», «soy su servidor», «para servir a usted») o la profusión de carruajes europeos y libreas extravagantes, ¿no denotaban, en una república en ciernes, la persistencia tenaz de formas cortesanas? México parecía no consolarse de no haber sido, de no ser, una monarquía.

El poder *en roi* de Santa Anna se originaba en parte en su magnetismo personal («la mirada es todo en Santa Anna: inquiere y agarra con ella», diría Prieto), pero también en la fidelidad con que su persona —su personaje— reflejaban el ánimo y las actitudes cortesanas, providencialistas, «relumbronas» y apostadoras de aquella sociedad, sobre todo en sus minorías criollas. Santa Anna representa la aportación específica de México al caudillismo latinoamericano del siglo XIX, la versión mexicana de esa plaga de «hombres fuertes» que desde las pampas argentinas hasta el río Bravo llenó el vacío que dejó al hundirse el orden imperial de España. Perdida la legitimidad tradicional (la que emanaba de la Corona española), ausente todavía una nueva legitimidad legal (la que advendría con un régimen plenamente republicano, representativo, democrático), en Santa Anna se expresaba una máscara, a menudo grotesca, de ambas legitimidades mezcladas. Alamán explicó esta situación, con todas sus letras, al propio Santa Anna, que sin duda no necesitaba entenderla, la vivía, la disfrutaba y, a veces también, la padecía:

«La nación ... le ha confiado un poder tal como el que se constituyó en la primera formación de las sociedades, superior al que pueden dar las formas de elección después de convenidas, porque procede de la manifestación directa de la voluntad popular, que es el origen presunto de toda autoridad pública».

Según Alamán, Santa Anna tenía la propensión a «sostener cuando ha convenido a sus miras, ideas enteramente contrarias a sus opiniones privadas». Pero ¿tenía ideas Santa Anna? Sus cartas a Francisco García revelan su carencia: las entendía como extremos que había que moderar, no como directrices concretas por consolidar. Según el primer embajador norteamericano en México, Joel R. Poinsett, que lo visitó en su prisión de Texas para reclamarle el abandono de sus antiguas ideas liberales, Santa Anna sí tenía ideas políticas:

«Es verdad», le dijo Santa Anna, «que aposté por la libertad con gran ardor y con perfecta sinceridad, pero muy pronto advertí mi insensatez. De aquí a cien años, el pueblo mexicano no estará capacitado para la libertad. Debido a su falta de luces ignora lo que la libertad significa. Dada la influencia de la Iglesia católica, el despotismo es el único gobierno aconsejable, pero no hay razón para que este despotismo no sea sabio y virtuoso».

Santa Anna tenía cuando menos *una* idea: creía en el «gobierno del Uno». Sobre los interminables esbozos legales que solían presentarse en los congresos, Santa Anna se pronunciaba alternativamente en favor y en contra, no sólo por oportunismo sino por desorientación, por vacío interior de convicciones e ideas. Era un actor en un país con libretos encontrados. Jugaba a los gallos en un país enviciado con el juego. Apostaba dineros, territorios, ejércitos, en un país que lo esperaba casi todo de la providencia y lo apostaba casi todo a un hombre providencial. Ensayaba papeles en un país que ensayaba proyectos. En un país que era, en sí mismo, un proyecto de nación.

Una estampa de la marquesa Calderón de la Barca recoge mejor que muchas páginas de análisis el tono de la vida en ese México de tiempos de Santa Anna, hacia los años cuarenta del siglo, poco antes de la guerra con los Estados Unidos:

«Están celebrando su independencia. Repican a vuelo las campanas de todas las iglesias, comenzando por la catedral; descargan las salvas de ordenanza los cañones; los cohetes suben por los aires; Santa Anna discursea en la Alameda; pasan tropas a galope, alborotan los niños en las calles; cantan un Te Deum; multitudes de hombres y mujeres se agolpan o se disgregan; las calles se llenan de carruajes y los balcones de curiosos, y se espera que en el Paseo no quepa un alfiler».

No es extraño que un hombre así, en una sociedad así, haya enlazado la historia mexicana con su propia biografía, que la haya vuelto, como soñaba Carlyle, una *biografía del poder.*

Antonio López de Santa Anna, ca. 1829

Teólogo liberal, empresario conservador

En aquel paisaje de revoluciones, caos, pronunciamientos, dictaduras embozadas, juego, cortesía, dispendio, fiestas y *tedeums,* había también otra biografía significativa, aunque por el momento impotente: una *biografía del saber.* La representaban los principales hombres de ideas en la primera mitad del siglo XIX, los fundadores de los «partidos históricos» mexicanos, el liberal y el conservador: José María Luis Mora y Lucas Alamán.

Criollos ambos, nacidos en fechas cercanas (1794, 1792) en el estado de Guanajuato, sus familias habían padecido severamente la violencia de la revolución de Hidalgo. Mora había estudiado en el antiguo colegio de los jesuitas en San Ildefonso y tomado las órdenes sagradas en 1819. Alamán, hijo de una familia más prospera, había estudiado en el Real Colegio de Minas de México y hecho profusos viajes científicos y técnicos por Europa. Mora, hombre de libros, mostró un talento extraordinario en cuestiones teológicas, pero ciertos atropellos tempranos que sufrió en la academia y la burocracia eclesiásticas lo predispusieron a tomar distancia de ellas y, con el tiempo, a extender su crítica a las tradiciones políticas, económicas e intelectuales que el clero representaba. Alamán, ante todo un hombre de acción, un empresario minero con nociones precisas sobre la riqueza real y potencial del país, era asimismo un hombre de convicciones religiosas con nociones firmes sobre la riqueza espiritual de México. Ambas facetas lo llevaron muy pronto a resentir que el nuevo país se apartara cada vez más de sus tradiciones. Mora pensaba en el futuro como un proceso de liberación. Alamán como uno de preservación. Ambos nacieron para la vida pública en el momento en que México nacía: 1821.

Alamán ejercía entonces como uno de los representantes novohispanos que abogaron por la independencia ante las Cortes españolas. De vuelta a México, en 1823, vivió un episodio que lo marcó. El mismo día de septiembre en que se exhumaban los restos de los caudillos de la Independencia para depositarlos en una bóveda de la catedral, el pue-

José María Luis Mora, 1843

blo fue incitado a «violar el sepulcro de Cortés en el Hospital de Jesús y quemar sus huesos, echando sus cenizas al viento». Alamán mandó entonces «deshacer en el espacio de una noche el sepulcro», poniendo en lugar seguro los huesos del conquistador. Con la misma eficacia salvó la estatua ecuestre de Carlos IV que iba a ser destruida como símbolo de la opresión colonial.

Desde su llegada, Alamán alternaría sus labores de empresario con una intermitente trayectoria de servicio público, orientada ante todo al fomento de la economía mexicana, a la defensa diplomática del territorio nacional y a la preservación del patrimonio cultural mexicano. Como empresario, además de compañías mineras, fundó la primera ferrería de México y varias fábricas en las que no siempre tuvo éxito: de hilados y tejidos, cristales planos y huecos, loza para porcelana, paños de lana. Era, además, un activísimo hacendado. Como ministro de diversos y fugaces gobiernos, sobre todo el del presidente Anastasio Bustamante (1830-1832), procuró rehabilitar el crédito exterior del país, concluyó el tratado de límites con los Estados Unidos, promovió la colonización mexicana en Texas para contrarrestar la creciente influencia de los norteamericanos, previó con toda claridad que los Estados Unidos «arrebatarían aquel terreno», organizó, así fuera de modo efímero, la Hacienda pública y fundó el Banco de Avío.

Como defensor del patrimonio cultural, propuso formar una «carta geográfica general de la República», creó el Museo de Historia Natural y el Archivo General de la Nación. Desde 1826 ejercía, significativamente, como apoderado en México del duque de Terranova y Monteleone, descendiente y heredero de Hernán Cortés que vivía en Italia. Alamán administraba sus bienes y haciendas, y echó a andar de nueva cuenta el Hospital de Jesús, primera institución de beneficencia del país y propiedad histórica del conquistador. El tiempo y los azares de la política lo volverían ideólogo, periodista y, a la postre, en la última década de su vida, historiador; justamente las mismas actividades que, en ese orden, realizaría Mora.

A los pocos días de proclamada la independencia, Mora trabaja como redactor de un *Semanario Político Literario*. Su primer artículo comenzaba con la palabra clave:

> «Libre ya la América mexicana del pesado yugo que la oprimió por trescientos años, debe empeñarse en recompensar el mérito de los ilustres caudillos que la han conducido a la libertad y proporcionarse un gobierno sabio y justo».

En otros periódicos y revistas, en artículos y ensayos, en propuestas legislativas, discursos y vastas obras de historia, en México o en el exilio de París y Londres, donde vivió desde 1834 hasta su muerte en 1850, Mora se dedicaría, primero, a proponer para México los elementos de «un gobierno sabio y justo» que ante todo respetara la libertad y seguridad de los individuos y, más tarde, a tratar de entender, a través de su obra histórica (la más importante, *México y sus revoluciones,* se publicó incompleta en París, en 1836), las causas de la desdicha política mexicana. Por su parte, Alamán permanecería el resto de su vida en México, muchas veces perseguido o en un ostracismo voluntario. Su propósito intelectual, hasta el día de su muerte en 1853, sería, punto por punto, idéntico al de Mora.

*

Una frase de Montesquieu guiaba los textos que el teólogo liberal escribió entre 1822 y 1830: «Las lecciones del pasado entre hombres que han sufrido males precaven los desórdenes del porvenir». Según Mora, el pasado aleccionador por excelencia para un país como México, que acababa de vivir una gran revolución, estaba, naturalmente, en la Revolución francesa: «bajo un aspecto ha sido un manantial de errores y desgracias y bajo otro una antorcha luminosa y un principio de felicidad para todos los pueblos». Como observador de la vida nacional *(El Observador* se llamó, en efecto, una de sus revistas) le interesaba menos cantar las glorias libertarias de Francia que aprender de sus errores. Existía un «curso natural» en todas las revoluciones y la de Francia constituía el ejemplo perfecto. Un movimiento general del espíritu, un giro en las opiniones, una extendida incomodidad, un cansancio profundo del orden actual habían sido su punto de partida. Más tarde, las «teorías abstractas» de los filósofos especulativos del siglo XVIII –Rousseau, Diderot– plantarían la semilla de un *idealismo* que prometía la «renovación completa de la sociedad». A la impaciencia por cumplir de inmediato aquella promesa seguirían «el incendio general» y con él la aparición del «hombre en su natural ferocidad». Antes de que viniesen «los saludables desengaños», el pueblo francés tendría que pasar por «toda la serie de calamidades» que conlleva el idealismo:

«La idea de una renovación completa los lisonjea lejos de arredrarlos; el proyecto les parece fácil, y feliz y seguro el resultado ... en poco tiempo la destrucción es total y nada escapa al ardor de demoler. A nadie se [le] ocurre que el trastornar las leyes y hábitos de un pueblo, el descomponer todos sus muelles ... es quitarle todos los medios de resistencia contra la opresión ... Cuando los hombres piden a gritos descompasados la libertad sin asociar ninguna idea fija a esta palabra, no hacen otra cosa que preparar el camino al despotismo».

Siguiendo las ideas de Benjamin Constant, Mora postulaba una necesaria continuidad entre la etapa violenta de la Revolución francesa y su desenlace dictatorial. En el altar de una libertad abstracta, Marat, Robespierre y los demás «famosos antropófagos» habían sacrificado las libertades concretas del pueblo francés y preparado el ascenso de Napoleón. En ese desenlace estaba la mayor lección práctica que México debía extraer de aquel libro abierto de historia. «¡Pueblos y estados que componéis la federación mexicana, escarmentad en la Francia!»:

«Nada más importante para una nación que ha adoptado el sistema republicano inmediatamente después de haber salido de un régimen despótico y conquistado su libertad por la fuerza de las armas, que disminuir los motivos reales o aparentes que puedan acumular una gran masa de autoridad y poder en manos de un solo hombre ... el amor al poder, innato en el hombre y siempre progresivo en el gobierno, es mucho más temible en las repúblicas que en las monarquías».

El peligro histórico para México estaba en la aparición —tras la fugaz experiencia de Iturbide— de un Bonaparte mexicano que, tras un velo de representación nacional y bajo apariencias y formas liberales, avanzando gradualmente, fingiendo conspiraciones, exaltara el ánimo público con promesas y adulaciones hasta volverlo su esclavo y así anular las libertades cívicas. «El peligro no está», sostenía Mora, en el más puro espíritu liberal, «en el depositario del poder, sino en el poder mismo.» Los pueblos de Hispanoamérica —argumentaba en 1827, refiriéndose aún a Bolívar— «no han peleado precisamente por la independencia sino por la libertad, no por variar de señor sino por sacudir la servidumbre, y muy poco habrían adelantado con deshacerse de un extraño si habían de caer bajo el poder de un *señor* doméstico».

Para prevenir, a juicio de Mora, el advenimiento de un Bonaparte mexicano —en 1827 Santa Anna era apenas un esbozo de lo que sería— no había mejor camino que seguir al pie de la letra los preceptos del liberalismo constitucional. México debería llegar a ser, en la práctica, lo que ya era en la Constitución: una república representativa, federal. Por desgracia, pensaba Mora al finalizar la primera década de vida independiente, las semejanzas entre la República Mexicana y su modelo

Lucas Alamán, 1849

estadounidense eran sólo formales. Se había prevenido hasta entonces la tiranía del ejecutivo, pero se consentía la tiranía del legislativo («número pequeño de facciosos charlatanes y atrevidos que a fuerza de gritos sediciosos y amenazas arrancan de la representación nacional todo lo que conviene a sus miras»). Tanto en el ámbito federal como en los estados, el poder ejecutivo y las funciones de la justicia se veían continuamente atropelladas y adulteradas por congresos elegidos de manera espuria. En las elecciones, señalaba Mora, se practicaban «fraudes no disimulados». La frecuencia con que se emitían fallos judiciales contra escritos «subversivos y sediciosos» anulaba de hecho la libertad clave, la libertad de opinar. Más en la tradición hispánica que en la anglosajona, Mora daba una gran importancia a la libertad de los municipios: «serán el primer motor de la prosperidad pública». Pero este ideal, lo mismo que todo el régimen representativo en México, seguía siendo «inestable e insubstancial». La razón:

«Tener el aparato y las formas exteriores de un gobierno libre y constitucional sin la realidad de sus principios y garantías es lo que nos ha perdido. Todavía no hemos hecho ensayo alguno, ni de federación, ni del sistema representativo ... ¿cómo podemos asegurar que no nos conviene?».

*

Lucas Alamán pasaría a la historia del pensamiento mexicano como el rival de Mora, como el prototipo del conservadurismo. Lo cierto es que antes de 1833 —cuando, inspirado por Mora, el gobierno liberal del vicepresidente Valentín Gómez Farías atacó por primera vez los privilegios corporativos del clero y la milicia— los juicios históricos de ambos mostraban sorprendentes coincidencias. También para Alamán, Francia era un libro abierto de experiencia histórica, un compendio no sólo de errores sino, literalmente, de «horrores». La fuente ideológica de Mora era Benjamin Constant, la fuente ideológica de Alamán era la fuente de Constant: Edmund Burke, «el hombre que ha sabido penetrar mejor la tendencia y efectos de nuestra época». Guiado por sus *Reflections on the Revolution in France* (1792), Alamán trasladó el peculiar liberalismo conservador de Burke a las remotas tierras de México.

Al igual que Burke, Constant y Mora, Alamán detestaba los «extravíos metafísicos» de los filósofos del siglo XVIII. Al igual que Mora, reprobaba la «monstruosa acumulación de poder» que la Constitución de 1824 había otorgado a los cuerpos legislativos, con lo cual se pasaba «de la tiranía de uno a la tiranía infinitamente más insoportable de muchos». Al igual que Mora, lamentaba la farsa en que se habían convertido las elecciones, con sus listas adulteradas y sus mayorías facciosas. Desconfiaba asimismo del sufragio universal en un pueblo casi enteramente pobre y analfabeto. Su recomendación era, como la de Mora, la misma que anotaba Burke en sus *Reflections:* restricción del voto a los propietarios ilustrados. Como Mora, en fin, lamentaba la distancia entre la letra y los actos del sistema republicano y federal que México había adoptado.

Pero a diferencia de Mora, Alamán consideraba que la causa de los males residía justamente en la legislación adoptada, por ser contraria a los usos y costumbres de la nación. La solución estaba en «acomodar las instituciones políticas al estado de cosas y no pretender que las cosas se amolden a las instituciones». En el fondo del pensamiento de Alamán estaba la premisa clave de Burke contra la Revolución francesa:

«En el orden civil, más que en el natural, todo es graduado, porque el orden civil no es más que el orden natural modificado, por causas todavía de más lento efecto como son la religión, la moral y la ilustración: nunca vemos a la naturaleza obrar por movimientos repentinos; lo único que en ella es momentáneo son los terremotos y ésos no son medios de creación sino de ruina».

En opinión de Alamán, México había *forzado su naturaleza histórica.* A diferencia de los Estados Unidos, que habían optado por ajustarse a los usos y costumbres de Nueva Inglaterra, México «había destruido todo cuanto existía anteriormente». La solución de Alamán, inversa a la de Mora, era desechar por impracticable el sistema federal y republicano, y comenzar por fortalecer al poder ejecutivo:

«Si alguna vez los mexicanos fatigados de los males de la anarquía que han de ir cada día en aumento pensaren seriamente en remediarlos, el primer paso que deben dar es vigorizar al gobierno, hacer que haya energía y fuerza allí donde no hay más que languidez y debilidad».

Ni Mora era un anarquista *avant la lettre* ni Alamán era partidario de una dictadura, ni siquiera de una monarquía. Ambos creían en «los adelantos de los tiempos», la libertad y el orden, pero con diverso acento. Históricamente, este acento sería decisivo: los puso frente a frente en vida y fue germen de la encarnizada discordia civil que años después, muertos Mora y Alamán, protagonizarían sus discípulos ideológicos: los liberales y los conservadores.

*

Si la lectura de la historia de Francia los vinculaba claramente, la comprensión de la historia de México no los separaba demasiado. Sobre los principales caudillos de la Independencia y el sentido de la Revolución de 1810 tenían opiniones afines. Respecto de la historia colonial comenzaban las divergencias, menos marcadas de lo que la imagen pública aparentaba. El objeto declarado de Alamán al escribir sus *Disertaciones sobre la historia de la República Mexicana desde la Conquista a la Independencia* (1844) fue «variar completamente el concepto que se tenía a fuerza de declaraciones revolucionarias sobre la conquista, dominación española y el modo en que se hizo la independencia». Más tarde habría de ampliar su plan original y consideraría necesario estudiar no sólo Nueva España sino el propio país hispano.

Mora, por supuesto, carecía por completo de esa vena nostálgica de Alamán; además, no creía que el pasado colonial encerrase ningún cúmulo de tesoros y lecciones. Lo consideraba, al menos en el periodo de los Habsburgo, francamente «teocrático». No obstante, la vindicación que hace de la raíz hispánica del carácter de México en *México y sus revoluciones* no es muy distinta de la de Alamán, y menos aún su opinión sobre Hernán Cortés: «El nombre de México está íntimamente enlazado con la memoria de Hernán Cortés ... mientras él exista no podrá perecer aquélla». Su convergencia en el reconocimiento del pasado colonial se vuelve aún más clara respecto del periodo de los Borbones, al que Mora y Alamán admiran, particularmente, en su aspecto económico.

Aplicadas al pensamiento económico y referidas a Alamán y Mora, las palabras «liberal» y «conservador» casi pierden su sentido. Pragmáticamente, Alamán citaba a Adam Smith, recurría en algunos casos a teorías librecambistas y combatía las viejas restricciones coloniales sobre inversión extranjera; pero al mismo tiempo, y sin contradicción, proponía la protección y el fomento de los ramos industriales que a su juicio lo requerían. El suyo era un «mercantilismo liberal». En este ámbito, sus ideas eran muy similares a las que habían puesto en práctica Carlos III y sus asesores ilustrados, sobre todo dentro del territorio español. Mora, por su parte, desde una posición más doctrinaria, criticó el Banco de Avío de Alamán por convertir al gobierno en «un inspector general de manufacturas». Con todo, admiraba a tal grado el pensamiento económico de la Ilustración que, como parte integral de sus obras, publicó una cuidadosa selección de los escritos de aquel obispo ilustrado de Michoacán, «persona irrecusable en materia de sus profundos conocimientos y diligentes investigaciones en la estadística eclesiástico-financiera»: Manuel Abad y Queipo.

*

Las relaciones de ambos con Santa Anna revelan, en cambio, una diferencia fundamental. En su *Revista Política* publicada en el exilio, Mora culpó a Santa Anna de dirigir la reacción contra las reformas del año 33 y lo llamó el «Atila de la civilización mexicana»:

«en medio de la absoluta incapacidad que [incluso él mismo] le reconoce todo el mundo para regir la sociedad, se sale con cuanto intenta en aquellas empresas que exigen atrevimiento y obstinación y terquedad ... desea un cierto poder absoluto, pero ... para ejercerlo en pequeñeces, y rehúsa cargar con las molestias que trae consigo el despacho de los negocios».

Alamán, por su parte, tenía ideas encontradas sobre Santa Anna. Lo veía como un ser contradictorio, un «conjunto de buenas y malas cualidades». Colaboró algunas veces con él (y al final de su vida lo haría decididamente) por un acto de realismo: a partir de su poder directo, incontestable, Santa Anna encarnaba la única posibilidad de un gobierno «enérgico y fuerte».

En febrero de 1837, después de la derrota de Texas, desmintiendo rumores sobre su muerte en los Estados Unidos, Santa Anna regresa a México y Alamán le envía una carta cuyo contenido prefigura el conflicto violento entre sus propias ideas conservadoras y las de Mora. Santa Anna, advertía Alamán, debía cuidarse de los «patriotas»:

«Si usted les presta oídos, la nación podrá estar expuesta a nuevos sacudimientos; si usted los desprecia y continúa su confianza a quienes ni le han de engañar ni faltarle, las cosas continuarán tranquilamente por el feliz rumbo que han empezado a tomar y podremos por fin conseguir tener patria y gloriarnos de ser mexicanos. Aquí no puede ya dudarse qué es lo que caracteriza a los partidos: la federación, la libertad, no son más que pretextos que ya nadie cree: por una parte están los hombres de propiedad y respetabilidad, el ejército, y la gran mayoría de la población; por el otro unos cuantos aspirantes, que quieren progresar a costa de la nación...».

Cuando recibe la carta de su admirado Alamán, Santa Anna decide seguir sus consejos. Diez años después, en plena guerra contra los Estados Unidos, no dudaría en restablecer su alianza, no menos extraña, con el mayor compañero ideológico de Mora, Valentín Gómez Farías. Lo que en el fondo ocurría era que antes de la mitad del siglo ninguno de los «partidos históricos» se había constituido realmente como tal ni tenía fuerza política suficiente. Las fronteras entre ambos distaban de ser claras: había antiguos federalistas que se volverían conservadores y antiguos centralistas que se volverían liberales. Más aún, entre las rojas ideas de Mora y las blancas de Alamán había tal variedad de coloraciones —sobre todo en cuanto a los aspectos religiosos— que la dominante tomaba un claro tinte rosa: el de «los moderados».

Con el tiempo, los «partidos históricos» irían tomando forma. Del lado del «progreso» (como diría Mora) o de la «demagogia» (como diría Alamán), había ya abogados y otros profesionales de clase media provenientes de los estados; los poderosos caciques de provincia, los «Santa Anna» de cada región, en particular los del norte, templados en las incesantes guerras contra los indios nómadas, propendían a defender el federalismo y, por tanto, iban integrando, paulatinamente, el núcleo militar del futuro partido liberal. Del lado del «retroceso» (como diría Mora) o de la «respetabilidad» (como diría Alamán), junto con la mayoría de los propietarios, estaban los militares y el clero, deseosos de conservar sus fueros y privilegios, intactos desde tiempos coloniales. Sin embargo, en los años treinta y aun en los cuarenta, estos «partidos históricos» estaban todavía en proceso de formación. Muchos oscilaban de una tendencia a otra, o participaban en ambas. Otros radicalizaban sus posiciones: el liberal a ultranza Lorenzo de Zavala (traductor de Jeremy Bentham y, como Mora y Alamán, político, periodista, ideólogo e historiador) le profesaba tal admiración a los Estados Unidos, recelaba tanto del pasado español (de joven, en el Seminario Conciliar de Mérida, había escandalizado por negar la autoridad de santo Tomás) y abominaba hasta tal punto —como buen yucateco— de los lejanos, arbitrarios ucases de la capital (en tiempos virreinales la Capitanía General de Yucatán había sido autónoma), que había terminado por convertirse en fundador y vicepresidente de la República de Texas, con lo que perdió la nacionalidad mexicana y pasó a la historia como un traidor. Por su parte, un diplomático nacido en Campeche, José María Gutiérrez Estrada —antiguo federalista en los veinte—, recelaba tanto de los Estados Unidos y admiraba a tal extremo el legado español (su esposa ostentaba uno de los pocos títulos nobiliarios de México), que llegó a proponer, en 1840, como «remedio de los males que aquejan a la República», aquello que nadie se había atrevido desde el Plan de Iguala:

«Que la nación examinara si la forma monárquica, con un príncipe de estirpe real, no sería más acomodada a las tradiciones, a las necesidades y a los intereses de un pueblo que desde su fundación fue gobernado monárquicamente. Si no variamos de conducta», auguraba, «quizá no pasarán veinte años en que veamos tremolar la bandera de las estrellas norteamericanas en nuestro Palacio Nacional».

Viables o no, todas esas propuestas dependían de aquella «manifestación directa de la voluntad popular» que Santa Anna, el propietario del ejército y del sillón presidencial, encarnaba. Y éste, «proclamando hoy unos principios y favoreciendo mañana los opuestos; elevando a un partido para oprimirlo y anonadarlo [y] después levantar al contrario», los tenía a todos «como en balanza», es decir, impotentes, derrotados.

*

¿Cuál era la raíz psicológica del liberalismo de Mora? La misma de muchos «patriotas». Formado en los colegios confesionales de la Colonia, el teólogo Mora poseía una particular sensibilidad a las variadas formas de la opresión y el dominio: por eso propugnaba la libertad. Para él, la reforma más importante era cultural y política: había que *liberar* a los mexicanos del colonialismo mental que los limitaba. Mora conocía de cerca los hábitos intelectuales de la Colonia y los juzgaba opuestos al régimen de libertades cívicas y al «gobierno sabio y justo» que anhelaba para el país. Sabía que «desde los primeros años se les infunde a los jóvenes el hábito de no ceder nunca a la razón ni a la evidencia por palmarias que sean las demostraciones ... en nuestros colegios se hace punto de honor el no ceder nunca de lo que una vez se ha dicho». El único camino para modificar esta situación era propiciar un cambio radical en la educación y defender a toda costa la libertad primordial, la libertad de opinión. No había que temer el debate público de opiniones contrarias unas a otras: «Los que las sostienen son todos hijos de la patria ... y como la nación sabe que el simple error no es delito, oye, admite y califica las opiniones más encontradas, pesándolas en la balanza de la razón». Según Mora, el proyecto deseable para México estaba en la consolidación de las costumbres liberales, a sabiendas de que su arraigo sería difícil: «El pueblo mexicano ama y desea tenazmente la libertad; pero por ciertas contradicciones e inconsecuencias que se advierten en su carácter nacional está tenazmente adherido a instituciones y prácticas esencialmente incompatibles a ella».

El empresario Alamán se quejaba de que «su experiencia en los negocios» se calificara de «rutina y adhesión a añejas ideas». No quería ni representaba «la reacción de ningún género». En 1846 se declaró «conservador, por convencimiento y por carácter» y delineó con claridad lo que sería el cuerpo ideológico del partido conservador. No veía la necesidad de violentar aún más la naturaleza histórica del país. México no tenía por qué liberarse del pasado sino construir a partir de él. «Lo que a México conviene», prescribió Alamán, en definitiva, «es volver al sistema español ya que no a la dependencia de España, y no separarse de él sino lo estrictamente necesario y lentamente.» Había que renunciar a las «teorías lisonjeras, extravagantes» de los «codiciosos demagogos», a las «vanas utopías», los «delirios insensatos» del régimen republicano, aceptar que «nada ha creado la República, lo ha destruido todo». La fidelidad al pasado suponía el establecimiento de un orden político que estuviese en consonancia con las viejas costumbres e instituciones mexicanas, con «el estado de nuestra civilización y nuestras luces». Se requería un ejecutivo fuerte y bien asesorado por consejeros planificadores (idealmente, un monarca europeo que viniese sin ejército), una férrea centralización administrativa, la neutralización de los congresos legislativos con todo y su cauda partidaria («El espíritu de partido mancha todo aquello que cae bajo su poder e influencia»), un poder judicial independiente y un ejército vigoroso. Al mismo tiempo, y sin contradicción, Alamán —no muy lejos aquí de Mora— abogaba por la libertad de los ayuntamientos, institución que hundía sus raíces en la historia española de tiempos anteriores a la Conquista. En el campo de las relaciones internacionales, la continuidad con el pasado significaba alejarse de los Estados Unidos y buscar afanosamente dos vínculos: la sombra protectora de la Europa católica y la solidaridad de la América Latina. Sólo en materia de economía la rama debía, en definitiva, apartarse del tronco. En este aspecto, Alamán combinó creativamente ideas de liberalismo económico con un franco apoyo estatal al fomento de la industria. «Un pueblo», escribió, «debe tener en la mira tratar de no depender de otro para nada en lo que le es indispensable para subsistir.» Con este criterio, adelantándose un siglo a las medidas de intervencionismo estatal típico del siglo XX, Alamán convirtió al gobierno en el primer promotor industrial del país. Pero quizá su mayor apego a la tradición novohispana residía en el ámbito de la religión:

«Queremos el sostén decoroso y digno del culto católico de nuestros padres, no esa amenaza continua con que amaga sus propiedades la anarquía. Hemos nacido en el seno de su Iglesia y no queremos ver las catedrales de nuestra religión convertidas en templos de esas sectas que escandalizan al mundo con sus querellas religiosas; y en vez del estandarte nacional no queremos ver en sus torres el aborrecido pabellón de las estrellas».

*

«Con la Iglesia hemos topado, Sancho», dice don Quijote. Aquélla sería, a la postre, la manzana de la discordia entre Mora y Alamán, fundadores de los «partidos históricos» de México. Frente a la tradición, Mora predicaba libertad y Alamán fidelidad. Esto los llevaría a quebrar lanzas por la mayor de las tradiciones mexicanas: la Iglesia.

La jerarquía católica conservaba buena parte de su antiguo edificio institucional. Administraba, desde luego, como en los tiempos de Abad y Queipo y Morelos, la vida espiritual, los hechos y fechas centrales de la relación de los hombres entre sí y de los hombres con Dios: nacimientos, matrimonios, muertes y sacramentos. La educación de niños y jóvenes era su atribución casi exclusiva, lo mismo que la celebración pública de las alegrías y el alivio de las penas. Por un lado convocaba a los fieles a las fiestas del santoral, por otro les prestaba protección, atención, auxilio, consuelo, en caso de cualquier desgracia: hambres, orfandad, viudez, terremotos, pestes, enfermedades, indigencia. De la Iglesia dependían monasterios, cofradías, capellanías, obras pías y muchas otras prácticas y organismos.

La Iglesia atendía sus deberes con el otro mundo, pero lo hacía con los pies bien plantados en éste: poseía directamente una quinta parte de la riqueza nacional. El clero regular era el principal terrateniente, ejercía funciones bancarias, recogía impuestos en forma de diezmos y sostenía una compleja burocracia económica y política provista de tribunales propios. Para los liberales, la Iglesia constituía un Estado dentro de otro. El de la Iglesia, centenario, patriarcal, marcadamente improductivo, arraigado en el pueblo, estaba estructurado con solidez sobre la base de una legitimidad sagrada; el segundo, el estado laico, estaba en plena formación y por ello era frágil, minoritario, disperso en las delgadas clases medias del país y se construía con dificultad a partir de una legitimidad secular. Era casi inevitable que esas dos entidades combatieran entre sí.

En su inmensa mayoría, los liberales mexicanos del siglo XIX profesaban con fervor el catolicismo. Al igual que Mora, muchos de ellos habían estudiado en seminarios o colegios católicos. Su imaginación estaba impregnada de la simbología católica, pero sus convicciones morales los apartaban de la Iglesia. «La Iglesia, considerada como cuerpo místico», escribió Mora, «no tiene derecho a poseer ni pedir bienes temporales.» Su actitud no estaba fundamentada en Benjamin Constant y mucho menos en los enciclopedistas franceses, a quienes detestaba, sino en los Evangelios y la Patrística. Al discurrir para el gobierno de Gómez Farías en 1833 el primer proyecto postindependiente de reforma al lugar histórico del clero en la sociedad mexicana, Mora consideró también la necesidad de apoyar vocaciones sacerdotales y aumentar el número de parroquias. En el interior de aquel fugaz liberalismo católico mexicano resonaba un eco remoto del humanismo de Erasmo de Rotterdam, una nota de tolerancia y depuración de objetivos espirituales. Pero la Iglesia y los conservadores fueron insensibles a esa apertura, y los Erasmos mexicanos se volvieron Luteros.

Desde los años treinta, Mora había renunciado al liberalismo constitucional de México, no por impracticable, como quería Alamán, sino por los dos inmensos obstáculos que se oponían a su desarrollo: el clero y la milicia. El frágil gobierno del vicepresidente Gómez Farías se había propuesto abolir los privilegios de ambas corporaciones: restar fueros y recursos al voraz ejército, que consumía buena parte de los presupuestos sin defender siquiera con eficacia al país, y limitar a la Iglesia a su esfera natural: la administración de las almas entre sí y con Dios. Este programa se sustentaba en gran medida en las ideas de Mora. Su idealismo constitucional de la década anterior lo había convencido de que la vía mexicana al progreso no estaba en garantizar la libertad individual mediante las leyes, sino en reformar a la sociedad desde su base para que la libertad individual adquiriese algún significado. Para su desgracia, el programa apenas se aplicó. Tras su derrota, Mora había salido hacia un exilio que sería permanente. Era significativo que, al dejar México, abandonara también su incipiente vocación de hombre de negocios: representaba a una casa inglesa editora de... biblias. Hacia 1836, las malas lenguas entre la gente de Iglesia esparcirían una noticia que nunca se confirmaría: en París, Mora se había convertido al protestantismo.

El conflicto a propósito de la Iglesia no se circunscribía, por supuesto, al ámbito mexicano, pues se había vuelto característico de la historia moderna en la Europa católica. España y, de hecho, Nueva España lo vivieron desde tiempos de los Borbones. La defensa de la Iglesia había sido un motivo central en la Revolución de Independencia. Durante las primeras décadas del periodo independiente, la cuestión religiosa estuvo, cada vez más, a la orden del día. Aunque «la religión es una fibra muy delicada para un pueblo teocrático como es el mexicano» —apuntaba el historiador y cronista, compañero de Morelos, Carlos María de Bustamante—, la crítica al papel terrenal de la Iglesia se hizo cada vez más frecuente. Con todo, nadie imaginaba los odios casi teológicos que la cuestión religiosa provocaría en México entre los hijos ideológicos de Mora y Alamán, liberales y conservadores, ni la violencia de la guerra (certeramente llamada «de Reforma») que finalmente se suscitó entre ellos en 1858. Esta etapa sólo sería comparable con los momentos de mayor tensión entre los jacobinos y la Iglesia durante el periodo cuyas desdichas Alamán y Mora habían tratado de prevenir: la Revolución francesa.

Mora y Alamán no vivirían para ver esa revolución. Vivirían para ver el amargo capítulo que la preparó: la guerra contra los Estados Unidos y el inminente derrumbe de la nación mexicana, en cuya construcción ambos habían empeñado la vida.

Mexicanos al grito de guerra

«Santa Anna tiene el deseo ardiente de contribuir a salvar la República», escribía en agosto de 1846 Valentín Gómez Farías. Los azares de la política mexicana unían de nuevo el destino de ambos hombres. Como en 1833, harían la mancuerna del poder: presidente y vicepresidente. La guerra entre México y los Estados Unidos había estallado en abril. Las tropas norteamericanas avanzaban desde la frontera norte y sus barcos bloqueaban los puertos mexicanos del golfo. Se decía que, desde su exilio en La Habana, Santa Anna había pactado con un representante del presidente Polk la venta de parte del territorio a cambio de la paz perpetua y de un jugoso pago para México. No se podía explicar de otro modo el disimulo de los barcos estadounidenses que le habían franqueado el paso por Veracruz. Pero por otra parte, conociéndolo un poco, ¿quién podía creer la palabra de Santa Anna? Cualquier promesa que hubiese hecho para manipular el curso de la guerra tendría explicación en su impaciencia por volver al país. En todo caso, volvía declarándose ferviente federalista y dispuesto por su voluntad a acaudillar un ejército contra el invasor. La única verdad detrás de todas sus posturas y mentiras era la verdad de siempre: ansiaba sinceramente la gloria, aunque esta vez sabía que la victoria era casi imposible.

Una nueva generación de pensadores y políticos, nacidos durante (y después) de la guerra de Independencia, observaba los acontecimientos con atención e intervenía crecientemente en ellos. Unos seguían las pautas radicales de Gómez Farías, creían en la vigencia de sus reformas anticlericales de 1833 y mantenían correspondencia con el gran exiliado, el doctor Mora. Se llamaban «puros». Otros, menos numerosos, defendían en el periódico *El Tiempo* las posturas ideológicas de Lucas Alamán: la necesidad de volver resueltamente a las pautas de vida colonial. Comenzaban a llamarse «conservadores». Otros, menos numerosos aún, pensaban que la supervivencia de México sólo podía asegurarse mediante la entrega del trono a un príncipe de las casas reinantes de Europa: es decir, con una vuelta al Plan de Iguala. Se llamaban,

Santa Anna, ca. 1850

obviamente, «monarquistas» y contaban con la anuencia abierta de los diplomáticos franceses y españoles para quienes México era «un barco que se hunde: no hay fuerza que pueda salvarlo». Entre esos extremos, fluctuaba una mayoría de abogados, empleados y profesionales que se autodesignaban «moderados», partidarios del libre cambio, la república representativa, el federalismo y la libertad, pero renuentes a «comprometer», en palabras de Guillermo Prieto, «sus creencias cristianas». Quizás el más notable entre estos últimos fue Mariano Otero (1817-1850). Abogado, excelente orador, en sus obras de economista y legislador criticó los abusos de las clases privilegiadas (clero, ejército, empleados públicos) y lamentó la falta de «espíritu nacional». Al mismo tiempo y sin contradicción recibiría, poco antes de morir de cólera, la cruz de la Orden Piana otorgada por Pío IX.

Representantes de las diversas tendencias habían intervenido en los efímeros proyectos legislativos elaborados durante los años cuarenta. En 1847, algunos eran miembros del Congreso que volvía a poner en vigor la Constitución Federal de 1824 –derogada en 1836 y modificada varias veces–. La balanza del poder ideológico había oscilado de nuevo: ahora pertenecía a una inestable amalgama de puros y moderados. Además de la ideología, tres rasgos aparentemente inocuos distinguían a estos hombres de los conservadores y monarquistas: eran por lo general más jóvenes, de cuna mestiza y provinciana.

Frente a la invasión norteamericana, los monarquistas y los conservadores sintieron que todos sus temores y profecías se hacían realidad. En febrero de 1846, Lucas Alamán había escrito un texto casi apocalíptico que los acontecimientos ulteriores parecían confirmar: «Creemos que con lo presente caminamos no sólo a la ruina, a la desmoralización, a la anarquía, sino a la disolución completa de la nación, a la pérdida de nuestro territorio, de nuestro nombre, de nuestra independencia». Se habían opuesto a la guerra y pensaban que hubiese sido preferible aceptar la anexión de Texas por los Estados Unidos que erigir aquella pérdida irremediable en un *casus belli*. Una vez iniciadas las hostilidades, volteaban a Europa con mayor fervor que nunca en busca de una tabla de salvación: «perdidos somos sin remedio», escribía Alamán a Gutiérrez Estrada, «si la Europa no viene pronto en nuestro auxilio». Aquélla era, en palabras de Alamán, «la guerra más injusta de que la historia puede presentar ejemplo, movida por la ambición, no de un monarca absoluto, sino de una República que pretende estar al frente de la civilización del siglo XIX».

Entre los puros había gente dispuesta a todo, como el gobernador de Michoacán Melchor Ocampo, que llegaría a aconsejar, antes que un tratado o un armisticio, una guerra de guerrillas. Otros puros, como el veracruzano Miguel Lerdo de Tejada, veían llegar el desenlace sin lamentarlo demasiado: un país dividido en sus clases, sin espíritu de cuerpo, cuya riqueza agrícola estaba en manos de un cuerpo indiferente al destino nacional (la Iglesia), no podía enfrentarse a un gigante. Era inevitable que una nación extranjera interviniera en México, y mejor que fueran los Estados Unidos que, al fin y al cabo, constituían el modelo de sociedad con que soñaban los liberales mexicanos.

La conclusión de Lerdo, compartida por muchos puros que colaborarían en el Ayuntamiento de la ciudad de México durante la invasión norteamericana, era escandalosa, pero su descripción de la sociedad no era inexacta. La prueba mayor de desunión e indiferencia por el destino del país la darían, en plena guerra, los flamantes reclutas de la Guardia Nacional. Alojados en conventos de monjas y con el apoyo del clero (que ante la invasión se alzaba de hombros), estos jóvenes de las clases «decentes» se levantarían en armas, no para combatir a los «gringos» que ya ocupaban una porción importante del norte del país, sino para... conspirar contra el vicepresidente Gómez Farías en represalia por sus renovadas medidas anticlericales. El pueblo los bautizó con el nombre de una danza muy de moda por entonces, y que ellos solían practicar con mucha mayor frecuencia y destreza que la profesión de las armas: «los polkos». Uno de aquellos *polkos*, el liberal moderado Guillermo Prieto, recordaría aquella hazaña:

«Ya se deja entender el desairado desenlace del movimiento de los *polkos* y la vergüenza y humillación con que debe cubrirnos a los que arrojamos ese baldón sobre nuestra historia en los días de más angustia de la patria ... Otro alegaría su poca edad, su inexperiencia, el influjo poderoso de entidades para mí veneradas ... Yo digo que aquélla fue una gran falta que reaparece más, más horrible a mis ojos mientras más me fije en ella».

Por vías ideológicas distintas, casi todas las facciones políticas llegaban a la misma conclusión: la desunión, la penuria económica, los veinticinco años de caos desde el acceso al trono de Iturbide, la notoria inferioridad técnica y material del ejército, presagiaban el desastre. El infalible poeta popular convenía con ellos:

¿Para la guerra? No somos.
¿Para gobernar? No sabemos.
Luego, ¿para qué seremos?

Muy pocos pensaban, como Melchor Ocampo, que en México podía darse una resistencia popular como la de los patriotas españoles frente a Napoleón. Además, la historia no estaba escrita aún, pues quedaba una carta por jugar, la que representaba el hombre providencial: Antonio López de Santa Anna. «De usted depende», le escribió Ocampo, «como en tantas otras veces, la suerte de México.»

*

Le faltaba una pierna, tenía cincuenta y dos años, pero era el mismo de siempre. Con una velocidad prodigiosa levanta y anima en San Luis Potosí un ejército de 18.000 hombres que, casi sin alimentos, cubre 450 kilómetros en unos cuantos días. El 23 de febrero de 1847, sostiene su primer combate contra las fuerzas del general Zachary Taylor en La Angostura, Coahuila:

«Santa Anna galopa de una posición a otra, a pesar de la molestia que sufre su pierna incompleta, e indiferente a las granadas que estallan a su rededor. Un caballo cae muerto y él toca el suelo, se levanta, toma otro y sigue corriendo por el campo, con su espada desenvainada y agitando solamente un fuetecillo. Tras él galopa un edecán, para trasmitir sus órdenes. Los soldados se inspiran con su ejemplo de valor y, durante estas horas de emoción, llegó quizás el punto más honroso de su carrera».

Tras aquella batalla sin claro vencedor ni vencido, Santa Anna traslada su ejército «con increíble celeridad», dice Alamán, «a defender las gargantas de la cordillera en el estado de Veracruz, y derrotado allí [por Winfield Scott, en Cerro Gordo] todavía levanta otro ejército con que defender la capital». Entretanto, a fines de mayo de 1847, Alamán escribe a Monteleone: «es imposible que una nación pueda permanecer así algún tiempo sin ser aniquilada». Un mes más tarde, ve cercano el fin y sugiere sus causas:

«en esta ciudad en la que se han estado haciendo muchas obras de fortificación, hay reunidos unos 16.000 hombres ... Temerario parece que Scott marche con tan corta fuerza (12.000 hombres) contra una ciudad de 180.000 habitantes y con una guarnición tan considerable, mucho mayor que la del ejército que la ha de atacar y sin dejar comunicación establecida con la costa, pero no obstante eso, me parece infalible que tome la ciudad, porque toda esa tropa en lo general son

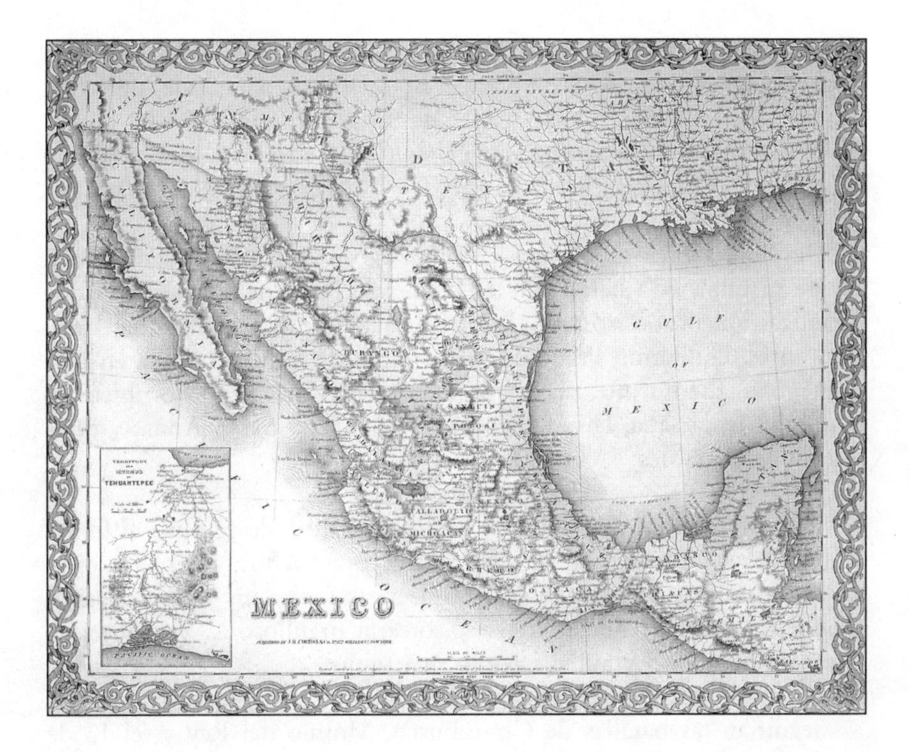

México después de la guerra del 47, ca. 1854

reclutas, mandados por generales cuya velocidad en la fuga está muy acreditada, y la masa de la población no se mueve para nada, pues está viendo todo esto como si se tratase de un país extraño. Tal ha quedado de fatigada en tan diversas revueltas. Todo esto va a terminar muy pronto».

Desde la azotea de su casa, el 19 de agosto, Alamán observó a través de su catalejo la batalla de las Lomas de Padierna, el modo en que el general Valencia se sostuvo, la falta de auxilio del general Santa Anna. Días antes, Guillermo Prieto se había refugiado con su familia en casa de Alamán. Ese mismo día, Prieto presenció las querellas «horriblemente dolorosas, la saña, la envidia» entre Valencia y Santa Anna, y otras escenas imborrables:

«el momento en que el joven Agustín de Iturbide se puso al frente del batallón Celaya gritando, ¡Conmigo, muchachos, mi padre es el padre de nuestra Independencia! ... el encaramarse un yanqui al astabandera, derribarla, desgarrarla, repisotearla orgulloso ... yo lo veía a través de mi llanto y aullaba como una mujer...».

Seguirían las batallas de Churubusco, Molino del Rey y, el 13 de septiembre, Chapultepec, «mi bosque, mi encanto», escribía Prieto, «nido de mi infancia ... atropellado, como si viera pisoteado el cuerpo de mi padre». Y al mando de todo, «entero y valiente», «afrontando los fuegos a pecho descubierto», Santa Anna:

«Parece que lo veo con su sombrero de jipijapa y su fuete en mano, su paletó color de haba y su pantalón de lienzo blanquísimo. Despilfarraba su actividad, desafiaba temerario el peligro, y así como no podía llamársele traidor, no podía ... considerársele un buen general, ni como hombre de Estado, ni como personaje a la altura de la situación».

En sus cartas al duque, Alamán convenía con la apreciación de Prieto: «es imposible que Santa Anna y los demás generales que tenemos lleguen a vencer». El propio Santa Anna confesaba que él y los otros generales no llegaban a cabos. Por fin, el 16 de septiembre de 1847, el vaticinio de Alamán se cumplía: «el aborrecido pabellón de las estrellas» ondeaba en el Palacio Nacional.

*

A Guillermo Prieto le parecía «profundamente desagradable» el hospedaje en casa de Alamán. Tenía «hondas prevenciones políticas» respecto de su arrendador, contra quien había escrito «todo género de dicterios». En aquella casa «silenciosa y como encantada» no transcurría el tiempo: todo era virtud, regularidad, decencia y orden. Por la tarde, «el señor Alamán» pasaba frente al cuarto de Prieto «con su sombrero de paja de grandes alas, su grueso bastón y su levita de lienzo» e invitaba al «señor don Guillermo» a pasear por el jardín. Prieto se negó hasta que, cautivado por «el encanto de sus narraciones de viaje, su conversación profunda en las literaturas latina y española...», él mismo buscaba a don Lucas. No hablaban de política. Uno y otro creían tener enfrente un fanático irredimible. Y sin embargo, Prieto lo admiraba:

«Era el señor Alamán de cuerpo regular, cabeza hermosa, completamente cana, despejada frente, roma nariz, boca recogida, con dentadura blanquísima, cutis fino y rojo el color de las mejillas ... se levantaba con la luz, y se lavaba y componía. Escribía en la sala ... con unos cuantos libros a la mano. Su escritorio elevado le hacía escribir de pie, y su manuscrito lo asentaba en un libro como de caja, sin una mancha, ni una borrada, ni una entrerrenglonadura, ni ceniza en las hojas, porque no fumaba. Al escribir guardaba suma compostura».

El libro célebre que Alamán escribía desde octubre de 1846 era la continuación de sus *Disertaciones*: la *Historia de México, desde los primeros movimientos que prepararon su independencia en el año de 1808 hasta la época presente.* Al finalizar la guerra, con la ciudad ocupada, informa a Monteleone:

«en medio de las aflicciones del espíritu, que han sido las consecuencias de la invasión del territorio de la República, de la ocupación de la capital por las tropas norteamericanas, y de la disipación de tantos sueños de felicidad y engrandecimiento nacional, que el patriotismo falso había hecho concebir, y que una cruel realidad había hecho desvanecer; no han sido pocos los ratos en que me ha hecho olvidar los males presentes la lectura de los acontecimientos a que daban gran importancia nuestros mayores».

Las cosas volvían a una extraña normalidad. «La tropa que ocupa la ciudad», agrega Alamán, «... no se mete con nadie. Así vamos acostumbrándonos a estar con ellos.» Los jefes y oficiales norteamericanos visitaban con frecuencia el Hospital de Jesús y pedían que se les enseñara el retrato de don Hernando Cortés, «al que ven con mucha veneración». El 2 de diciembre, día en que se cumplían tres siglos cabales de la muerte de Cortés, sólo Alamán lo recordaba:

«¿Quién hubiera podido pensar en aquella época que a los tres siglos de la muerte del gran conquistador, la ciudad que él sacó de sus cimientos habría de estar ocupada por el ejército de una nación que entonces no había tenido ni el primer principio?».

El drama parecía haber terminado. Santa Anna saldría al exilio, luego de dimitir de un poder que le resultaba «tan afanoso como amargo». Su única aspiración había sido servir al «bien de mi cara patria». Su destino, esta vez, sería lejano: una población en la provincia de Colombia, donde compró una mansión que muy pronto bautizó como el Palacio de Turbaco. A principios del año siguiente, las tropas norteamericanas saldrían también. Por el Tratado de Guadalupe Hidalgo firmado en febrero de 1848, México sufría, como Santa Anna, una mutilación, la de la mitad más rica de su territorio. «La guerra más injusta de que la historia puede presentar ejemplo», había concluido. Sobre el comportamiento de Santa Anna, la historia, sobre todo la oficial, diría que fue el acto de traición más grave de que puede presentar ejemplo. Sus detractores de entonces y después olvidaban que Santa Anna se ofreció como voluntario para dirigir el ejército, cuando pudo quedarse apoltronado en la silla presidencial. En su manifiesto a la nación, antes de salir al exilio, culpó a los gobernadores, a los comerciantes, al clero, por su indiferencia. Podía haber agregado varios otros grupos y estratos que vieron la guerra, de principio a fin, como «si se tratase de un país extraño». Alamán diría que Santa Anna «no desesperó nunca de la salvación de la República». El señor don Guillermo, en su fuero interno, sabía que don Lucas decía la verdad.

*

«Nada creo que haya más difícil que representar con dignidad ante las otras naciones a un pueblo y a un gobierno como el de México», escribía a mediados de 1847 José Bernardo Couto (un fino escritor criollo de ideología moderada, traductor del *Arte Poética* de Horacio y crítico de arte) a su antiguo amigo, el nuevo ministro mexicano en Londres, José María Luis Mora.

Mora dio a ese cargo, literalmente, su último aliento. Aunque nunca había admirado de modo particular a los Estados Unidos (su liberalismo tenía origen francés), en tonos similares a los de Alamán lamentaba que la república ejemplar de la era moderna hiciese una guerra imperial a la débil república vecina. Meses antes, Mora había procurado inútilmente interesar a Francia en el conflicto. El futuro más probable para México, argüían las autoridades francesas, era «ser agregado a los Estados Unidos». En Inglaterra, Mora se entrevistó con el ministro Palmerston y le envió varias comunicaciones. De acuerdo con «el carácter propio de la raza española», argumentaba en una de ellas, México rehusaba firmar la paz propuesta por los Estados Unidos porque no estaba dispuesto a ceder por la violencia. No le faltaron tampoco argumentos diplomáticos: Inglaterra y otros países neutrales perderían el acceso a la riqueza minera del país y al estratégico territorio de Texas. En el extremo, Mora trató de interesar a Inglaterra en la compra de las Californias a cambio de su interés en el conflicto. Fue inútil: Palmerston criticó la «poca cordura» de México al no reconocer a Texas y se negó a involucrar a su país en la guerra. La derrota mexicana no afectaría a la balanza de poder europeo. «Los mexicanos», lo admonizó con desdén, «deben poner manos a la obra y construir una nación sólida y perdurable.» Mora, por su parte, confesó decepcionado a un compatriota: «Todo tratado de paz que se haga entre México y los Estados Unidos, de parte de esta última nación, no es sino una tregua que prepara para lo sucesivo los avances de una nueva invasión».

Mora se enfrentó con Palmerston por un motivo adicional, que a sus ojos era aún más grave: la terrible guerra de Castas que había estallado en Yucatán mientras las tropas norteamericanas se acercaban al centro del país. A través del territorio de Belice, los ingleses vendían armamento a los indios mayas que asolaban las ciudades blancas. Antes que conmoverse por la pintura que le hizo Mora, Palmerston aprovechó la ocasión para pontificar de nuevo: México debía ofrecer garantías a los inmigrantes, pero toda colonización resultaba «absolutamente incompatible con los desórdenes públicos que constituían, hasta ese momento, el estado habitual de la sociedad mexicana». Era triste que el displicente ministro no sospechase siquiera la estatura intelectual, la obra magnífica, la coherencia moral del hombre que tenía enfrente. En 1848, dos años antes de su muerte, mientras veía con horror el fantasma de la revolución social que recorría Europa, Mora vio en la guerra de Castas un nuevo capítulo de la guerra insurgente. Con un agravante: la atrocidad extrema. Si bien las huestes de Hidalgo que habían arruinado a su familia, las mismas que había visto Alamán en Guanajuato, saqueaban y asesinaban, sus actos no tenían paralelo con lo que ocurría en Yucatán. Como si toda la furia acumulada durante siglos de dominación blanca hubiese encontrado la oportunidad de la venganza, hubo desollados vivos, teas humanas, violaciones tumultuarias, asesinatos colectivos: «La guerra de colores», escribió Mora, «es la peor que ha sufrido México porque debería terminar con el exterminio de una de las partes contendientes y dentro del orden natural de las cosas estaba que pereciera la menos numerosa». El gobierno de Yucatán se hallaba más que dispuesto a trocar la soberanía de su territorio por tropas que pusiesen coto al horror de la «guerra de colores». Mora recomendaba a su amigo Mariano Otero, ministro de Relaciones, la resuelta contratación de miles de mercenarios yanquis para detener el exterminio de la raza blanca. Y algo más:

> «echar fuera de la península a todos los elementos de color, multiplicar en ella a los de la raza blanca ... tener el más grande cuidado de que los de esta raza en la línea divisoria sean exclusivamente españoles».

A la postre, no habría necesidad de una cesión territorial. Con alguna ayuda militar norteamericana, pero sobre todo con fuerzas propias, la Federación Mexicana acudiría en auxilio del orgulloso territorio yucateco y en unos meses sofocaría, a sangre y fuego también, la «guerra de colores». A partir de entonces, Yucatán se integraría de modo definitivo a la Federación Mexicana. Tampoco tuvo que recurrirse a la expulsión colectiva de los indios recomendada por Mora. En aquellos últimos años de desesperación, Mora, tocando el fondo de su identidad criolla, se encontraba, como Alamán, con España. De ahí la agudización de su rechazo a «los elementos de color», de ahí que aconsejase una suerte de reconquista social y cultural de la antigua Nueva España por parte del país hispano. Como otras, esta prescripción no surtió efecto. Nunca llegó la gran oleada colonizadora de España, ni aunque se tratara de tierras regaladas. México era el fin del mundo, el país de la eterna revolución. La última paradoja en la vida del padre del liberalismo mexicano, que estudió con detalle la Revolución francesa para prevenir su violencia y su despótico desenlace, sería morir en París en el aniversario de la toma de La Bastilla, en 1850.

*

Desde su exilio europeo, Mora creyó ver el exterminio de la raza blanca en Yucatán. Desde su ostracismo en México, Alamán presintió, al retirarse el ejército norteamericano, desgracias similares. De pronto, el torbellino mundial de aquel 1848 llegaba al país bajo la forma de una insurgencia inesperada pero, en el fondo, latente: la lucha entre los pueblos (mestizos, pero con profunda raigambre indígena) y las haciendas por la tenencia de la tierra.

El problema de la tierra era tan antiguo como la historia de México. Desde el siglo XVI, la intrusión española en el territorio de las comunidades indígenas había provocado en ellas un repliegue defensivo que, por una parte, afianzó la unidad íntima y sustancial del hombre con la tierra que las caracterizaba, y por otro, favoreció el particularismo y exclusivismo de las unidades políticas llamadas «pueblos». A lo largo de la época colonial, los indios y los pueblos lucharon por sobrevivir frente al continuo acoso de las haciendas españolas mediante diversas estrategias legales, extralegales y, por excepción, violentas. «Podía haberse cubierto el territorio de la Nueva España con los expedientes de los litigios a que la distribución de la tierra dio lugar», escribiría Justo Sierra. Tenía razón, pero la existencia misma de esos litigios durante tres siglos era prueba de que el sistema judicial novohispano seguía teniendo un cierto peso. En 1810, solamente en la zona central del país, cuatro mil pueblos indígenas habían sobrevivido.

La desaparición del Estado tutelar español en 1821 había afectado directamente a los pueblos mestizos y a las comunidades indígenas porque los privó de su protección o de la esperanza de su protección. En la medida en que el nuevo Estado había nacido débil y pobre, los poderes locales y regionales se fortalecieron hasta convertirse en feudos que actuaban impunemente contra las comunidades y los pueblos. Estos comenzaron a reaccionar con violencia en casos aislados desde los primeros años de la independencia, pero el fenómeno se intensificó a partir de la década de los cuarenta y llegó a su límite luego de la guerra con los Estados Unidos. Era como si las comunidades y los pueblos hubiesen advertido que su centenaria querella por la posesión de la tierra no podía resolverla un Estado nacional en plena desintegración, y que su única alternativa, ante el vacío de poder, era tomar las armas.

Del antiguo marquesado del Valle que la Corona española había dado en posesión a Hernán Cortés, sólo quedaba la hacienda de Atlacomulco que Alamán administraba para Monteleone. En esa zona comenzaron a proliferar conflictos armados entre pueblos y haciendas. Dentro de la vieja demarcación del marquesado, en 1848 los campesinos del pueblo de Xicontepec, al sur de Cuernavaca, ponían los linderos de su propiedad en el patio mismo de la hacienda de Chiconcuac y ocupaban la contigua hacienda de San Vicente, donde levantaron nuevas «mojoneras» (bardas) que señalaban la recuperación de las tierras comunales. En octubre de 1850, los indígenas de la municipalidad de

Cuautla, la ciudad del sitio de Morelos, rompían la barda de piedra construida por el hacendado. Aunque las tropas acantonadas en Cuernavaca recibieron órdenes de reprimir a los indios, los soldados no las cumplieron argumentando que «el pueblo, exasperado de no tener tierras donde vivir y convencido de que el "fundo" [perímetro inviolable que la Corona les había otorgado siglos atrás] está hace mucho tiempo usurpado por las haciendas, había dirigido sus quejas al supremo gobierno ... y que lejos de que aquella queja fuera oída, se echó al olvido...». Las autoridades centrales vieron en estos movimientos el contagio de la revolución social que acababa de ocurrir en las calles de París. En un informe fechado en 1850, el prefecto político de Cuernavaca admitía que el problema era propio: «La palabra tierra es aquí piedra de escándalos, el aliciente para un trastorno y el recurso fácil del que quiere hacerse de la multitud». Dos años más tarde, el comandante general de Cuernavaca señalaba otro elemento clave, el agravio étnico: «Quieren dirigir la revolución lanzándose contra las personas de los españoles y haciéndolos asesinar».

Para remediar la situación de los indios yucatecos y, en general, de las comunidades indígenas, Alamán proponía, como respecto de tantas otras cosas, la vuelta al sistema colonial. Había que restablecer la administración de justicia para los indios: un sistema protector que los tratara como menores de edad en una república separada, paternalmente regida por las benévolas Leyes de Indias. Había que propiciar de nueva cuenta, como en el siglo XVI, la labor civilizadora de los misioneros. En cuanto a la querella entre los pueblos y las haciendas, Alamán fue mucho más reservado porque afectaba sus intereses como hacendado y representante de Monteleone, pero también por otra razón, más profunda:

«la guerra interior tomará el carácter de guerra de castas entre las varias que forman esta población, y siendo de ellas la menos numerosa la blanca, habrá de perecer y con ella todas las propiedades que le pertenecen».

Sorprendentemente, era la misma imagen de Mora, descrita con las mismas palabras, aunque el fenómeno al que aludía no fuera la guerra de Castas en Yucatán sino la de los pueblos contra las haciendas en el centro de México. Siendo notable, la coincidencia no era casual. La «guerra de colores» —en Yucatán o en el centro de México— tocaba la misma cuerda dolorosa y sensible en los dos criollos: los remitía a la Revolución de Independencia, que había puesto frente a frente a los indios y a los criollos. Su reaparición en 1848, tras tantos años de esfuerzo inútil por construir una nación estable, colocaba a los criollos de todas las filiaciones políticas —representados por Mora y Alamán— en una situación de vida o muerte, en la alternativa de ellos o nosotros. Sintiendo el rechazo violento de los indios, era natural que aquellos criollos nacidos y criados en tiempos coloniales, se replegaran a su potestad más íntima: la española. La dureza de su juicio sobre los indios no reflejaba tanto la realidad como la propia desesperación histórica. El país se les iba de las manos. Vagamente sospechaban que nunca volvería a pertenecerles.

«¡Mueran los gachupines!» Aquel «pavoroso grito de muerte y desolación» que Alamán había escuchado mil veces en los primeros días de su juventud, seguía resonando en sus oídos cuarenta años más tarde. Era como volver al comienzo o como nunca haber comenzado. Era como perderlo todo. Parecía el apocalipsis de México: representaba sólo el apocalipsis de los criollos.

*

Aquello no era el apocalipsis nacional, pero se le parecía mucho: guerra contra los Estados Unidos; guerra de Castas en Yucatán, revueltas agrarias en el centro del país; estado de guerra permanente contra los indios nómadas (apaches, comanches, etc.), que a raíz de la anexión de Texas asolaban, como en tiempos de la Colonia, a todos los estados del norte del país (Sonora, Chihuahua, Coahuila, Tamaulipas) y aun se aventuraban a saquear ciudades mineras en estados lejanos de la frontera (Durango, San Luis Potosí, Zacatecas). Por si faltase una guerra en aquella geografía bélica, estaba la guerra cotidiana contra los enjambres de bandidos que asolaban los caminos reales que la República había heredado de la Colonia, o la guerra defensiva contra un aventurero francés llamado Rousset de Boulbon, que intentó hacer del estado de Sonora su propiedad personal.

Hacia 1850 México se encontraba en los antípodas de aquel insensato optimismo de 1821. Sus ocho millones de habitantes constituían una población notoriamente escasa aún para los dos millones de kilómetros cuadrados que le quedaron al país después de la guerra contra los Estados Unidos. Además, a la casi nula inmigración (excepción: algunas familias de comerciantes franceses, las *barcelonettes*, llegadas en los años cuarenta) se aunaba la altísima mortalidad infantil. En el campo, la unidad económica fundamental seguía siendo, como en el periodo colonial, la hacienda autárquica, donde la servidumbre por deudas era costumbre ancestral: había 6.000 haciendas en 1850. Fuera de un núcleo moderno de fábricas textiles concentradas en Puebla y de la persistente labor minera, la actividad industrial se desarrollaba con ostensible deficiencia. Lo mismo ocurría con las comunicaciones: mientras los Estados Unidos tendían a toda prisa sus vías férreas hacia el Oeste y el Mississippi-Ohio Steam Boat cruzaba territorio norteamericano, México se servía de mulas y caballos como transporte para enlazarse, con inmenso riesgo para vidas y propiedades. La diligencia entre México y Guadalajara, las dos ciudades principales, hacía el viaje en siete días. Apenas en 1857 se inauguraría la primera línea de ferrocarril en la capital, pero sus propósitos no serían precisamente comerciales: comunicaba el centro de la ciudad con el Santuario de la Virgen de Guadalupe. Para colmo, a la pobreza general se aunaba la del erario: una deuda externa de 52 millones de pesos pendía sobre gobiernos tan incapaces de generar nuevas fuentes de ingreso como esclavos de una numerosa clase burocrática y militar. Según Justo Sierra, la mejor definición de gobierno era «banco de empleados armados que se llamaban ejército».

Las enfermedades contraídas por el tronco español en cuando menos dos siglos de decadencia y que habían precipitado la desintegración de sus colonias americanas a partir de 1810, se reproducían en su rama mexicana, pero esta vez en el breve espacio de 25 años: la misma ineficacia militar y diplomática, la misma incapacidad para generar nuevas fuentes de ingreso o para manejar con provecho los datos elementales de la vida económica, la misma influencia excesiva, costosa, improductiva de instituciones tradicionales como la milicia y el clero; la misma mentalidad deprecatoria, fatalista de sus élites gobernantes y pensantes. Acabado de nacer, México estrenaba decadencia.

Lucas Alamán, sin embargo, no trazaba un arco entre la suerte del tronco y de la rama. Seguía creyendo, con mayor certeza que nunca, que el error de la rama había estado en separarse violentamente del tronco, negar su filiación, sus raíces. En el último tomo de su magna *Historia de México* incluyó un ingenioso mapa que llamó «Estado comparativo». El lector tenía frente a sí un balance visual y numérico de la desdichada existencia independiente de México y una condena a los gobiernos republicanos. Con una línea azul aparecía el límite territorial en 1821; con una línea roja, la situación en 1852. Ahí estaba, inobjetable, la pérdida total de los territorios de Nuevo México y la Alta California, además de la mutilación de Tamaulipas, Chihuahua y Coahuila y Texas. Junto al mapa, Alamán incluyó varios cuadros con los indicadores que consideró significativos para ponderar, en el tiempo, la evolución política y económica del país. Hacía tres cortes: 1821, 1832 (el fin de su propia administración con Bustamante) y el momento en que escribía, 1852. La comparación era, en verdad, abrumadora: muchas de las tendencias negativas de la década de los veinte se habían estabilizado en 1832, pero a partir de entonces el deterioro era notable: ascenso vertical de la deuda (34 a 52 millones de pesos), descenso de las rentas (14 a 10, con todo y el primer aporte de 6 millones correspondiente a la indemnización norteamericana, cuyo total sería de 15 millones), debilidad numérica del ejército, pérdida de territorio, aumento enorme de la frecuencia y la profundidad de las incursiones de los indios nómadas, virtualmente contenidas en puntos muy altos de la frontera hacia 1832. La conclusión de aquel empresario historiador era clara:

«Al ver en tan pocos años esta pérdida inmensa de territorio; esta ruina de la Hacienda, dejando tras de sí una deuda gravosísima; este aniquilamiento de un ejército florido y valiente, sin que hayan quedado medios de defensa; y sobre todo, esta completa extinción del espíritu público, que ha hecho desaparecer toda idea de carácter nacional: no hallando en México mexicanos, y contemplando a una nación que ha llegado de la infancia a la decrepitud, sin haber disfrutado más que un vislumbre de la lozanía de la edad juvenil ni dado otras señales de vida que violentas convulsiones, parece que habría razón para reconocer con el gran Bolívar que la independencia se ha comprado a costa de todos los bienes que la América española disfrutaba, y para dar a la Historia de aquélla el mismo título que el venerable obispo Las Casas dio a su Historia general de Indias: *Historia de la destrucción de las Indias*, pues lo que ha pasado en México, se ha repetido con muy ligeras y temporales excepciones en todo lo que fueron posesiones españolas, sintiéndose en México los efectos del desorden de una manera más dolorosa, por tener un vecino poderoso que ha contribuido a causarlos y ha sabido aprovecharse de ellos».

Sin embargo, Alamán pensaba que el desastre mexicano no era completo ni fatal y podía ser revertido. Para demostrarlo, presentó sus tesis con el siguiente método: inventario de recursos, diagnóstico del mal, remedios de salvación, riesgos de no adoptarlos.

En su inventario de recursos, Alamán se refería, más que a los naturales, a los humanos. Aquéllos los daba por sentados. Si las ideas de extraordinaria riqueza habían sido exageradas, no lo eran menos las contrarias, que a mitad del siglo se hacían valer:

«En la República Mexicana se ha pasado de unas ideas excesivas de riqueza y poder a un abatimiento igualmente infundado, y porque antes se esperó demasiado, parece que ahora nada queda que esperar».

La verdadera riqueza mexicana estaba en sus venerables instituciones, en la actividad privada de sus ciudadanos y en su pueblo «que nada pide»: dócil, bien inclinado, tranquilo, leal a sus profundos sentimientos religiosos, «lazo de unión que queda cuando todos los demás han sido rotos». La columna vertebral de la sociedad, «lo único que ha permanecido inmutable» en medio de los trastornos, era la Iglesia. Había que apuntalar su poder en la educación y así revertir el «raro fenómeno de que los jóvenes mexicanos, para educarse en principios enteramente religiosos, van a aprender a ser católicos en países protestantes». No se trataba de ignorar los avances de la técnica y la ciencia del siglo; Alamán mismo se había esforzado por arraigarlos en México en diversos momentos de su desempeño público. Pero creía importante poner coto a la afluencia de abogados, médicos y naturalistas que, educados sin el apoyo de la religión, se abandonaban a la superficialidad y el descreimiento característicos del siglo.

A juicio de Alamán, sobraban las muestras de grandeza en México, sobre todo en los ámbitos ajenos al gobierno: el decoro de sus institutos de cultura y arte, la elegancia de su arquitectura civil, la bonanza de las minas, la abundancia de cosechas, los ingresos crecientes de algunas aduanas y hasta el número de coches particulares (mayor que el de cualquier ciudad de Europa y los Estados Unidos en proporción al número de habitantes). En las calles empedradas apenas podían rodar esos «soberbios carruajes con hermosos caballos ... muchas son depósitos de inmundicias que forman el más chocante y triste contraste con la hermosura de las casas que en ellas hay ... Esas casas y esas calles presentan en compendio el estado de la República: todo lo que ha podido ser obra de la naturaleza y de los esfuerzos de los particulares ha adelantado; todo aquello en que debía conocerse la mano de la autoridad pública ha decaído: los elementos de la prosperidad de la nación existen, y la nación como cuerpo social está en la miseria».

En el fondo del malestar mexicano existía un problema moral: las ideas de egoísmo injertadas por «la filosofía irreligiosa y antisocial del siglo XVIII» habían reducido todos los afanes a uno solo: el de obtener dinero. «Pero no se ha reflexionado, que siendo el principio fundamental de la sociedad moderna el egoísmo, éste no puede ser base de ninguna institución política.» Faltaba un centro rector en la nación, una filosofía política que integrara a los individuos, no que los disgregara. «¿Por qué», se preguntaba, en definitiva, Alamán, «la existencia de la nación es tan incierta?» Dados los antecedentes, su respuesta tenía «todo el rigor de una demostración matemática»: *«las instituciones políticas de esta nación no son las que requiere para su prosperidad:* es, pues, indispensable, reformarlas».

México no podía correr el riesgo de persistir en los esquemas que lo habían conducido a la bancarrota, el descrédito, la debilidad y el desmembramiento. Tenía un vecino demasiado poderoso. En el caso, nada remoto, de que los estados esclavistas del Sur se separaran de la Unión Americana –argumentaba, con exactitud profética para ese momento, Alamán–, la nueva nación anexaría nuevas tierras, traería a sus esclavos y «sujetaría a servidumbre más o menos rigurosa a los indios y castas del país que ocupen». En ese caso, nada imaginario, no sólo México perdería: también España (a Cuba y Puerto Rico) e Inglaterra (a Jamaica y las Antillas). El impulso expansionista podía llegar hasta Panamá y así dominar el comercio en el Pacífico.

Las reformas que proponía Alamán en 1852 no eran, en esencia, distintas de las de su programa de 1846. Entre ellas destacaban: el fortalecimiento del ejecutivo, una nueva división territorial de acuerdo con criterios de lógica económica, la centralización del sistema hacendario, la reducción de los miembros y las funciones del Congreso («No necesitamos Congresos, sólo algunos consejeros planificadores»), el restablecimiento de una antigua fórmula jurídica española: el juicio de residencia, que arraigaba y sometía a escrutinio el comportamiento de los funcionarios públicos luego de terminar su gestión. El gobierno debería, en suma, volver al viejo y probado cauce de la «acción paternal»:

«Esto hará nacer el espíritu público, ahora enteramente apagado, y restablecerá el carácter nacional que ha desaparecido. Los mexicanos volverán a tener un nombre que conservar, una patria que defender y un gobierno a quien respetar, no por el temor servil al castigo, sino por los beneficios que dispense, el decoro que adquiera y la consideración que merezca. Para obtener estos títulos, no es preciso que el poder recaiga en hombres de gran capacidad: decoro y probidad es todo lo que se necesita».

Había que derogar, por supuesto, la Constitución y encargar a una pequeña comisión de tres o cinco individuos la elaboración del nuevo código de gobierno. Porque en México «todo está por hacer, por haberse destruido todo lo que existía», no había tiempo para deliberaciones. Nada más urgente que el establecimiento del gobierno firme y paternal, y nada más remoto a su sentido «que la idea de dictadura ... absolutamente excluida de los medios en que puede pensarse para la reforma de la Constitución». Mucho se había perdido, pero, salvo la merma territorial «todo lo demás admite remedio». Con la reforma de las instituciones, «el principio de una nueva época» podía estar cerca.

Aquel quinto y último libro de la magna historia que Alamán había escrito en medio de la catástrofe nacional, no terminaba en un tono festivo u optimista; era admonitorio, como si secretamente Alamán sospechara que su proyecto, en el México y en el mundo de mediados de siglo, por razones que no columbraba, tuviese cierto carácter de utopía retrospectiva. En unas cuantas líneas de gran intensidad dramática, concentraba su crítica al pasado inmediato. Al hacerlo, advertía que reincidir en los errores de ese pasado sería condenar sin remedio al país. Toda la crítica histórica de Alamán cabía en esta estampa:

«Síganse desperdiciando los elementos multiplicados de felicidad que la providencia divina ha querido dispensar a este país privilegiado; sígase abusando del gran bien de la independencia en lugar de considerarlo como base y principio de todos los demás; llámense aventureros armados a los estados más distantes y de más difícil defensa, para que se hagan dueños de ellos; prodíguense por los estados ricos los recursos en que abundan, invirtiéndolos en empresas innecesarias; gástense por el gobierno general los pocos con que cuenta en cosas superfluas, mientras carece de ellos para las atenciones más indispensables para la defensa de la nación; continúen los escritores adormeciendo a ésta con ficciones lisonjeras, haciéndole desconocer su origen, y presentándole por historia novelas, en que disculpando o disimulando las malas acciones y aun ensalzándolas como buenas, se induce a volverlas a cometer, y privando de la gloria que le corresponde al autor de la Independencia [Iturbide] y a los que con él cooperaron a hacerla, se atribuye ésta a los que, cualquiera que sea el motivo, no fueron los que la consiguieron [los insurgentes]; prosígase consagrando este injusto despojo, este acto de ingratitud con una fiesta nacional [el 16 de septiembre]; considérese como mal ciudadano al que dice la verdad».

De continuar la costumbre de torcer la verdad de los hechos, al cuadro en que se pintaba a la nación sólo le haría falta una «breve pincelada». En este momento el Alamán historiador, el ciudadano que «dice la verdad», se vuelve el Alamán profeta bíblico:

«México parece destinado a que los pueblos que se han establecido en él en diversas y remotas épocas, desaparezcan de su superficie, dejando apenas memoria de su existencia; así como la nación que construyó los edificios del Palenque y los demás que se admiran en la península de Yucatán, quedó destruida sin que se sepa cuál fue ni cómo desapareció; así como los toltecas perecieron a manos de las tribus bárbaras venidas del norte, no quedando de ellos más recuerdo que sus pirámides en Cholula y Teotihuacán; y así como por último, los antiguos mexicanos cayeron bajo el poder de los españoles, ganando infinito el país en este cambio de dominio, pero quedando abatidos sus antiguos dueños: así también los actuales habitantes quedarán arruinados y sin obtener siquiera la compasión que aquéllos merecieron, se podrá aplicar a la nación mexicana de nuestros días lo que un célebre poeta latino dijo de uno de los más famosos personajes de la historia romana: *stat magni nominis umbra:* "no ha quedado más que la sombra de un nombre en otro tiempo ilustre"».

*

El proyecto de Alamán de un gobierno paternal, tutelar, ordenado, desdeñoso de los congresos y las deliberaciones, atento a unos cuantos consejeros, eminentemente práctico, no era una utopía en sí mismo: era una utopía en ese momento y para los criollos. Existía, sin embargo, un nivel de gobierno en que había sido posible ponerlo en práctica. De hecho, en 1849, tres años antes de concluir su último volumen, Alamán había presidido con gran éxito un gobierno paternal y ordenado: el del Ayuntamiento de la ciudad de México, institución de vieja raigambre española que Hernán Cortés había establecido tras la conquista. Al ocupar su sitial en el Ayuntamiento, Alamán pudo sentir que encarnaba aquellos tiempos:

«Fueron los cuerpos municipales en su origen el principio y la base de la libertad civil: los fueros y cartas de privilegios de las ciudades y villas, eran una parte esencial de las instituciones nacionales, y la observancia de esos fueros fue por mucho tiempo la seguridad que tuvieron las personas y las propiedades. Las facultades de estos cuerpos, eran grandes y grande también fue el beneficio que con ellas se hicieron».

Grande sería también el beneficio que en unos cinco meses de gestión lograría Alamán para la ciudad. Niveló sus finanzas, organizó su sistema fiscal, introdujo para la higiene citadina una máquina limpiadora de atarjeas conocida como «la rosca de Arquímedes», planeó la introducción de tubería subterránea para acabar con el sistema de acueductos y prevenir epidemias, organizó una empresa para sustituir el viejo alumbrado público por las nuevas lámparas de trementina, reorganizó juzgados, reparó las infames cárceles, estableció en ellas nuevos sistemas de rehabilitación, se aplicó a la construcción de mercados y calles lo mismo que a la mejora de hospitales; con particular cuidado reformó la instrucción pública, organizó el archivo municipal y dio brillo al teatro nacional. Tanta belleza y orden no podían durar. México era, todavía, un país de revoluciones. La amarga polémica que sus interpretaciones históricas desataron entonces determinó su salida del Ayuntamiento. La prensa «pura» rechazaba que un enemigo de la Independencia y de los insurgentes tuviese un cargo público, así fuese, como era el caso, de elección popular.

Alamán no se inmutaba ante los cargos. En el epílogo del cuarto y penúltimo tomo de su *Historia de México,* insistía en su interpretación de la Independencia (que, dicho sea de paso, otorgaba una gravitación excesiva a Hidalgo y olvidaba el aspecto constructivo de Morelos):

«No fue ella una guerra de nación a nación, como se ha querido falsamente representarla; no fue un esfuerzo heroico de un pueblo que lucha por su libertad para sacudir el yugo de un poder opresor: fue, sí, un levantamiento de la clase proletaria contra la propiedad y la civilización; por esto vemos entre los jefes del partido independiente, tantos hombres perdidos, notados por sus vicios o salidos de las cárceles, a quienes en vano se esforzaban en reducir a un orden regular; los pocos hombres apreciables que entraron en aquella carrera deslumbrados por ideas lisonjeras, cuya realización conocían ser imposible luego que estaban en situación de palpar el desorden y la confusión de que se veían rodeados. Esto produjo una reacción de toda la parte respetable de la sociedad en defensa de sus bienes y familias, que dio fuerzas y proporcionó recursos al gobierno: esto fue lo que sofocó el deseo general de independencia, y esto finalmente, por lo que combatieron bajo los estandartes reales, muchos hombres cuyas opiniones eran decididas por ella, pero que no querían recibirla con el acompañamiento de crímenes y desórdenes con que se presentaba. El triunfo de la insurrección hubiera sido la mayor calamidad que hubiera podido caer sobre el país».

El había probado su tesis «con documentos irrefragables». Le iba la vida en evitar que la revolución de 1810 pasase definitivamente a la conciencia colectiva de México como la cuna del país y «su mayor título de gloria». La paradoja mayor fue que, presentando su versión con tal claridad, detalle y pasión, logró justamente lo que no quería, afianzar la versión que «alteraba los hechos» y erigirla, ya definitivamente, en la verdad oficial.

*

El Ayuntamiento de la ciudad de México no fue la última estación política en la vida de Alamán. La providencia le tenía reservada una más, que el propio Alamán buscó con denuedo: el Ministerio de Relaciones en el gabinete del imprescindible Antonio López de Santa Anna. Llamado por varias facciones políticas, renuente en un principio —como siempre— a aceptar la oferta, quejoso de la ingratitud de sus paisanos, que le achacaban la derrota frente a los norteamericanos cuando había comprometido en esa lucha su vida y, por si fuera poco... sus fondos personales, Santa Anna había resuelto finalmente —como siempre— volver a la silla presidencial. «En manos de usted, señor general», le había escrito Alamán, luego de proponerle en detalle su programa de reformas, «está el hacer feliz a su patria colmándose usted de gloria y de bendiciones.» Iba a ser la postrera alianza de aquellos dos criollos: el caudillo imprescindible y el intelectual conservador.

En 1821, al comenzar su ciclo histórico, el México criollo había estallado en loas para Iturbide. En 1853, al concluir su ciclo, a Santa Anna se le recibía de nueva cuenta como al Mesías: «Todo espera su remedio del general Santa Anna», apuntó el editorialista de *El Universal:* «venga pues, como lo ha anunciado ... llamado de nuevo por la providencia divina al noble encargo de salvar a México de su ruina».

Entre vítores, aplausos y campanadas, Santa Anna entró en la ciudad por el camino de la Villa de Guadalupe, el 20 de abril de 1853. «No pudo haber un corazón mexicano que no se abriera a la esperanza», comentó el mismo diario capitalino. Por su parte, el general advertía: «tengo mucha experiencia y conozco que este país necesita el gobierno de uno solo, y palos a diestra y siniestra». Lo cierto es que, en ese momento, Santa Anna no tenía en mente el gobierno de uno sino el de dos: él y Alamán.

En un santiamén, el nuevo ministro puso en práctica sus bases para la administración de la República, declaró en receso las legislaturas, decretó que los estados volvieran a su antigua demarcación abandonando el federalismo, «causa de la desgracia del país». Por fin la historia de México podía regresar al cauce del que, a juicio de Alamán, nunca debió haberse salido. Todo parecía propicio para el renacimiento del proyecto conservador. El propio Alamán podía desmentir ahora, con su gestión, no sólo en la ciudad de México sino en el país entero, los sombríos presagios del último volumen de su *Historia*.

Era tarde. A sus cincuenta y nueve años, estaba exhausto y enfermo. Como la de Santa Anna, su vida se había enlazado con la de México, con sus revoluciones y proyectos, con sus pesadillas y sueños, con sus riquezas y miserias. No obstante, su enlace con la biografía de la nación había sido más doloroso que el de Santa Anna. Si bien es cierto que el general ostentaba su pierna amputada como seña de su compromiso con la patria, Alamán había sufrido mutilaciones de otro orden: el moral. De todas se repuso: un amor del tamaño de la nación cuya historia veneraba había guiado sus pasos en la vida pública, sus empresas, sus discursos y sus libros, pero las esperanzas frustradas de que ese mismo amor pudiese hallar recompensa en la felicidad pública habían lastimado su cuerpo hasta agotarlo. Había transcurrido un mes escaso desde su toma de posesión cuando murió, el 2 de junio de 1853.

*

Sin la presencia intelectual y moral de Alamán, Santa Anna perdió la brújula y, sin contrincantes a quienes vencer o contra quienes conspirar, no tuvo más remedio que ejercer la presidencia del único modo que sabía, podía y quería: *en roi*. Ya ni el palenque lo colmaba, porque los apostadores, tramposos, se dejaban ganar, y él lo sabía. Entonces se abandonó a todos los excesos del boato imperial, salvo uno: el de ceñirse la corona. Integró una corte de húsares vestidos a la usanza suiza, se prodigó en retratos y estatuas, restableció la orden de Guadalupe fundada por Iturbide y se hizo llamar —como Hidalgo en Guadalajara— «Alteza Serenísima». Sus relaciones con la Iglesia se hicieron tan estrechas que nombró consejero de Estado al arzobispo, volvió obligatorio el catecismo del padre Ripalda y decretó el retorno de la Compañía de Jesús a México. Impuso contribuciones extravagantes —al número de perros en una casa, por ejemplo—. Con sus enemigos políticos fue implacable: no mató, pero puso en vigor una Ley de Conspiradores —él, que había sido el conspirador por antonomasia— y persiguió no sólo las opiniones escritas sino los rumores, las murmuraciones. No actuaba con particular saña sino *en roi*, dando «palos» a diestra y siniestra. A quienes consideraba más peligrosos, los desterraba. Hasta Nueva Orleans fueron a parar dos gobernadores que no comulgaban con sus medios ni con sus fines: Melchor Ocampo, de Michoacán, y Benito Juárez, de Oaxaca.

En la política exterior, el undécimo periodo de Su Alteza Serenísima cerró el último, humillante capítulo de la guerra con los Estados Unidos: la cesión de una anja adicional de territorio, la zona de La Mesilla. Tiempo después, Santa Anna recibió la visita de un acucioso cronista y cartógrafo, Antonio García Cubas. Ante la vista del presidente vitalicio, desplegó un mapa cuidadosamente elaborado del territorio nacional, el anterior a la guerra y el posterior. Sin hacer comentarios, Santa Anna se echó a llorar: por primera vez calibraba lo que el país había perdido.

México no prosperó durante el sainete imperial de Su Alteza Serenísima, pero el género operístico alcanzó, significativamente, su punto cenital. El Gran Teatro de Santa Anna se volvió el sitio de reunión preferido de aquella alta sociedad aficionada, como nunca antes, a la ópera. Varias compañías italianas, contratadas por una temporada, se quedaban meses en México, a gozar de la idolatría del público, las crónicas elogiosas de la prensa y las generosas subvenciones oficiales. La mismísima diva Enriqueta Sontag cautivó con su tersa voz a los emperifollados «catrines» de la ciudad. Se estrenaron varias obras de autores mexicanos que en ese momento parecieron inmortales. *Apoteosis de Iturbide*, fue una de ellas. La función se anunciaba, invariablemente, con estas palabras:

«Dedicada a Su Alteza Serenísima, general de división, presidente de la República, benemérito de la patria, caballero Gran Cruz de la Real y Distinguida Orden Española de Carlos III y Gran Maestre de la Nacional y Distinguida Orden de Guadalupe: don Antonio López de Santa Anna».

El auge de la ópera en 1854 cerraba, parodiándolo, el ciclo de optimismo insensato abierto en 1821, y de este modo, ida ya la esperanza, lo volvía farsa, caricatura. Era el género apropiado para esa minoría criolla, que sólo por momentos había sabido imprimir a su acción cívica un sentido épico, dramático o trágico. Era la irresponsable fiesta frente al abismo. La manera más cómoda de escapar de la realidad, de compensar las ruidosas derrotas con grandes aspavientos y fanfarrias.

Otros géneros artísticos prosperaron también, como la zarzuela y el teatro. La llegada a México del célebre dramaturgo español José Zorrilla fue motivo de entusiasmo, sobre todo para el público femenino, pero tuvo un desenlace triste: así como llegó, por orden presidencial Zorrilla hubo de irse: en México no había más tenorio que el tenorio presidente. Por entonces la Sontag se había marchado también, pero no a Italia sino al cielo: el cólera había hecho un desagradable acto de presencia en medio de la fiesta santanista.

Sólo una obra estrenada en la corte de Santa Anna sobrevivió a su tiempo: el himno nacional. Flotaba en el ambiente el deseo de que el país, a más de tres décadas de consumada su independencia, tuviese un canto que reflejara su espíritu y su historia. Por orden del único que daba órdenes, se convocó a un concurso en el que finalmente triunfó la obra de Francisco González Bocanegra, un criollo nacido en San Luis Potosí que había pasado su juventud en España (era hijo de un oficial realista expulsado junto con su familia, en 1829). La música la compuso un maestro español que Santa Anna trajo de Cuba como director de bandas y músicas militares: Jaime Nunó.

El himno es *La Marsellesa* de México, pero una *Marsellesa* que, en ese momento, carecía de soporte histórico. Era la representación de un triunfo simbólico y operístico en el escenario, que servía para ocultar una derrota política y militar en la realidad. Su tema es la guerra. La palabra guerra aparece siete veces, explícitamente, en el texto y otras muchas a través de imágenes y sinónimos. El poeta le habla a los guerreros y a la patria. Entre cada una de las diez estrofas que lo componen, un coro repite un cañonazo verbal:

> Mexicanos, al grito de guerra
> el acero aprestad y el bridón.
> Y retiemble en su centro la tierra
> al sonoro rugir del cañón.

La frustración soterrada de aquella sociedad por el triste destino de la última guerra se compensaba en una acentuación de la sonoridad militar: las «erres» recorren el himno como ráfagas: guerra, guerrero, horrísono, rugido, hórrido, rayo, derrumba, torrente. El destino que el dedo de Dios deparaba a la patria era la paz. Los mexicanos no volverían a tomar las armas «en contienda de hermanos». «Mas si osare un extraño enemigo / profanar con sus plantas tu suelo [cita textual de una proclama de Santa Anna] / piensa ¡oh patria querida! que el cielo / un soldado en cada hijo te dio.»

Entre tumbas, sepulcros, aceros, blasones, pendones empapados por «olas de sangre», clarines bélicos, fosas y cruces, el himno menciona sólo dos personajes: Iturbide, el de la «sacra bandera», y Santa Anna, que quizá por modestia prefirió que la referencia de su persona fuera implícita:

Del guerrero inmortal de Zempoala
te defiende la espada terrible,
y sostiene su brazo invencible
tu sagrado pendón tricolor.

El será del feliz mexicano
en la paz y en la guerra el caudillo
porque él supo sus armas de brillo
circundar en los campos de honor.

Pero la muerte, subrepticiamente, se impone a la falsa, operística pretensión de victoria. Algunos guerreros volverán al amor de sus hijas y esposas. Otros sucumbirán.

¡Para ti las guirnaldas de oliva;
un recuerdo para ellos de gloria!
¡Un laurel para ti de victoria;
un sepulcro para ellos de honor!

El himno fue estrenado el 15 de septiembre de 1854. Meses más tarde, una nueva revolución —la de Ayutla— derrocaría a Santa Anna, quien, como siempre, saldría al exilio. Este, sin embargo, no sería, como siempre, un exilio simbólico, al estilo de los de Manga de Clavo, La Habana o Turbaco. Este sería un destierro de 21 años. Volvió cuando las estrofas sobre «el guerrero inmortal de Zempoala» ya no se cantaban en los actos públicos (a la postre, desaparecerían por entero) y cuando la memoria misma de su nombre parecía un vestigio de otras eras. Su esposa percibió de inmediato aquella patética muerte en vida y comenzó a contratar gente en la calle para que lo visitara, se rindiera ante él y le pidiese la narración de alguna de sus hazañas: el burlador burlado. Nadie sabe lo que susurró a la Virgen de Guadalupe el día en que la visitó subiendo trabajosamente la cuesta del Tepeyac. Se sabe en cambio que al morir no recibió ni un recuerdo de gloria, ni un sepulcro de honor.

Lo primero se entiende, lo segundo no. Si Santa Anna hubiese muerto en el momento de sus victorias (1829, 1838) o incluso en el de sus derrotas (1836 o 1847) habría pasado a la historia como un héroe y quizá como un mártir. Todos, ésa es la verdad, vieron en él hasta 1847 al salvador de la patria. Sus defectos y virtudes, privativos de él, los hacía suyos la sociedad que incesantemente lo buscaba y acogía, lo vitoreaba y vilipendiaba. Todos en México, ésa es la verdad, fueron en más de un momento santanistas.

La paradoja mayor de la vida de Santa Anna fue vivir lo suficiente para pisotear su propio mito. Su operístico *finale* arrojó una sombra grotesca sobre una biografía rica en reflejos sociales y realmente compleja. Por lo demás, el cargo de traidor aplicado a Santa Anna es discutible: Santa Anna traicionó innumerables veces a los partidos progresistas y retrógrados, pero no a su patria. Por ella luchó, bien y mal, al mando de unos cuantos miles de hombres en un país de siete millones. Además, muchos de quienes le pusieron el sambenito se habían cruzado de brazos durante la invasión norteamericana. Se diría que al concentrar la responsabilidad de la derrota nacional en un solo hombre, en un solo acto de «traición», descargaban con facilidad la culpa ante su propia pasividad en 1847.

En el fondo de la derrota de Santa Anna y de la desaparición de los grandes pensadores de la primera mitad del siglo yacía un hecho esencial: la derrota de los criollos. En poco más de treinta años, habían perdido su oportunidad histórica. La nación pasaría a otras manos, más cercanas al suelo de México, más cercanas a la raíz indígena: las manos de los jóvenes mestizos, nacidos durante la Insurgencia o después, sin recuerdos de la Colonia, sin ataduras vitales con España. Los primeros hijos de la Independencia mexicana. El paso de unas manos a otras se haría a través de un personaje que, como Santa Anna, pero en un sentido inverso, enlazaría su biografía a la de México por tres lustros decisivos: un mexicano étnica y culturalmente anterior al nacimiento de México, anterior a la Conquista española, un indio zapoteca: Benito Juárez.

IV
El temple del indio

Melchor Ocampo, ca. 1860

Hijo de la naturaleza

El tránsito del poder criollo al mestizo no se daría mediante una pacífica transferencia de estafetas sino a través de una larga y sangrienta guerra civil, justamente la que Mora y Alamán, en sus estudios sobre la Revolución francesa, habían intentado prevenir. Frente a ella, todas las revoluciones mexicanas después de la consumación de la independencia parecerían un juego de soldados de plomo. El motivo fundamental de los pronunciamientos, asonadas y cuartelazos de la era de Santa Anna había sido el desplazamiento del poder de un general a otro. El impulso ideológico ocupaba lugar secundario y a veces se utilizaba sólo como un pretexto. Hacia la mitad del siglo, la situación difería: los hijos ideológicos de Mora integraban una nueva generación francamente liberal y combativa. Provenientes de la clase media, de cunas criollas y, sobre todo, mestizas, estos jóvenes, preparados en los excelentes institutos científicos y literarios de la provincia, buscaron cauces distintos de los habituales en tiempos de la Colonia: en vez de clérigos o militares, eran abogados, médicos, ingenieros. Lectores de Byron, Hugo, Lamartine, soñaban con lograr la independencia definitiva de México: la liberación con respecto a *todo* el orden virreinal.

En su actitud había un elemento romántico: una sensibilidad exacerbada, un fervoroso deseo de cambiarlo todo y volver al origen. Pero ¿a qué origen? La palabra «padre», la búsqueda del padre, sería un tema recurrente en la literatura de la joven generación de liberales. Sus poemas, novelas, ensayos, discursos y libros de historia comenzaban a expresar el drama que los constituía: la orfandad cultural. Hijos de un padre español casi siempre fantasmal y de una madre india muchas veces violada («chingada», para usar el término tradicional del lenguaje mexicano), los mestizos se habían abierto paso a través de la historia mexicana con una lentitud de siglos. En los años cincuenta, al sentir la llamada del poder, se percataron de la urgencia de asentar una legitimidad. No era sencillo. Nacidos de una unión ilegítima, incidental, dudosa, ¿qué linaje podían reclamar? El pasado indígena, representado por la madre, era el recuerdo vivo de un mundo vencido. El pasado español, representado por el padre, era el recuerdo vivo de un mundo rechazado por rechazante. Quedaba la orfandad inhabitable y por ello la necesidad imperiosa de *crear* un padre. Sobre este punto, el mestizo más radical de la época, el poeta, ensayista y maestro Ignacio Ramírez (llamado «el Nigromante») escribió: «Los mexicanos no descendemos del indio, tampoco del español: descendemos de Hidalgo». La misma necesidad de ruptura que se advierte en esta zona étnica de su personalidad aparece en la vertiente religiosa. Ramírez la llevó al extremo el día en que frente a sus amigos de la Academia de Letrán –grupo de escritores y artistas románticos dedicado desde 1836 a crear una cultura mexicana liberada de ataduras coloniales– pronunció unas palabras que escandalizaron a las generaciones coetáneas y por venir: «Dios no existe».

Había nacido la generación mestiza liberal. Producto del trauma de la guerra con los Estados Unidos, provenía también de la urgencia de hacerse cargo de un país en desintegración; del vacío de poder dejado por el fracaso de los criollos; de su propia necesidad de autoafirmación étnica; de su rechazo a los patrones religiosos coloniales que encarnaba la mayor y más inamovible de las tradiciones, la Iglesia; de la herencia intelectual de Mora y el insistente ejemplo político de Gómez Farías; pero, sobre todo, provenía de la acción lenta y firme del tiempo, que corría a favor de las reformas liberales en el mundo occidental. La integrarían hombres de pluma y hombres de espada, a veces hombres de pluma y espada. Con la caída definitiva de Santa Anna en 1855, comenzarían a introducirse en el escenario nacional y, en un cierto sentido, no saldrían ya de él: llegarían para quedarse. Pero antes debían vencer a los aguerridos miembros de la generación conservadora, la de los discípulos de Alamán atrincherados en los cuarteles y las sacristías. Al doblar la mitad del siglo, el país exhausto por las guerras había de encarar todavía aquella que el himno nacional creía imposible: la contienda entre hermanos.

*

El liberal representativo de la época fue un mestizo radical que vivió la más radical de las orfandades: Melchor Ocampo. Su coetáneo, Ignacio Ramírez, podía darse el lujo de inventar que todos eran hijos del padre Hidalgo porque su orfandad no era existencial sino sólo cultural: había conocido a sus padres, o al menos sabía quiénes eran. Ocampo no tuvo siquiera esa mínima fortuna. Es probable que nunca supiese quiénes fueron sus padres. Era lo que en tiempos coloniales y aún en el siglo XIX se llamaba «expósito»: un niño abandonado por su madre a las puertas de un hospital, un convento o una casa. Un hijo de la naturaleza.

Hay varias versiones sobre su origen: todas dudosas. En los apuntes autobiográficos que podían revelar sus propias conclusiones sobre el asunto que lo marcó toda su vida, falta la primera hoja, la esclarecedora, arrancada quizá por él. ¿Era hijo de un cura? ¿Era hijo natural de doña Francisca Xaviera Tapia, la piadosa soltera que lo había recogido en su rica hacienda de Pateo, en Michoacán? ¿Era hijo de un señor Ocampo que lo había registrado en México en 1812 y abandonado en Michoacán? ¿Había nacido, como implicaba su nombre en el santoral, el 6 de enero de 1814? Nunca se supo con certeza. Ocampo, que llegaría a ser uno de los espíritus científicos más originales e inquisitivos del siglo en México, nunca reveló claramente sus propios hallazgos, en caso de haberlos tenido. Con su indescifrable origen hizo algo más creativo que la tortuosa búsqueda de una aguja en un pajar: lo transmutó en acción intelectual y política.

En Francisca Xaviera Tapia, Melchor tuvo una madre que le brindó protección y aliento hasta los diecisiete años: «mujer varón» —como él mismo la describía—, se le tenía por un prodigio de fortaleza, dinamismo y caridad. Ocampo no era el único hijo expósito en Pateo: había otros y otras, entre éstas Ana María Escobar, que sería su «hermana» mayor y, con el tiempo, en la juventud, la madre de tres de sus hijas. Doña Francisca Xaviera, heredera de una antigua hacienda colonial, envió al más brillante de sus protegidos a estudiar al Seminario Tridentino de Valladolid, institución extraordinaria para la época porque, al margen de los estudios canónicos que se seguían, los directores habían introducido hacía poco métodos y materias empíricas, como la física experimental. Tras graduarse de bachiller en derecho canónico y civil (su tesis incluía un epígrafe de Polignac que exaltaba la razón como medida de todas las cosas), el joven Ocampo pasó a la capital y estudió derecho en la Universidad Pontificia. Su madre adoptiva no lo vería licenciarse de abogado. Como último gesto, al morir, en 1831, lo nombró heredero universal de sus bienes, entre ellos la hacienda de Pateo, valorada en 125.000 pesos.

Al concluir su carrera, Ocampo no abrió un bufete: regresó a las tareas agrícolas en Pateo. Allí descubrió su vocación por la ciencia en la que, autodidacta, se enfrascó. Como hijo fiel de la naturaleza, se dedicó a investigar los secretos de la flora y la fauna de su heredad: se interesó en los cactus y escribió un estudio sobre el curso del río Lerma pensando en su posible aprovechamiento para la navegación. No tuvo tiempo y tampoco fuerzas para formar una familia. O, más bien, la formó de un modo extraño: en los años treinta procreó con Ana María Escobar tres hijas (Josefa, Petra y Julia), a las que no reveló la identidad de la madre, les dio su nombre y, como Rousseau, las educó lejos de Pateo, en Morelia (la antigua Valladolid). Extrañamente, les impuso a las tres su propio destino: crecer sin padres, sin familia, en un orfanato.

A fines de la década, Ocampo se embrolló con los negocios de Pateo y decidió huir por un tiempo. Su posición económica se lo permitía. A la manera de Humboldt y todos los grandes viajeros científicos de fines del siglo XVIII, emprendió una larga expedición por los estados de Veracruz, Puebla y el sur de México. Hizo apuntes, recogió piedras y todo tipo de muestras de vida, escaló los volcanes que resguardan el valle de México e hizo observaciones sobre la relación entre la vida religiosa y la económica en los pueblos indígenas que visitaba:

«¿De qué sirven muchas iglesias en un pueblo que apenas tenga con qué mantener el custodio de una? De multiplicar perjudicialmente las festividades, pues cada capillita tiene su fiestecita, de fomentar la ociosidad, la crápula y otros vicios ... y de dar a los pastores un surplus de renta sin haberla ganado con ninguna cosa verdaderamente útil ... infelices indios cuya fortuna se disipa entre el humo de los cirios, del incensario y de los cohetes».

Al poco tiempo, Ocampo decidió emprender una travesía científica por Europa. Durante un año y medio recorrió Francia, Italia y Suiza. En París, visitó al doctor Mora pero el encuentro no fue afortunado:

«El padre Mora es sentencioso como un Tácito, parcial como un reformista y presumido como un escolástico; pero habla con facilidad y elegancia extraordinarias, manifiesta sin esfuerzo una gran literatura, y clasifica y metodiza sus ideas con una precisión sorprendente. Me ha recibido bien, de lo que estoy muy contento, pero no lo frecuentaré ... me parece un apóstol demasiado ardiente para creerlo desinteresado en sus doctrinas y un partidario tan exclusivo que no ha de hacer buenas migas sino con quien en todas sus conversaciones se sujete a no tener opinión propia».

El liberalismo doctrinario de Mora había chocado con el temple liberal, abierto, algo anarquista del joven empresario de Michoacán. El método intelectual del teólogo Mora era fundamentalmente deductivo.

Clemente de Jesús Munguía, ca. 1863-1868

El del empirista Ocampo era radicalmente inductivo. Mora partía de una matriz de certezas y a partir de ellas veía y juzgaba al mundo. Ocampo, huérfano de padres, rechazaba o ignoraba toda matriz: «¿Qué es la verdad?», escribió alguna vez, «la realidad bien conocida». Al primero no lo caracterizaba la tolerancia, el segundo no toleraba no ser tolerado. Por eso, y por su deseo de volar solo, mucho más que en las ideas progresistas del ilustre exiliado Ocampo se interesó en las expresiones tangibles de progreso que lo rodeaban. El ómnibus, por ejemplo:

«Los ómnibus son unos carruajes de gruesas hojas de lata, capaces de contener cada uno diez y seis pasajeros; tienen el juego de fierro y, como la caja, casi nada pesa éste. Desde las ocho de la mañana hasta las once de la noche atraviesan todo París en todas direcciones, y aunque son diversos dueños, casi todos tienen correspondencia: está usted, por ejemplo, en el Arco de la Estrella y tiene que ir a la Plaza del Trono, que dista nueve mil metros por donde menos: ¿quiere usted ahorrarse toda esta fatiga? Pues cada diez minutos pasa por delante de usted un ómnibus, en el que se mete sin más diligencia que ordenar al conductor que pare; da usted sus seis sueldos (poco menos de medio real), avisa hasta dónde quiere ir y con un boletito dejan a usted en la primera administración a donde corresponde este punto, y de allí otro ómnibus lleva a usted al lugar deseado en pocos minutos. No he visto cosa más útil, ni creo que se encontrará nada que le supere en comodidad bajo todos aspectos».

En París, Ocampo afianzó su vocación científica y técnica. Asistió a cursos de agrimensura, se afilió a sociedades naturalistas, estudió nuevas posibilidades agrícolas para su hacienda, contrató los servicios de expertos para Pateo, se aprendió de memoria el Jardin des Plantes e hizo cuidadosos y, a menudo, mordaces apuntes de todo lo que llamó su ávida atención: la Comedia Francesa, el teatro, la ópera, la «ridícula *francmasonería*», los cuartos de hotel, los letreros en las esquinas, los excesos de *gourmandise* de la cocina francesa, las desventajas del chocolate espeso, las delicias del «puré» y la sopa «juliana». Con esas estampas preparó su primera obra literaria: *Viaje de un mexicano en Europa*, fechada en 1840. En él revelaba no sólo su buena pluma y su ingenio sino también su nostalgia por México, una nostalgia que se resolvía en impulsos de creatividad científica: en París, Ocampo comenzó a formar un «suplemento al diccionario de la Lengua Castellana por las voces que se usan en la República Mexicana».

A su regreso, durante los años cuarenta, Ocampo alternaría sus breves aunque cada vez más frecuentes apariciones en el escenario político con una tenaz y variada labor naturalista. El ámbito en que resultó más prolífico fue la botánica: siguió formando una biblioteca respetable en cuyo *sanctum sanctorum* estaba el padre Linneo; completó y publicó sus observaciones sobre un género de cactus, una nueva especie de encinos, el movimiento espontáneo de una planta; escribió un notable «Ensayo de Carpología [teoría de los frutos] aplicada a la higiene y a la terapéutica». Experimentó con éxito y publicó remedios contra la rabia, rectificó una obra sobre los antiguos jardines de México, observó cometas y terremotos, diseñó instrumentos ópticos y llegó a alcanzar una fama que le valió ser propuesto para director, el primero, de la Escuela Nacional de Agricultura que, a iniciativa de Lucas Alamán, debería haberse fundado a mediados de los cuarenta, lo que no llegó a ocurrir debido a alguna de las revoluciones mexicanas.

No sólo la superficie física, vegetal de su contorno lo atraía y desvelaba: también la superficie auditiva, lingüística. Aquel diccionario de voces mexicanas que había comenzado a formar en Europa se volvió todo un tratado que contenía 920 vocablos. En algún momento se preguntó cuántos y cuáles eran los sonidos fundamentales de las lenguas indígenas de México. Y a responder esta cuestión dedicó meses de estudio. Otra de sus pasiones fue la bibliografía: integró una respetable biblioteca personal en la que lo mismo había obras de botánica que de economía, agricultura o teología, e hizo importantes contribuciones a la bibliografía mexicana del siglo XVI describiendo sermonarios y manuscritos en lenguas indígenas como el otomí y el tarasco que se hablaba en la zona de Pateo. Su espíritu de observación se avenía mal con la poesía, pero no con la crítica literaria, que ejercía con un tono burlesco, semejante al que empleó al escribir el sainete *Don Primoroso*. Su tema, casi inimaginable para la época, era la homosexualidad:

«*Primoroso:* ¡Ay Dios! Mis pobres chinos [rizos] se han descompuesto. ¿Cómo he de ponerme delante de las gentes en tal traza? Voy a peinarme.

»*Ponciana:* ¡Vete! Y cuidado que viene don Justo y sus dos hijos; cuidado con tus dengues, no me desacredites, pórtate ahora como hombre fino, como caballero».

Aunque su hacienda había pasado por tiempos difíciles, a mediados de los cuarenta prosperaba «al ojo del amo». Sin embargo, Ocampo no era un hacendado como cualquier otro: era un extraño hacendado que leía a David Ricardo y que con óptica científica trataba de entender la razón de dos fenómenos concomitantes: el atraso económico de las haciendas y el abatimiento económico y moral de los trabajadores de esas haciendas. En abril de 1844, *El Ateneo Mexicano* publicó sus observaciones, tituladas «Sobre un error que perjudica a la agricultura y a la moralidad de los trabajadores». El error al que hacía referencia era el antiquísimo hábito de la servidumbre por deudas mediante el cual el hacendado abría al peón una cuenta de préstamos irredimible en la práctica y que encadenaba a ambos en un círculo vicioso de dependencia e improductividad: los peones, sin horizonte ni libertad, se ataban a una «droga» (significativamente, en el campo de México, sinónimo de «deuda») y sabían que esa «droga» sería la única herencia que dejarían a sus hijos; los hacendados aseguraban de ese modo la permanencia de los peones, pero a un costo económico —no se diga moral— muy alto: los esclavos de hecho producían menos que los peones libres. «El peón dice», escribía Ocampo, «no hay que apurarse, no me debo matar en un día; si el amo quiere, me aguanta, y si no quiere, me sufre, que al fin no ha de echarme y perder así lo que le debo.» «El amo dice», agregaba, «puesto que no sientes o desconoces tus deberes, sentirás el hambre y la intemperie; la necesidad y el palo te harán trabajar.» En estas circunstancias de apatía, resignación y severidad no se podía construir una economía sana. De modo muy distinto se desarrollaba la relación abierta y libre entre el amo responsable y moderno y el peón sin «droga» al que «el pasado no le remuerde, el presente lo satisface y el porvenir lo halaga...». El amo de tales hombres sabe que no necesitan inspección continua, que ensayan cuanto nuevo se les dice y compiten en quién lo hará mejor:

«¡Peones! No os *endroguéis* si deseáis conservar vuestra libertad y hacer mejor vuestra condición ... ¡Hacendados, jefes de labor!, no deis *a la cuenta* a vuestros peones, sino aquellos gastos indispensables que ellos no puedan prevenir y que vosotros os haréis pagar escrupulosa pero prudentemente. Hacedles ver el pupilaje vergonzoso en que, de lo contrario, caen para siempre, e inspiradles amor al trabajo, el noble orgullo de la independencia y la convicción de que son indestructibles los goces que procura una buena moral».

Hasta aquí la prescripción de Ocampo tenía un carácter puramente liberal, pero su envío final atemperaba la libertad con la caridad: «no intentéis, exagerando las reflexiones que preceden, cerrar vuestro corazón al dolor y a la necesidad ... pervirtiendo el espíritu de la economía predicada por *el buen hombre Ricardo*. Recordad que si todas las virtudes son útiles en su caso, la beneficencia lo es en todos». Aunque en su escrito había tonalidades de prédica, Ocampo estaba lejos de ser un predicador. Era, ante todo, un observador práctico de su entorno físico y humano, y un ingeniero agrícola y social que no hablaba desde un cuerpo etéreo de preceptos, sino desde una experiencia humana concreta. Sus peones lo sabían mejor que nadie. En su coto privado de Pateo quiso ser un crítico de las costumbres coloniales y un adelantado del progreso material, cuya condición necesaria era la promoción de la libertad individual.

La fama que le dieron sus investigaciones científicas y la ilustrada administración de Pateo se difundió fuera de Michoacán. Desde 1842, Ocampo había representado a su estado natal (pero, ¿era Michoacán su estado natal?) en un Congreso al que Santa Anna convocó en 1842 para constituir definitivamente a la nación mexicana extrayendo, en teoría, lo bueno de las dos formas de gobierno que el país se había dado en veinte años de existencia independiente: el centralismo y el federalismo. El experimento fracasó, desde luego, y terminó con el encarcelamiento de los congresistas, pero tuvo un efecto benéfico: afinó y afianzó la ideología liberal, que una década más tarde alcanzaría el predominio. Entre los jóvenes liberales que ocuparon la tribuna, el irónico hacendado michoacano se distinguía claramente por su inteligencia y originalidad así como por algo más que se necesitaba para decir, en tiempos del *roi* Santa Anna, cosas como ésta:

«La fuerza es una cosa necesaria, pero el modo en que se halla organizada entre nosotros es también una cosa terrible ... la milicia ha llegado a ser entre nosotros casi el único objeto de la sociedad. Ella ocupa los primeros puestos del Estado, ella ha llegado a ser la autoridad pública ... un pueblo libre y un ejército permanente, son elementos de pugna y de conflicto: el gran problema es mantener su equilibrio».

Era lógico que este naturalista llegara a la gubernatura de su estado. A raíz de la vuelta del federalismo y de su incansable caudillo —Valentín Gómez Farías—, Ocampo accede electoralmente al poder. El tiempo le alcanza para poner los cimientos de una obra educativa: instituye bachilleratos en medicina y derecho en Morelia, prohíbe y sanciona con penas severas el uso de instrumentos de castigo físico en las escuelas, reabre el antiguo Colegio de San Nicolás y lo encomienda a un antiguo sacristán de ideas liberales —huérfano desde chico, como él, aunque de padre conocido e insurgente— cuyo solo nombre parecía invocar el martirio: Santos Degollado.

Pero el tiempo no estaba para construcciones. Durante la guerra contra los Estados Unidos, Ocampo organiza batallones en su estado. El anuncio de un armisticio no lo calma, lo indigna: una paz impuesta por las bayonetas y a costa de una cesión territorial sería «ignominiosa». Era preferible morir:

«Se ha dicho ... que las naciones ya no mueren; que la historia del hombre ya no presenta ejemplos como los de Troya, Babilonia y Cartago; pero eso no es cierto. En nuestros mismos días la Polonia ha dejado de ser nación y deje en buena hora Michoacán de ser estado: cese su hermoso, variado y rico territorio de ser pisado por la planta humana, antes que consentir en la paz con Norte América, porque esta paz destruye lo que hoy somos y lo que podíamos ser, nuestros intereses materiales y nuestra dignidad en la historia».

La solución era imitar «el bárbaro y selvático, pero heroico y sublime valor con que los rusos incendiaron su capital sagrada» o, en su defecto, copiar «la táctica de nuestros padres» en la Independencia: la guerra de guerrillas. Todo, menos el armisticio.

Al término de la guerra que no llegó a territorio de Michoacán, Ocampo no se expatrió, como amenazaba, aunque sí renunció a la gubernatura y volvió a sus dos pasiones: la hacienda y la ciencia. Retiro imposible: el Congreso Federal estaba en funciones y Ocampo debía representarlo como senador. Además, los gobiernos moderados que siguieron a la caída de Santa Anna lo llamaron con insistencia: por un tiempo breve, ocupó el Ministerio de Hacienda. Vivía con la renuncia en la mano: «una especie de independencia salvaje» movía sus pasos.

*

En 1851, Melchor Ocampo sostuvo una de las polémicas más memorables del siglo XIX en México. Parecía condenado a ignorar la identidad de los personajes importantes en su vida, porque su contrincante en este caso fue «un cura» de Maravatío, la risueña población cercana a su hacienda. El anónimo cura pudo haber sido un grupo secreto de sacerdotes o, lo que es más probable, el mismísimo obispo de Morelia, Clemente de Jesús Munguía: coetáneo y condiscípulo de Ocampo en el Seminario Tridentino. Munguía, que en sus primeros años había sido un sacerdote de ideas abiertas, se volvió un hombre de una cultura teológica tan vasta como celosa e intolerante. Tenía, además, una extraña particularidad: compartía con Ocampo el mismo, oscuro origen.

La polémica entre ambos expósitos —el hijo de la naturaleza y el de la Iglesia— se extendió de marzo a noviembre de ese año y tuvo repercusiones nacionales. De la amplitud, profundidad y tensión del hecho no había precedentes en la historia mexicana. El texto que provocó la airada respuesta del «cura» fue una «representación» de Ocampo al Congreso del Estado de Michoacán en la que pedía la «reforma» del arancel de obvenciones parroquiales e incluía un proyecto de ley en ese sentido. Se trataba, en esencia, de modificar y disminuir el pago que las clases pobres debían dar a los sacerdotes para obtener de ellos los sacramentos y servicios habituales de culto. El «cura» impugnó la representación, lo que le valió tres réplicas seguidas de Ocampo que, creyéndose desairado, en cada una exigía con nuevos argumentos una respuesta expedita. Lejos de retraerse, el «cura» se tomó su tiempo, arguyó enfermedad y más tarde escribió una segunda impugnación, larga, metódica y particularmente bien escrita. Ocampo contestó a su vez, con no menos altura, y recibió una tercera respuesta. Por fin, él mismo cerró la polémica con una quinta intervención.

Desde hacía años venía madurando sus ideas sobre «los peajes espirituales que esquilman al rebaño sin progreso alguno», y quizás un incidente lo movió a actuar. Un trabajador de su hacienda, apellidado Campos, había pedido a un cura que sepultase sin cobrar el cadáver de uno de sus hijos. El cura se había negado a darle sepultura arguyendo que «de eso vivía». El pobre hombre preguntó: «¿Qué hago con mi muerto, señor?», a lo que el cura respondió: «Sálalo y cómetelo».

La argumentación de Ocampo rebasaba con mucho el motivo concreto de su representación. Tocaba todos los puntos sensibles de la relación entre la Iglesia y el Estado. De entrada, proponía implícitamente la necesidad de la libertad de conciencia y de cultos, el «derecho natural de todo hombre de adorar a Dios, según las intuiciones de su conciencia». No sólo en Kant apoyaba su tesis, también en su propia experiencia. Los viajes le habían impreso un sentido natural de tolerancia, le habían mostrado que el mundo era más amplio y variado que la hacienda de Pateo y los alrededores de Maravatío:

«¿qué debo hacer cuando veo que se danza y grita en la Iglesia; qué, cuando vea a algún protestante encerrarse con su familia para leer la Biblia; qué, cuando si vuelvo a Roma y me veo en la necesidad de entrar en una de sus sinagogas, vea que el Rabino abre el *sanctum sanctorum* o bien cuando en los templos católicos vea a los armenios o coptos celebrar conforme a sus ritos, qué cuando vea algún musulmán devoto hacer sus abluciones?»

«¿Qué hacer», preguntaba Ocampo, ya con cierta respetuosa, velada, ironía, «con esa desgraciada parte de la humanidad a la que Dios no concede aún el beneficio de su Divina Majestad?» Su respuesta personal era sencilla y no implicaba una desviación de la doctrina cristiana. Estaba en la Epístola de san Pablo a los Corintios: «Sed tales que no ofendáis ni a los judíos, ni a los gentiles, ni a la Iglesia de Dios». Es decir, la más amplia aceptación del otro, de lo otro: la tolerancia.

«¡Alto aquí, señor Ocampo, gritaba el "cura" al escuchar la palabra "intuición".» La única forma de adorar a Dios, en lo externo y lo interno, es la que prescribía la Iglesia. La confianza en las «intuiciones» formaba el «semillero inagotable» de todas las herejías: «Lutero miró con pasión desenfrenada sus propias intuiciones. ¡Oh, qué malignas quedaron sus intuiciones...! El más sabio, el más feliz, el más dichoso entre los mortales es aquel que vacía de su corazón las heces de sus propias intuiciones...». Las «pestilentes doctrinas» que «emanaban» de las paradojas de Ocampo no podían tener sino un objetivo y el «cura» temblaba al musitarlo:

«Vea Michoacán hasta dónde vamos a rematar sin pensarlo el señor Ocampo: *a la libertad de cultos, a la libertad de conciencia.* Dos programas tan impíos como funestos que actualmente sirven al socialismo de Europa y que si por un castigo de Dios llegaran a cundir entre nosotros, es seguro que la devastación universal sería nuestro paradero».

En vez de Kant —condenado por la Iglesia en un decreto de 1817—, los clásicos de Ocampo deberían ser Balmes, Bossuet, los Padres de la Iglesia. En cuanto a la tolerancia —aducía el «cura»—, si Ocampo la equiparaba a «la indiferencia dogmática» su propuesta era «una calamidad»:

«se opone a la destrucción de todo culto, a la idea de un Dios único, sabio, santo y veraz ... Nuestra religión excluye a cuantas la contradicen ... lo que ella no enseña no es verdadero, lo que a su enseñanza se opone es error, herejía, mal ... hay que prohibirlo».

En unas «Reflexiones sobre la tolerancia» escritas a propósito de aquella polémica, Ocampo anotó la existencia de una casta de hombres —la sacerdotal— que reclama el monopolio secreto de la voluntad divina. Para ellos, la tolerancia es una cuestión de «entendimiento», para Ocampo es un tema que atañe al «corazón». «Se les dice *amad* y ellos contestan: es *falso.*» La refutación de aquel dogmatismo de los sentimientos estaba en las palabras centrales del propio Evangelio, que prescribía no sólo el amor al prójimo sino, expresamente, al enemigo. Con esa lógica del amor, había que tolerar a los «disidentes»:

«¿Por qué para con todos los errores inofensivos hemos de mostrar indulgencia, y ninguna se ha de tener para con el de adorar a Dios de diverso modo del que creemos bueno? ¿Por qué la reprobación en las doctrinas ha de cambiarse en odio a las personas? ... ¿Quién es el dueño exclusivo de la verdad?, ¿quién es el que está sumergido en el error?».

Pero al «cura» no había que responderle con apelaciones al amor «que tanto domina a los otros sentimientos». La polémica era una guerra y había que aportar hechos y argumentos. Ocampo apuntaba la conveniencia de que el propio pueblo sostuviera al clero, pero dadas las dificultades de implantar este ideal a causa de la pobre instrucción de las masas mexicanas, proponía que el Estado se hiciese cargo de la economía del clero y asegurara su debido sustento. Sus ideas de reforma —continuaba— no diferían demasiado de las de un famoso obispo del siglo XVIII que en la propia diócesis de Michoacán había propuesto una reducción de los pagos: si eso ocurría en 1731, cuando la población era mucho menor y los bienes de consumo más caros y escasos, ¿por qué habrían de sostenerse los mismos aranceles un siglo más tarde? En buena lógica, había que reducirlos.

En su respuesta, el «cura» creyó necesario citar a Rousseau para construir un silogismo que presentara a Ocampo como un hombre que coqueteaba peligrosamente con la herejía. «No se ha fundado», decía Rousseau, «Estado alguno que no tuviese por base la religión ... el que teme o aborrece la religión es como una bestia feroz.» La Iglesia representa la religión, Ocampo quiere coartar a la Iglesia, luego Ocampo es un disolvente de la religión. De ponerse en práctica, sus ideas llevarían al derrumbe del culto, el clero, la piedad y la fe. La Iglesia no podía depender del Estado: constituía una sociedad universal, independiente y, sobre todo, soberana. Imposible, por ello, que sus gastos los sufragase entidad alguna y menos aún el Estado, que hasta el momento no había hecho otra cosa que favorecer la dilapidación, el endeudamiento, la empleomanía. Por el contrario, el gobierno civil tenía «el deber de hacer que sus súbditos cumplan sus deberes religiosos y morales». El corazón de la polémica estaba en la querella sobre los servicios espirituales de los párrocos. Para Ocampo eran malos, insuficientes y caros: no predicaban la doctrina con regularidad y, cuando lo hacían, denotaban un espíritu selectivo, un desdén por los pobres, los sirvientes, los niños;

no cuidaban a los enfermos como expresamente lo mandaba el Evangelio («Sanad enfermos, limpiad leprosos»); no asistían a los funerales de los pobres y «éstos se *entierran* como animales». Las faltas de los párrocos en relación con el sacramento del matrimonio sublevaban a Ocampo. Al abordarlas, sus argumentos rayaban en la indignación. Era el tema «de más gravedad», porque al faltar a sus deberes o al cobrarlos caro los párrocos desvirtuaban el contrato de matrimonio, uno de los principales de «la civilización occidental a la que pertenecemos». El arancel que pretendía reformar era «una de las más fecundas causas de hijos ilegítimos, de mujeres prostituidas y de adulterios: esto último principalmente en los campos, en donde con suma frecuencia se ven, huyendo de uno en otro punto, una persona célibe con una casada». El énfasis de Ocampo, ¿era autobiográfico? ¿Se sospechaba o se sabía hijo de una unión semejante a la que un arancel más equilibrado o un párroco más sabio y caritativo hubiesen podido ayudar? Y si se declaraba creyente en la familia como base de la sociedad civil, ¿por qué no había fundado una? ¿Por qué no había revelado a sus hijas la identidad de su madre? En todo caso, el «cura» de Maravatío tenía ideas distintas: la causa del mal no estaba en el arancel o en la actitud de los párrocos que «por lo común» (entrecomillado que Ocampo consideró una confesión) no fallaban, sino en la «concupiscencia de la carne, que impele al hombre a la sensualidad». Allí y en los malos libros, en las novelas y los dramas «deshonestos» de Voltaire, Sue y Dumas, había que buscar el origen del problema.

Para Ocampo, el gravoso arancel cerraba un círculo vicioso que ya había estudiado: el de la servidumbre por deudas. Alto el arancel, el peón tenía que *endrogarse* con el patrón para pagarlo. Esta situación creaba una complicidad de hecho entre el hacendado y el clérigo, a costa del peón:

«Como en tiempos de Abraham, los peones y trabajadores nacidos en las haciendas, son parte de ellas y se cobran o reclaman y se traspasan y se venden y se heredan, como los rebaños, aperos y tierras».

El «cura» negaba la existencia misma del problema que señalaba Ocampo. Muchos hacendados con los que refería haber hablado pensaban que Ocampo escribía «disparates». Los peones, como todos los hombres, eran «libres e inalienables». Si se quedaban en la hacienda era porque debían el dinero, no porque fuesen ellos mismos parte de la heredad.

Desde un principio, la alarma mayor del «cura» consistía en el carácter *público* que Ocampo había dado a sus ideas. Lo debido, lo cristiano, hubiera sido presentarlas antes que al Congreso del Estado, incompetente a juicio del «cura», al superior eclesiástico:

«no alarmando a los fieles, suscitándoles el más fiero encono contra sus curas, sino en secreto, para conciliar el remedio del mal sin disminuir el respeto que se debe al clero, aun cuando sea delincuente».

Lo que Ocampo quería —en opinión del anónimo cura— era nada menos que «fomentar un incendio que nos absorba», un «cambio horrible que nos sepulte en el abismo», el desencadenamiento de una devastación, una conflagración. Sus ideas tenían que ver con el socialismo, los monstruosos heresiarcas, la revolución en Italia que atentaba contra el Papa y los estados pontificios... Sus ideas representaban, en el fondo, el peligro luterano. Por fin llegaba a México la peste de la Revolución francesa con su cauda de ateísmo, sus leyes de proscripción de ministros, su secuestro de los bienes sagrados del clero:

«No hay conceptos suficientes en el hombre para manifestar la inmensa responsabilidad que contrae seduciendo a un pueblo que, como el nuestro, ha vivido inocente por tres siglos del crimen de infidelidad a nuestra santa religión. Ya que por desgracia estamos en lo civil tan abatidos, déjesenos vivir en lo religioso sin los halagos de esas novedades PERNICIOSAS; y que sólo los ministros de Dios sean los que emitan su voz en materia de dogma y de culto, pues para esto los ha destinado el Fundador Supremo de la Iglesia».

En su última respuesta, el «cura» insinuaba la posibilidad de excomulgar a Ocampo y pasar a las «vías de hechos». Sin darse por vencido, Ocampo consideró que la polémica debía terminar.

El teólogo Mora, aquel «apóstol demasiado ardiente», había abordado la cuestión desde las alturas de un cuerpo de doctrina liberal. Ocampo, el empresario, lo abordó desde su experiencia cotidiana: con datos fehacientes revelaba los abismos que *en la práctica* presentaba la relación de la Iglesia con su grey. Su argumento se apoyaba en razones de carácter económico y religioso. Basado en el «buen hombre Ricardo», pasaba cuenta al clero de las consecuencias económicas de su «peaje espiritual»; basado en los Evangelios, la Patrística y la literatura de varios sínodos, pasaba la cuenta al clero de su preocupación excesiva por los bienes de *este* mundo y su excesivo desdén por los que en verdad le competían: los de *aquél.*

La polémica entre aquellos dos expósitos de Michoacán, Munguía, el «Balmes mexicano», y Ocampo, el hacendado liberal, fue la primera nube en un cielo que se cerró por entero unos años después. Presagiaba con toda claridad la tormenta: con un cura así, un liberal no podía establecer diálogo alguno. La oposición entre ambos tomó un cariz mucho más profundo que la de Alamán y Mora porque había descendido al terreno de los hechos, porque ponía en entredicho, no las ideas y los proyectos sino los intereses más concretos. Ocampo les decía *amad* y los curas contestaban *falso*. Era fatal que, en su desesperación e iracundia, éstos terminaran por acudir a las «vías de hechos». Sin saberlo, Ocampo y Munguía, el hijo de la naturaleza y el de la Iglesia, habían escenificado por escrito el primer capítulo de la guerra de Reforma.

*

Quizás Ocampo lo presentía. Al final de su polémica, vio la sombra de la violencia y no acudió al llamado. Un año después, el 16 de septiembre de 1852, pronunció un discurso sombrío. Su balance era similar al de Alamán, pero sus esperanzas no se cifraban en una vuelta al pasado sino en un orden nuevo que lograra la *emancipación* nacional. Por propia experiencia sabía que en el individuo, en la familia, en la tribu o la nación, las condiciones de progreso eran las mismas: el saber era la fuente de la autonomía: «en aquello que el hombre llegó a adquirir habilidad, no pide el consejo de otro ... ni necesita dirección». Luego de la derrota del 47, el país parecía haber aprendido la lección y enfilar con prudencia hacia un progreso ordenado y autónomo, pero los hechos desmintieron el aparente aprendizaje: la «desgraciada república» debería prepararse para la «última de sus locuras»: «la subdivisión de la inteligencia casi en tantas opiniones como hay cabezas que piensen» la llevaría de nueva cuenta por la «senda fatal de nuestras discordias».

«¿Qué va a ser de ti, pobre México, cuando estén desquiciados los elementos de tu poder e independencia, y cuando en el vértigo de las pasiones, tus mejores hijos van a desgarrar tus entrañas? Cuando en nombre los unos de la libertad y los otros del orden (como si ambas ideas no fueran compatibles) van a agotar tus fuerzas para entregarte postrada a los pies de tu ambicioso y prepotente vecino.»

Con el recuerdo del 47, frente al rector del Colegio Seminario, el padre Pelagio Antonio de Labastida y Dávalos, al que la opinión pública consideraba el motor de una inminente revolución, Ocampo —cosa infrecuente en él— invocó a Dios, pero no para pedir ayuda sino al contrario: para implorar destrucción. Si la raza mexicana iba a perderse, si la angloamericana iba a señorear sobre el territorio «haciéndonos perder nuestro culto, nuestra libertad, nuestra lengua, nuestra historia, destrúyenos Señor». Tampoco era frecuente, aun en aquellos tiempos de oratoria inflamada, escuchar al irónico naturalista de Pateo hablar en ese tono. No había afectación en sus palabras. Había una desesperación genuina. «La patria está en peligro», repitió tres veces, «es hablando, no matándonos como habremos de entendernos.» La palabra clave era unión: «os ruego que permanezcáis unidos».

Sabía que su profético llamado, como el paralelo e inverso de Alamán, sería desoído. Santa Anna ocuparía el poder en 1853 y expulsaría a Ocampo a Nueva Orleans. Ya Alamán lo había prevenido:

«La revolución quien la impulsó fue el gobernador de Michoacán don Melchor Ocampo, con los principios impíos que derramó en materias de fe, con las reformas que intentó en los aranceles parroquiales y con las medidas alarmantes que anunció contra los dueños de terrenos con lo que sublevó al clero y los propietarios de aquel estado».

En Nueva Orleans, Ocampo hipotecó bienes para financiar la revolución de Ayutla contra Santa Anna, se enteró de la intervención de su hacienda por el gobierno, apoyó con planes e ideas a la revolución contra «el héroe de sainete que por su impericia, cuando no por su traición, nos entregó en detalle a los norteamericanos» e hizo algo más, casi inadvertido por él y que a la postre sería decisivo para el destino de la discorde nación: descatequizaría al gobernador de Oaxaca, quien, como él, había sido desterrado por Santa Anna; un indio que con Ocampo era tan suave como inescrutable: Benito Juárez. El México de la Reforma no se entiende sin su biografía.

Idólatra de la ley

La versión de la historia prehispánica y colonial que los liberales propalarán años después adolecerá de inexactitudes, distorsiones, omisiones, incluso invenciones, pero es difícil no concordar con una de sus premisas fundamentales: en ambos sistemas de dominación los individuos vivían oprimidos y se sabían oprimidos. La lectura más superficial de los cronistas de Indias revela la absoluta naturalidad con que el emperador azteca, ese semidiós llamado tlatoani, sacrificaba por millares, en un solo día, a sus prisioneros, además de a sus propios súbditos. Lo terrible es que la liberación de ese delirio de sangre condujo a otro delirio de enfermedad, postración y muerte. El desastre no ocurrió en realidad durante la Conquista sino tiempo después, en la segunda mitad del siglo XVI. Los conquistadores trajeron a las Indias enfermedades para las que los nativos estaban indefensos. La más mortífera fue la viruela, que los indios llamaban «cocolitztli». Su efecto fue mucho más pavoroso que todas las matanzas juntas en el altar del sangriento dios Huitzilopochtli: en 1548 Nueva España contaba con 20 millones de indígenas, que cien años después no llegaban a 500.000.

En algún rincón del carácter indígena y, por eso mismo, del carácter mexicano, habitaría siempre esta tragedia, este remache de la Conquista. Los «padrecitos» de la Iglesia sólo pudieron paliarla. No bastaba la fe. Había que *huir* de la condición indígena, huir de las repúblicas indígenas a los obrajes, las minas, las haciendas, las ciudades blancas de españoles. No porque en ellas la vida fuese particularmente feliz, sino porque eran ámbitos más libres. Libres de los gobernadores indígenas o caciques que, aliados con los oficiales del virrey, todavía en tiempos de Humboldt, oprimían a los miembros de su propia raza. Libres de los mismos frailes que, al protegerlos, los condenaban a una eterna minoría de edad. Libres de las leyes de Indias y de sus agentes, sobre los que el propio Humboldt escribió: «De todo abusa la malicia humana que pervierte en armas ofensivas contra esa miserable gente los mismos escudos destinados a su protección». El mestizaje fue un

Benito Juárez, ca. 1849

proceso de escape. Nadie lo sabía mejor que las indias, ansiosas de tener hijos con los españoles no por «amor» sino por instinto genésico de salvación.

En los albores del México independiente, Benito Juárez encarnó por cuenta propia este proceso de huida social e histórica.

*

Oaxaca —su estado natal— era el santuario indígena de México. Sin minas que atrajesen la ambición del conquistador, alejada de la ciudad de México por distancias casi insalvables, Oaxaca conformaba un universo cerrado: una ciudad blanca y española, notablemente culta gracias a la libresca evangelización dominica, cercada por un indescifrable mosaico indígena. Veinte lenguas diversas, veinte naciones distintas vinculadas solamente por su particular adopción del cristianismo se repartían las sierras y los valles de aquel universo apartado de la civilización. Una de esas etnias era la zapoteca. De temple suave, orgulloso, reconcentrado, los zapotecas habían sido los políticos y comerciantes del mundo prehispánico a los que había doblegado la fuerza de sus enemigos acérrimos: los guerreros mixtecos. Con el paso de los siglos, ambos grupos perdieron la memoria de sus tiempos legendarios. De sus tiempos, no de sus costumbres. La embriaguez, la pobreza y la insalubridad extremas, el fetichismo, eran rasgos que alternaban con una suerte de estoicismo natural, una sobriedad, una laboriosidad y una resistencia al sufrimiento que sólo eran paliadas por dos bálsamos: la música y la fe.

En el corazón de aquel santuario nació en el año 1806, Benito Juárez. Sobre sus congéneres, los integrantes de las veinte familias del pueblo zapoteca de Guelatao, tenía una ventaja de la que tal vez no se daba plena cuenta: provenía de la vieja nobleza indígena, de los que «mandaban». Por una antigua disposición de la Corona, únicamente los gobernadores indígenas en Oaxaca podían poseer ovejas. Tras perder a sus padres a la más temprana edad, Benito fue pastor del rebaño de su tío: en esas labores de mando pasó su infancia. Poco antes de cumplir los doce años, alentado quizá por una hermana que trabajaba de sirvienta en Oaxaca, sintió el apremio de hablar con corrección el idioma castellano y *huir* a la ciudad blanca. Entre Guelatao, en la fría e intrincada sierra de Ixtlán, y Oaxaca, la ciudad capital del estado, había sesenta kilómetros y algo más: siglos de civilización. «Acantonado en su roca indígena», escribiría Justo Sierra, «sin poder hablar la lengua de Castilla, encerrado en su idioma como en un calabozo», Benito sintió el impulso poderosísimo de escapar: hacia el español, el mestizaje, la civilización, el futuro.

En Oaxaca, vivió primero en casa del español Antonio Maza, donde su hermana servía de cocinera, y más tarde al lado de un paciente protector y maestro de jóvenes llamado Antonio Salanueva, que vestía el hábito de la orden tercera de San Francisco. Salanueva se volvería su padre espiritual, su padrino de confirmación, y al poco tiempo lo conduciría al Seminario Conciliar, único «establecimiento» de educación en la capital. A partir de 1821, Benito estudiaría gramática latina, en 1824 filosofía escolástica y, más tarde, teología moral. A los veintidós años se enfilaba claramente hacia la carrera eclesiástica, cuando «por curiosidad, por el fastidio que me causaba el estudio de la teología ... o por mi natural deseo de seguir otra carrera distinta de la eclesiástica», tomó la decisión de estudiar jurisprudencia en el nuevo Instituto de Ciencias y Artes.

A pesar de que el Instituto había sido fundado por clérigos, abandonar el Seminario era un paso arriesgado en esa sociedad cerrada al tiempo. Como en muchas ciudades de la provincia, pero de manera más acentuada debido a su aislamiento, en Oaxaca el pasado colonial seguía intacto a pesar de que Nueva España se llamara México. Los días se medían por las campanadas de las iglesias que llamaban a misa o marcaban puntualmente, desde la madrugada hasta el anochecer, los momentos de oración. La diversión principal del oaxaqueño era acudir a las procesiones y fiestas de cada parroquia. Los indios de la sierra bajaban a la ciudad para llevar en andas imágenes de los patronos, reliquias y linternas. Acompañaban su marcha con el ruido de tamborines y flautillas. Tras ellos seguían los frailes, vestidos con los hábitos de sus respectivas órdenes (dominicos, agustinos, franciscanos, carmelitas), el clero secular, los flagelantes azotándose la espalda hasta hacerla sangrar, las autoridades civiles, los militares y una banda musical por lo común desafinada. Mendigos y potentados, sacerdotes y soldados, blancos e indios: la Iglesia los vinculaba a todos en una suerte de democrática comunión religiosa.

«Oaxaca era una ciudad que vivía a la sombra de un monasterio», escribió Justo Sierra; «allí todos eran frailes o querían serlo.» Juárez no había sido una excepción. Temeroso de la severidad de Dios y de la omnipresencia del demonio, profundamente piadoso en su fuero íntimo, Juárez participaba en las procesiones y obedecía las campanadas. Cincuenta años atrás hubiera tomado los hábitos. Pero Oaxaca, a pesar de su conservadurismo, despertaba lentamente a los nuevos tiempos. Desde 1827, el Instituto de Ciencias y Artes se disputaba con el Seminario Conciliar las vocaciones juveniles. En aquél daban clases varios clérigos, abogados y médicos de ideas más abiertas. Aunque no faltaban los detestados y misteriosos masones —cuyas «tenidas» se celebraban en una casa frente a la Plaza Mayor—, el grueso de esos maestros eran católicos fieles que reconocían la necesidad de guardar en los estantes la escolástica y abrir algunas ventanas a la libertad intelectual, las nuevas profesiones y la ciencia. Estos hombres no eran precisamente «liberales», y mucho menos antirreligiosos: sólo pretendían instaurar en el Instituto el brazo civil del Seminario. Benito Juárez fue su discípulo. Oscura, ciegamente, vivió el paso del Seminario al Instituto como un peldaño más de su emancipación personal.

A principios de la década de los treinta, Juárez fue elegido regidor del Ayuntamiento. Comenzaba a forjarse un prestigio de experto en cuestiones jurídicas, pero su cátedra en el Instituto —donde además, se desempeñaba como secretario— versaba sobre temas muy distintos: daba clases de física. En 1833, una campaña de varias madres de familia contra el «pernicioso» Instituto lo puso en la palestra pública. Juárez presidió una junta de los principales profesores, en la que cada uno expresó su opinión sobre la historia y el sentido del plantel. El propósito era desmentir la idea de que en el establecimiento se inspiraban a los jóvenes máximas de corrupción e impiedad. Juárez recordó «que en las funciones literarias públicas, han manifestado los catedráticos y los alumnos sus respetos a la religión y corporaciones eclesiásticas, dedicándole actos públicos» a todas las venerables instituciones eclesiásticas así como «a varios santos en particular», todo lo cual manifestaba que el Instituto no era «un establecimiento antimoral e irreligioso». Ese conciliatorio alegato en pro de la educación fue su primera batalla. Con ese mismo tono de firmeza, gravedad y parsimonia, y en defensa de su «honor ultrajado» por mentiras o calumnias, daría muchas otras en la prensa de Oaxaca. Era un indio que no volvería a bajar la mirada.

En aquel año de 1833, Juárez entra por primera vez a la legislatura local. En ella interviene como jurista para fundamentar casos de difícil (y discutible) solución legal, como la nulidad de las elecciones de un gobernador de Oaxaca, una nueva expulsión de españoles y el cese de empleados contrarios al sistema federal. Juárez encontraba el modo de sustanciarlos. Desde su curul en la Cámara, defendió al «benemérito general Santa Anna», que, «tratando, como siempre, de darle vida a las instituciones», había derrotado en 1828 a la «facción aristócrata», pero había hecho caer al país «en el defecto de la ilegitimidad». En retrospectiva, el diputado Juárez reprobaba el golpe de Estado de Guerrero porque había impedido que el pueblo ejerciera con libertad «el augusto acto del ejercicio de su soberanía». Con todo, no atribuía a Guerrero la falta sino a «las maniobras de los partidos y las intrigas de la aristocracia» que lo pusieron «en la silla que después le sirviera de suplicio».

La admiración de Juárez por Guerrero tenía su origen inmediato en la muerte del caudillo, en 1831, en la capilla de Cuilapan, a unos cuantos kilómetros de Oaxaca. En el fondo, sin embargo, obraban otros elementos. Guerrero había sido lo contrario de un aristócrata: si no un indio, sí un amigo de los indios. Y una víctima de los prejuicios raciales. Eso explica que en febrero de 1833 el diputado Juárez presentara una iniciativa que declaraba que los restos de «la ilustre víctima de Cuilapan» le pertenecían en propiedad al estado de Oaxaca y que la villa donde había sido fusilado cambiara su nombre por el no muy eufónico de «Guerrerotitlán». Días más tarde, la Cámara de Diputados acordaba, por iniciativa de Juárez, la más plena beatificación cívica de Guerrero. Se le daría el mismo trato que el pueblo deparaba a sus santos, el culto fervoroso a sus reliquias, a sus huesos. Juárez comenzaba a incorporar a su formación católica una incipiente religiosidad cívica:

«El presidente de la Cámara de Diputados ... custodiará ... la llave de la urna que encierra los venerables restos del general Guerrero, poniéndola sobre su pecho, del que la quitará sólo para entregarla a su sucesor».

Cuando el «benemérito general Santa Anna» decretó el fin del federalismo, Juárez se dedicó al ejercicio de su profesión: litigios, donaciones, demandas. Pero su proyecto personal de emancipación era otro: el servicio público. El 16 de septiembre de 1840 fue el encargado de pronunciar el discurso a los héroes de la patria. Es uno de esos raros momentos en que casi *se oye* al joven Juárez hablar abiertamente sobre su imagen de México y su vocación personal.

Se refirió a España con delicadeza. No tenía la intención de zaherirla ni de «renovar heridas que debían cicatrizar». Pero le parecía claro que España había legado a México un sistema político guiado por «máximas antisociales»: ante todo, «descuidó» la educación de los mexicanos, les impuso doctrinas de ciega obediencia, «crió clases con intereses distintos»... aisló, corrompió, intimidó, dividió. El resultado: «Nuestra miseria, nuestro embrutecimiento, nuestra degradación y nuestra esclavitud por trescientos años». ¿A quién se refería Juárez con la palabra «nuestro»? No a los mexicanos, a los indios:

«Pero hay más: la estúpida pobreza en que yacen los indios, nuestros hermanos. Las pesadas contribuciones que gravitan sobre ellos todavía. El abandono lamentable a que se halla reducida su educación primaria».

Estas eran las «reliquias del gobierno colonial» que persistían, que impedían la «consolidación» de la Independencia. Para desterrarlas se requería ejercer, a la manera de los clásicos latinos, las mismas «virtudes sociales» que movieron a Hidalgo para ponerse a la cabeza de «unos cuantos indígenas sin más armas que hondas, hoces y palos». A diferencia de los desesperanzados discursos criollos que comenzarían a volverse habituales, en el de Juárez todo miraba al futuro. La verdadera independencia, el temor y el respeto de los enemigos, la paz, la concordia, el momento en que México fuese la «tierra clásica del honor, de la moderación, de la justicia», estaba por llegar. Para que el «árbol santo de la libertad» echara «raíces muy profundas» alguien tenía que plantarlo. El lo plantaría.

En la década de los cuarenta el país vivió entre «pronunciamientos» y «con el Jesús en la boca». Juárez navegó en la política de esos años con pericia, sin mayor apego a los principios liberales o federalistas, en apoyo irrestricto al poder de hecho que encarnaba Santa Anna. Por un tiempo permanece al margen del poder ejecutivo: es juez civil y de Hacienda. Pero en 1842 ingresa de lleno al mando como secretario de Gobierno en la administración centralista y santanista del general Antonio de León. Las profusas hagiografías de Juárez omitirían siempre los incómodos datos de este periodo: sus elogios públicos y sus profesiones de lealtad al «héroe zempoalteco» que enterraba su pierna y jugaba a los gallos *en roi.* Sin embargo, los documentos existen y son ciertos. Por sentido común, por incapacidad para el idealismo, por apego al hombre fuerte, por las mismas razones que todo México, también Juárez fue santanista.

En 1843, cuando ocupaba aquel importante puesto de gobierno, a sus no muy tiernos treinta y siete años, Juárez asciende un peldaño más en su proceso interior de emancipación. Huye al matrimonio con una mujer en la que predominaba la raza blanca: Margarita Maza, hija natural de don Antonio Maza. Los hijos que tuvo con Margarita —para entonces tenía otros, fuera de su matrimonio— no serían ya indios como él, sino mestizos, pero mestizos con una particularidad notable: hijos de padre indio y madre de raza española y no, como en la inmensa mayoría de los casos, a la inversa. Por excepción, un indio había conquistado a una mujer blanca y no un español a una mujer indígena.

En 1845, Juárez continúa ascendiendo: es fiscal del Tribunal Superior de Justicia. En 1846, forma parte de un triunvirato que gobierna interinamente el estado de Oaxaca. En 1847, viaja por primera vez a la capital mexicana, para ocupar un escaño en el Congreso Federal. Ese mismo año, luego de defender públicamente a Santa Anna de quienes pretendían impedirle su noveno periodo presidencial, Juárez completa un primer ciclo en su carrera emancipatoria. El 29 de octubre de 1847 es nombrado gobernador interino de Oaxaca.

Caminando y con inmensa, estoica paciencia, había llegado en 1818 a la ciudad blanca desde Guelatao. Caminando de puesto en puesto por todos los poderes del Estado, en el ejercicio libre de su profesión o en el papel de maestro, había llegado a la gubernatura de su estado. Caminando desde «la estúpida pobreza» en que había nacido junto a «sus hermanos», se había convertido en el primer gobernador indio de la República Mexicana.

*

Ante el peligro de que la invasión norteamericana alcanzara el territorio de Oaxaca, el gobernador Juárez tuvo un aliado inapreciable: el «venerable clero secular y regular del estado». En enero de 1848, el gobernador había solicitado a las autoridades de la Iglesia que «excitasen» en sermones públicos al pueblo a defender los dos objetos sagrados que estaban en trance de perderse: la religión y la patria. El obispo de Oaxaca le aseguraba que ya se ocupaba en «reanimar» el espíritu público por todos los medios que estuviesen al alcance de su mitra.

La temida invasión no se llevó a cabo, pero el pacto entre la autoridad civil y la eclesiástica perduró a todo lo largo del gobierno de Juárez. En abril del mismo año, el gobierno logró la colaboración del clero en la construcción de una escuela en Tehuantepec. ¿Cómo no apoyar a un gobierno que pretendía «hacer ciudadanos útiles a su patria y desterrar los males que trae consigo la ignorancia de los primeros rudimentos de la religión cristiana»? Lo mismo ocurrió en la construcción del camino al puerto de Huatulco, en el que intervinieron reclutas del servicio militar que pretendían eludir el destino de la milicia: en el momento de su inauguración, el clero se unió a los festejos y celebró una misa al aire libre para honrar la «eficacia característica del gobernador».

Como el camino a Huatulco, el de las relaciones entre Juárez y el clero era de dos sentidos: el gobernador pagaba los servicios y recibía nuevos. En julio decretó la reincorporación de los cursos de «historia eclesiástica» al Instituto de Ciencias y Artes. Nadie podría decir, en su gobierno, que aquel establecimiento era una casa de herejes, impíos, corruptores de la juventud. Poco tiempo después, emite varias órdenes al comandante general de armas del estado. No son órdenes militares sino de militancia religiosa: que se hagan salvas y concurra la escolta para solemnizar la festividad del 12 de diciembre (la aparición de la Virgen de Guadalupe) y que alisten la escolta que debía acompañar a la comitiva en la celebración de Nuestra Señora de la Soledad. Por otra parte, en una circular que envió a los gobernadores de los departamentos, Juárez defendió al clero justamente de lo que Ocampo lo atacaba: sus intereses más concretos. Lejos de legislar para limitar o modificar los aranceles, el gobierno civil acrecentaría su intervención persuasiva y coactiva para «la manutención de los ministros de la religión que profesamos»:

«Ellos [los curas] tienen un derecho legítimo a percibirlas [las obvenciones y ofrendas], por el cuidado espiritual de que están encargados, por su residencia formal en aquéllas, por la eficaz puntualidad en la administración de sacramentos, porque como cultivadores de la viña deben alimentarse de sus frutos; en una palabra, porque como operarios en lo espiritual, son dignos del sustento en lo temporal».

Es verdad que todos los documentos de la época, no sólo los de Oaxaca, tenían al calce la leyenda «Dios y libertad». La invocación a Dios, el uso de fórmulas extraídas de la literatura religiosa cristiana, la retórica de los discursos y muchos otros elementos de la expresión oficial provenían claramente de una transferencia cultural del catolicismo al universo civil. Lo notable, sin embargo, en cuanto a Oaxaca, no estaba en la transferencia sino en la identidad. En virtud de la convergencia de esferas, el lenguaje del gobernador no sólo recordaba al del obispo: era igual al del obispo: «Demos gracias al Todopoderoso que nos ha concedido el beneficio de conocer nuestros pasados extravíos ... Quiera la Providencia Divina proteger nuestros trabajos ... Gracias a la Providencia Divina la paz se consolida». Llegó el momento en que la confluencia de papeles alcanzó la fusión. Imperceptiblemente, Juárez declaraba a la legislatura de Oaxaca ser portador de un llamado casi mesiánico que quizá no se escuchó o leyó como tal porque, a diferencia de Santa Anna, Juárez no hacía gala de un espíritu salvador ni tenía el empaque físico para ello. Tenía la apariencia de un ídolo zapoteca, un dios imperturbable, pétreo, siempre vestido de levita oscura. Pero Juárez asumía para sí aquel destino, con todas sus letras: «Dios y la sociedad nos han colocado en estos puestos para hacer la felicidad de los pueblos y evitar el mal que les pueda sobrevenir». Un mesías bajo la figura de un firme, diligente, severo, grave, melancólico pastor de ovejas. No por casualidad las viejas crónicas precortesianas narraban que los indios escogían para el gobierno a los hombres de semblante más grave y triste: los capaces de gobernar desde el silencio.

Muy pronto, la providencia lo puso a prueba. Al doblar la segunda mitad del siglo, una epidemia del terrible cólera asoló Oaxaca, como en 1833. Más de mil personas morirían en el estado en el periodo de dos años. Ante la desgracia, el gobernador tomó algunas medidas sanitarias —apresuró la construcción de hospitales— y varias medidas místicas, entre ellas la recomendación al chantre de la Santa Iglesia de dirigir los ejercicios espirituales de los presos. El 3 de julio de 1850, *La Crónica*, el periódico oficial, anunciaba que el gobierno del estado, invitado por el venerable cabildo, asistiría con todas las autoridades al triduo de rogaciones públicas que se llevaría a cabo dos días después con el fin de «implorar al Dios de las Misericordias para que nos libre del terrible azote del cólera morbus». Dos días después, en efecto, Juárez tomaría parte en la procesión: «recorre algunos tramos en cruz para imitar al Divino Salvador ... murmura plegarias ... cae de rodillas ante el tabernáculo donde se mantiene ... mientras los sacerdotes entonan el *Miserere mei Deus* ...».

El vínculo entre las dos majestades se estrecha con el paso del tiempo. En un momento, ciertos dominicos pretenden que el gobernador intervenga en procesos electorales de su orden. El está dispuesto a hacerlo, si bien hasta los límites que le imponen las leyes. A su vez, la mitra le pide que prohíba la circulación de un libro «impío» que propaga una doctrina corruptora de la moral cristiana: Juárez accede. A lo largo de su periodo de gobierno —apuntaría, con rara objetividad, uno de sus hagiógrafos— «no dejó de concurrir a las funciones solemnes de la Iglesia y tomar su asiento bajo el presbiterio, sobre tarima alfombrada, con reclinatorio y cojines y un capellán le rezaba la confesión y el credo y le daba la paz». Era «un católico a la antigua».

*

El gobernador hablaba como obispo, rodeaba su investidura pública de una aureola religiosa, buscaba la cercanía legitimadora del clero, invocaba a Dios y a la Divina Providencia, acudía puntual y devotamente a las solemnidades religiosas, todo ello sin un ápice de malicia, más bien de modo natural, para dar dignidad y fuerza al ejercicio de su mandato.

Religiosamente, el gobierno de Juárez fue construyendo una nueva legitimidad basada en la ley. Su gobierno inaugura un estilo de mando caracterizado por la disciplina presupuestal, el pago regular a los empleados públicos, el tono conciliador y comprensivo en el arbitraje de las querellas e intereses, el respeto a las elecciones en los niveles municipales, el inmenso celo en la defensa de la soberanía estatal (concluida la guerra, prohíbe a Santa Anna la entrada en su territorio), la seriedad en los informes a la legislatura, el fomento a la casi nula minería, la atención a los variados ramos de la Administración Pública, el cuidado en el nombramiento de los jueces y el uso prudente pero desembarazado y enérgico de «las facultades amplísimas e ilimitadas» que reclamó al Congreso para combatir a los «perturbadores del orden». En algunas ocasiones, como en Tehuantepec, su sola presencia calmaba los ánimos: cuidando siempre las formas legales, Juárez escucha las quejas, imparte justicia, lanza decretos, organiza la Administración Pública y la Comandancia Militar, nombra subprefecturas y reduce las fuerzas armadas. Todo por decreto, todo en un santiamén, todos los poderes en uno... pero con el amparo legal. El nuevo estilo se revelaba hasta en los menores detalles:

«A propósito de malas costumbres», señalaría años después en los *Apuntes para mis hijos*, «había otras que sólo servían para satisfacer la vanidad y la ostentación de los gobernadores, como la de tener guardias de fuerzas armadas en sus casas y la de llevar en las funciones públicas sombreros de una forma especial. Desde que tuve el carácter de gobernador, abolí esta costumbre, usando de sombrero y traje del común de los ciudadanos y viviendo en mi casa sin guardias de soldados y sin aparato de ninguna especie, porque tengo la persuasión de que la respetabilidad del gobernante le viene de la ley y de un recto proceder, y no de trajes ni de aparatos militares propios sólo para los reyes de teatro».

El «caso Juchitán» fue seguramente el más delicado que hubo de enfrentar en sus dos sucesivas administraciones. Implicaba un doble conflicto jurídico. El primero era un problema similar al de los pueblos y las haciendas en el centro del país: la querella entre el derecho romano, que reconocía a los terratenientes como dueños de las salinas de Juchitán, y el derecho colonial, que años antes de la Independencia había dado a los habitantes del pueblo el usufructo de ese recurso. El segundo conflicto era de jurisdicción entre el gobierno federal y el estatal. Juárez actuó con celeridad en los dos casos. Empleó resueltamente la fuerza pública contra los juchitecos que, comandados por el cabecilla Meléndez, intentaban arrancar por la violencia al gobierno federal la autonomía, con respecto a Oaxaca, de la zona irredenta del Istmo. Para el gobernador, la responsabilidad de los disturbios recaía en los «inmorales» juchitecos: robaban las sales, mataban ganados, se negaban a pagar la capitación y se dedicaban al contrabando. Juárez pretendía acabar con el problema mediante la fuerza y la persuasión. Por un lado, sus tropas se batían con el guerrillero Meléndez; por el otro, planeaba establecer una escuela y lograr que el presidente de la República convenciera al hacendado principal de Juchitán de ceder «algún tanto del derecho que pueda tener a favor de ese pueblo». En un momento del conflicto, tras el incendio de varios jacales, el gobierno federal parecía dispuesto a intervenir: Juárez lo impidió con un alud de argumentos, casi como si se tratara de una invasión en su territorio. Su gobierno no era «atroz, bárbaro, sanguinario», como se lo había querido presentar. Había que distinguir entre la «realidad y la inepta ficción». Su gobierno era «enérgico para castigar el crimen ... sin nunca traspasar la ley».

Meléndez fue aprehendido finalmente en Chiapas y el gobierno federal propuso una amnistía. Juárez se opuso a ella de modo terminante. En un formidable escrito presentado al Congreso local, adujo que no correspondía al poder federal el castigo o el perdón de los crímenes cometidos por Meléndez y sus gavillas, y sostuvo que éstos no se encontraban en situación de ser amnistiados conforme a los principios del derecho constitucional y público, «en razón de que la moral, la paz y la naturaleza de sus crímenes exigen que la justicia los juzgue y castigue con arreglo a las leyes».

En aquel remoto estado de la República, inadvertidamente, se estaba ensayando algo más que un nuevo estilo: una nueva ética del mando. Juárez, con su devoción casi idolátrica por la ley, su probado afán educativo (fundó 50 escuelas en distritos rurales, abrió sucursales del Instituto y lo subvencionó, fomentó la educación de la mujer), su férrea concentración de poder y la seriedad misma que imprimía a su gestión, parecía representar exactamente lo inverso de Santa Anna. El «héroe zempoalteco» salido de una ópera italiana era todo frivolidad, imprevisión, temeridad, irreflexión, emotividad, improvisación, extremismo, fluctuación, oropel, llanto y carcajada. El indio de Guelatao, con su oscuridad de bronce viejo, su aspecto de ídolo pétreo, provenía de un antiguo drama histórico. Era solemne, calculador, prudente, reflexivo, ordenado, conciliador, firme, severo, suave, impenetrable. De los mil discursos apoteósicos de Santa Anna resultaba difícil extraer una frase sincera, un adarme de autenticidad más allá de la autenticidad con que los actuaba. En los discursos de Juárez hay que descontar, desde luego, la carga retórica, pero como hombre de lealtades absolutas, sus palabras, de pronto, adquirían un peso distinto:

«Hijo del pueblo, yo no lo olvidaré; por el contrario, sostendré sus derechos, cuidaré de que se ilustre, se engrandezca y se cree un porvenir y que abandone la carrera de desorden, de los vicios y de la miseria a que lo han conducido los hombres que sólo con sus palabras se dicen sus amigos y libertadores, pero que con sus hechos son sus más crueles tiranos».

Este era el hombre al que Santa Anna no perdonó un decreto que le había prohibido la entrada a Oaxaca en 1848. Por ese motivo decretó su destierro. En Nueva Orleans, los dos huérfanos, Ocampo y Juárez, se vieron por primera vez. No podían ser más distintos, pero aun así, establecerían una santa alianza. Ocampo catequizó a Juárez en los principios de una actitud moderadamente anticlerical. Juárez, a su vez, llegaría a tener sobre Ocampo un extraño ascendiente: lograba convencerlo, calmarlo, enternecerlo. Ocampo abandonaba la religión, Juárez era todo religión. Ocampo representaba el espíritu de la Reforma, Juárez la religiosidad indígena necesaria para imponer el espíritu de la Reforma. Ocampo percibía en Juárez una fuerza de atracción de la que él carecía por entero: no la de una madre naturaleza tangible pero fría, sin rostro, sino la de la madre tierra con rostro humano, con rostro indígena. La prédica de Ocampo hizo que Juárez, por su parte, acentuara su sentimiento religioso de las leyes, su idolatría de las leyes, hasta casi desprenderla de la religión propiamente dicha, hasta casi operar, en su fuero interno, la separación de la Iglesia y el Estado. Quizá sus campos psicológicos se deslindaron el día en que Juárez le ofreció a Ocampo un puro que éste rechazó con una broma: «No, señor, gracias, por aquello de que "indio que fuma puro, ladrón seguro"». A lo que, brusca y brevemente, Juárez respondió: «En cuanto al indio, no puedo negar, pero en lo segundo no estoy conforme». Ocampo se deshizo en disculpas. Aquel indio representaba algo nuevo, indefinible. No la fuerza de la naturaleza: la de la tierra y la historia. No rehusaba el poder, como toda la dinastía criolla desde Hidalgo hasta Santa Anna: lo encarnaba.

El drama de la Reforma

Referir la historia a uno o más géneros teatrales, decir que es un drama, una tragedia, una épica o una comedia es la más socorrida metáfora de la historiografía. Con todo, hay historias, periodos y países que se apegan con tal precisión a un género determinado, que la obra parece en verdad escrita por un dios o un demiurgo. Es el caso del drama que México vivió entre 1858 y 1861, al que se conoce como la «guerra de Reforma».

En el primer acto, una suerte de largo preludio, aparecen ya como protagonistas Juárez y Ocampo. Han regresado de Nueva Orleans y forman parte del gabinete del presidente Juan Alvarez. El viejo y respetado cacique de los «breñales del sur» había encabezado la revolución contra Santa Anna y ocupaba la presidencia a su entero pesar. No la desdeñaba por las mismas razones que Santa Anna; sus motivos se asemejaban a los de su ídolo y antiguo jefe: Vicente Guerrero. Por eso, durante los brevísimos días de su mandato no despachó en la capital sino en la primaveral ciudad de Cuernavaca, más cerca de sus verdaderos dominios, más cerca de la renuncia.

Quien verdaderamente llevaba las riendas del gobierno era un viejo conocido de Alvarez, el militar y empresario poblano Ignacio Comonfort. Criollo, rico, alférez de caballería de Agustín de Iturbide, alumno de los jesuitas, heredero de una hacienda en Izúcar (entre Oaxaca y Puebla), comandante militar y de gobierno en la misma zona, tesorero del gobierno de su estado, Comonfort se había distinguido como un excelente prefecto en la conflictiva región de Tlapa, en Puebla. Allí lo había conocido Alvarez y allí había comenzado a apreciar sus dotes constructivas y conciliadoras: había organizado a la gente para tender el camino entre Tlapa y Ometepec y mediado con éxito en las espinosas rencillas de hacendados y pueblos por la tierra. Hacia 1846, repartía su tiempo entre su nueva hacienda de Tlalnepantla (al norte de la capital) y la prefectura militar del lugar. Según Guillermo Prieto, que lo conoció en esos años, Alvarez quería a Comonfort como a un hijo. Era un dechado de virtudes filiales y sociales:

Ignacio Comonfort, 1856

«Hombre naturalmente dulce, pacífico y de educación la más pulcra y delicada, parecía nacido para el cultivo de los más inocentes goces domésticos. La pasión profunda y la veneración por la señora a quien llamaba madre, hacían que la acompañase frecuentemente, creando en él el hábito de tratar con señoras ancianas, mimar y condescender con los niños y ser un tesoro para las intimidades de la familia».

Durante la invasión norteamericana, Comonfort había luchado bajo las órdenes de Nicolás Bravo, el último jefe insurgente vivo. Al cumplir un periodo en el Senado (1847 a 1851), volvió a la administración privada y pública: a la primera, en unas tierras de la zona dominada por Alvarez en el nuevo estado de Guerrero; a la segunda, como jefe de la aduana en el principal puerto mexicano del pacífico: Acapulco. En 1854, la alianza entre el cacique y el administrador sería un elemento clave en el triunfo del Plan de Ayutla y la consiguiente revolución que derrocaría para siempre a Santa Anna. Al año siguiente, en Cuernavaca, Alvarez hacía lo imposible por volver a sus breñales, mientras que Comonfort se empeñaba en integrar el gabinete presidencial perfecto, un gabinete de concordia. A fines de 1855 Alvarez logra su propósito: renuncia a la presidencia y se la encarga a su hombre de confianza. Entonces empieza el preludio del drama: el monólogo en un acto de Ignacio Comonfort.

Melchor Ocampo fue por 15 días ministro de aquel gabinete de concordia. Quince días que debían haber sido 15 minutos. Sólo las enternecidas palabras de Juárez —ministro de Justicia— lo habían hecho desistir de presentar su renuncia. Le parecía evidente que Comonfort prefería el equilibrio a la actividad: «el Ejecutivo debería ser todo movimiento y vida, si no quería suicidarse o perder la ocasión de ser útil». Ocampo decía que Comonfort era «un medio sí, un medio no». ¿Qué sentido tenía proponer, por ejemplo, la incorporación de dos miembros del clero al Consejo de Gobierno? Más que un gobierno que organizaba la República, el gabinete mixto daba la impresión de que existían dos gobiernos, un imposible: un régimen liberal y conservador simultáneamente. Ocampo creía que la situación de México reclamaba una «revolución a la Quinet», precisamente la que Comonfort se negaría a encabezar. Reflexionando sobre sus dos semanas de paso por el gobierno, Ocampo escribía en octubre de 1855 a su yerno, José María Mata:

«Como me explicó de plano Comonfort que la revolución seguía el camino de las transacciones y como yo soy de los que se quiebran pero no se doblan, dejé el ministerio ... Dudo mucho que con apretones de mano, como Comonfort me dijo que había apaciguado a México y se proponía seguir gobernando, pueda conseguirlo, cuando yo creo que los apretones que se necesitan son de pescuezo. El tiempo dirá quién se engañaba».

La mayor parte de los liberales no eran «puros» ni salvajemente independientes, como Ocampo: se llamaban a sí mismos «moderados» y lo eran. Hubiesen querido una convivencia pacífica y armónica con la Iglesia. La prueba de fuego que Ocampo había previsto para Comonfort llegó a principios de 1856. La mayoría en el nuevo Congreso Constituyente que se había reunido en cumplimiento de la promesa básica del Plan de Ayutla, no llegaba a roja radical, ni siquiera a rosa mexicano, se quedaba en rosa pálido. Ejecutivo y legislativo se habían fijado en el propósito de conciliar a la familia política mexicana sobre las bases de una doble fe: la tradición y el progreso, el orden y la libertad. Suave, pacíficamente, tenía que terminar la confusión de esferas. Lo temporal, como dictaba la experiencia del siglo, debía «desamortizarse», pasar a las manos vivas del mercado; lo sagrado debía volver a su ámbito propio: la intimidad de la conciencia y el interior de los templos. Sobre estos dominios la Iglesia conservaría su soberanía indisputada. Sobre aquél no.

A mediados de año, el gobierno expidió una importante ley de «desamortización de bienes en manos muertas» redactada por Miguel Lerdo de Tejada. Disponía la salida al mercado (la privatización, se diría ahora) de toda la propiedad raíz de las corporaciones civiles y eclesiásticas: escuelas, conventos, cofradías, monasterios, comunidades indígenas. Los arrendatarios o adjudicatarios de esos bienes inmuebles rurales y urbanos (terrenos, edificios, haciendas, fincas de toda índole) los adquirirían en propiedad, pero reconociendo en ese instante a la Iglesia su valor y obligándose a pagar un interés del 6 por ciento anual sobre la compra. En un santiamén, sin mediar expropiación alguna, el gobierno había convertido a la Iglesia en un inmenso banco hipotecario y abría la posibilidad para la consolidación de una vasta clase media propietaria.

Aún no se habían sentado a deliberar los diputados que redactarían la nueva Constitución Federal, cuando en Puebla estalló la primera sublevación apoyada por el clero. La represalia del gobierno fue leve: una intervención parcial de sus bienes que, sin embargo, la jerarquía católica consideró total. En un momento de particular intensidad, el Congreso moderado se negó a aprobar la libertad de cultos, pero sancionó la libertad de conciencia que tácitamente la suponía y toleraba. El ligero avance les parecía, a los propios diputados, una temeridad: de inmediato se comprometieron, en el propio texto, a «cuidar y proteger» en especial a la Iglesia católica «por medio de leyes justas y prudentes». Ninguna concesión apaciguó a la Iglesia. Tampoco las frecuentes rogativas a Dios en el Congreso, la atmósfera religiosa de sus sesiones o la sincera fe cristiana de casi todos los diputados. En ese concilio de católicos liberales, la Iglesia sólo vio lo que deseaba ver: una nueva convención francesa. Su interpretación de la Ley de Desamortización fue igualmente condenatoria. Nada aceptó, nada discutió. Su posición era la de todo o nada. Siguieron las conjuras en los altares, las arcas abiertas al ejército y los vicarios guerrilleros. De manera nada casual un historiador moderado de la época deploraba la pérdida de aquella oportunidad de reconciliación y diálogo:

«La Iglesia trabajaba con actividad incansable y sus papeles clandestinos no tienen cuento. Unas veces eran proclamas incendiarias, atribuidas al partido triunfante (el liberal moderado), en que se hablaba de puñales y guillotinas para acabar con los ricos y sacerdotes; otras eran excitaciones al pueblo para que se levantara a defender la religión, limpiando la tierra de impíos; otras eran cartas dirigidas al presidente llenas de injurias atroces; otras, en fin, decretos de excomunión que se fijaban en las esquinas de las calles y en las puertas de los templos a manera de pasquines. Nada omitieron, en suma, para concitar el odio público contra el gobierno existente, para inquietar las conciencias y enardecer las pasiones».

La primera constitución plenamente liberal de la historia mexicana se juró frente a un crucifijo el 5 de febrero de 1857, día de san Felipe de Jesús, venerado santo mexicano martirizado en Japón. En su primera línea, la Constitución hacía referencia a Dios. Enfermo y en andas, el mismísimo precursor Valentín Gómez Farías besaría el crucifijo, consagrando así aquel «sacramento de la patria». «Más que legisladores», escribiría Justo Sierra, «por su carácter, por su altura ... componían no sé qué conjunto misterioso, religioso, divino ... para poner frente a la bandera religiosa.» Aunque la Ley Lerdo se incorporaría al texto, lo mismo que otras dos leyes expedidas por ministros de Comonfort (la Ley Juárez sobre abolición de los fueros e inmunidades eclesiásticas y la Ley Iglesias sobre prohibición de la coacción civil en el cobro de derechos parroquiales), el espíritu religioso de la nueva Constitución no se apartaba de la Constitución del 24 sino en un punto: no decretaba la exclusividad de la religión católica. Nada bastó a los obispos ni a la voz del papa Pío IX, que la declararon opuesta a los derechos, la autoridad, los dogmas y la libertad de la Iglesia: «Nadie puede lícitamente jurarla». La Iglesia repartió anatemas y excomuniones. Sólo en el remoto estado de Oaxaca, Juárez –que había reasumido la gubernatura– lograba que el obispo la admitiera provisionalmente con un Te Deum en la catedral. Era una excepción.

El 1 de diciembre de 1857, jurando respetar y hacer respetar la nueva Constitución, Comonfort tomó posesión de la presidencia de México. Dos semanas después, la vieja historia se repetía: los políticos y militares conservadores, encabezados por el general Félix Zuloaga, emitían su «Plan de Tacubaya» y empuñaban contra la Constitución liberal las armas bendecidas por la Iglesia. Pero algo más ocurrió, un hecho casi sin precedentes (Santa Anna los había establecido todos): el criollo Comonfort se pronunciaba contra sí mismo. «La Constitución», escribió, tiempo después, «no era la que el país quería y necesitaba ... su observancia era imposible, su impopularidad era un hecho palpable: el gobierno que ligara su suerte a ella era un gobierno perdido.» Había que buscar un nuevo arreglo que conciliara el orden con la libertad.

Ser y no ser, pensaba aquel Hamlet poblano. Los liberales tenían razón: «el influjo del clero sobre la política fue una necesidad de otros tiempos ... la desamortización podía haber sido un remedio de la miseria en que yacían millones de individuos en México ... la ley de obvenciones parroquiales habría restituido al clero su concepto de padre y consolador de los infelices ... y si el clero mexicano ha civilizado a México no es porque tuviera fueros y privilegios». Pero, por otro lado, también los conservadores tenían razón: ¿cómo transigir con una «revolución violentamente innovadora»? Su actividad era un huracán, un puñal demagógico, un ariete con que se pretendía derribar hasta reducir a escombros al antiguo orden. Entre esos dos extremos se hacía necesario gobernar con una «política prudentemente reformadora que satisfaciendo en lo que fuera justo las exigencias de la revolución liberal, no chocara abiertamente con los buenos principios conservadores, ni con las costumbres y creencias religiosas del pueblo». El problema mexicano –pensaba Comonfort– estaba en las «exageraciones»: un gobierno sabio debía tomar de ambos bandos «lo que tuvieran de bueno». El país quería orden, no despotismo; quería libertad, no libertinaje. La Constitución era impracticable, el Plan de Tacubaya, en cambio, parecía «un mejor apoyo a su pensamiento político». Al menos abría una puerta.

Una puerta al abismo. En unos cuantos días, este príncipe Hamlet –caballeroso, taciturno como aquél– vacilaba otra vez: naturalmente los pronunciados se volvieron a pronunciar y, por supuesto, se nega-

Santos Degollado, ca. 1860

ron a aceptar los principios liberales. Comonfort se indignó: «creyeron que yo había renegado de mis principios y vendido pérfidamente a mis correligionarios». Pero, a esas alturas, ¿sabía Comonfort cuáles eran sus principios y quiénes sus correligionarios? Se había quedado suspendido: sin principios, sin correligionarios, en el limbo. Ahora no podía consentir que el despotismo y el fanatismo se entronizaran de nuevo. Había que combatirlos, había que volver a la Constitución y «entregar el poder supremo a la persona que la ley designara —el presidente de la Suprema Corte, en este caso Juárez— [porque] siendo ya patentes las tendencias reaccionarias del nuevo pronunciamiento, menos malo era volver al punto de partida». La impracticable pero legítima Constitución era preferible al despotismo.

Días después, el Hamlet poblano salía voluntariamente del país rumbo a Nueva York, donde prepararía el breve texto que justificaba su política de «libertad templada», de «reforma prudente», de «tolerancia política». El camino de México —sostenía Comonfort— sería el de la conciliación, la fraternidad, la concordia entre dos ideas que deben ser hermanas: la libertad y el orden, la tradición y la reforma, el pasado y el porvenir:

«Pero sembrado quedó allí; y algún día dará fruto, cuando Dios quiera enviar a mi patria gobiernos más dichosos que el mío, que marchando por la misma senda, tengan la fortuna de llegar al término que yo anhelaba».

En junio de 1858, cuando Comonfort redactaba su defensa ante la opinión mexicana, aquellas dos ideas hermanas tenían en México dos presidentes que las representaban con sus dos respectivos ejércitos, ya en franca y sangrienta pugna: Félix Zuloaga, en la capital de la República, y Benito Juárez, en el occidente del país. El tiempo había dado a Ocampo la razón: era imposible gobernar a México con apretones de manos. El preludio de Comonfort había acabado. Comenzaba el primer acto del drama. ¿Quiénes lo protagonizaban?

*

Por fin: la progenie de Mora y Alamán frente a frente, el antiguo partido del progreso contra el del retroceso. Dos proyectos encontrados, dos orígenes sociales y étnicos, dos temples opuestos: los liberales y los conservadores.

Los bandos, como se ha dicho, estaban claramente perfilados. Se trataba, en gran medida, de una lucha generacional. Al grupo liberal lo representaban civiles y militares algo menores de cuarenta años, más mestizos que criollos, provenientes sobre todo del centro y el norte de la República. Al conservador lo representaban políticos, clérigos y militares diez años mayores que sus contrincantes, más urbanos, ricos y acriollados que sus adversarios. Del lado liberal estaban varios gobernadores auténticamente federalistas y no pocos caciques, federalistas más por interés y odio a los militares centralistas que por convicción. Simpatizaban con él las clases medias del país y, en número creciente, los nuevos beneficiarios (urbanos, sobre todo) de la ley de desamortización. Del lado conservador era partidaria la onerosa burocracia capitalina, la «gente decente» y, desde luego, el clero. A todo lo largo de la guerra, ninguno de los ejércitos liberales o conservadores llegaría a contar, en total, con más de 25.000 hombres, quizá menos. Esos ejércitos, además, se integraban, casi siempre, por medio del reclutamiento forzoso llamado «leva». La razón es sencilla: la guerra entre liberales y conservadores no se parecía a la Revolución de Independencia, no era una guerra popular, en ninguno de los dos sentidos de la palabra: no era bien vista por el pueblo ni contaba con su apoyo activo. Era una guerra con raíces religiosas sobre todo, pero también étnicas, sociales y económicas, *entre* las minorías rectoras.

En ambos bandos había hombres notables. Al verlos actuar era claro que el problema de Alamán y Mora había sido su soledad frente a los militares. Ahora los militares tenían que compartir el poder y la iniciativa con abogados, ingenieros, poetas, clérigos, periodistas, empresarios, caciques... un nuevo grupo generacional inexistente en tiempos del general Santa Anna. Ambos equipos tenían a su vez notabilidades mayores. Desde un principio quedó claro quiénes serían los grandes protagonistas del drama, sus primeros actores.

Por el lado conservador, debido a la muerte en los primeros combates del general criollo Luis Osollo (por quien, según Justo Sierra, Comonfort, «siempre un gran amoroso», sentía una especial «debilidad»), el papel principal fue de un joven general capitalino de escasos veinticinco años, antiguo cadete del Colegio Militar, «niño héroe» en el 47 contra los norteamericanos, afiliado al Partido Conservador de Alamán, creyente en «la patria y la familia», profesor de táctica de artillería en el Colegio Militar, defensor del gobierno de Santa Anna contra la revolución de Ayutla, conspirador contra Comonfort en Puebla a principios de 1857. Se llamaba Miguel Miramón. Sus amigos y enemigos le decían «El Macabeo» porque realmente se veía en la figura de aquel legendario soldado bíblico que había liberado a los israelitas de los invasores griegos, profanadores del templo de Salomón. Otros militares conservadores descollaban también, pero no a la altura de Miramón: Leonardo Márquez, hombre que pronto se revelaría por sus prácticas sanguinarias, y Zuloaga, el pronunciado de Tacubaya, que pronto se eclipsó. Dos caciques indios que revelaron un talento militar supremo se unieron a Miramón: Tomás Mejía, amo de la Sierra Gorda en el Oriente, y en el Occidente el misterioso «Tigre de Alica», Manuel Lozada, cuyo objetivo era el restablecimiento del imperio indígena en su región. Ambos, Mejía y Lozada, representaban una tendencia histórica profunda: la oposición indígena a la política liberal, que con la Ley Lerdo de desamortización de bienes corporativos, había puesto en venta nada menos que las centenarias tierras comunales de los indios.

Durante la guerra, el joven Macabeo sería también presidente de México, según la facción conservadora. Esta concentración total de poder militar y civil en un solo caudillo es un hecho que debió llamar más la atención de la época. Denotaba un múltiple efecto empobrecedor: de las décadas de providencialismo militar y civil empeñadas en Santa Anna; del desaliento y desprestigio del 47; de la vejez o la muerte de la vieja clase militar que desde 1821 había hecho con el país «su real gana». Ahora esa misma clase militar profesional pagaba sus errores. Pero igualmente notable era la debilidad relativa del liderazgo conservador en el ámbito civil. Se originaba, tal vez, en la antigua concentración de poder intelectual en Alamán. El elenco se integraba con varios viejos alamanistas: el militar Juan N. Almonte (hijo de Morelos, furibundo antiyanqui), el aristócrata monarquista Gutiérrez de Estrada, que vivía en Europa, los archiconservadores y ex santanistas Haro Tamariz y Lares. Los únicos que pisaban fuerte eran los clérigos, y dos ex compañeros de Ocampo en el Seminario de Valladolid: Ignacio Aguilar y Marocho y... el «cura» de Maravatío: Clemente de Jesús Munguía.

El contraste con el grupo liberal no podía ser más marcado. Sus jóvenes militares lo eran por vocación y convencimiento, no por profesión. Toda su infancia y juventud habían vivido en un país de revoluciones. Ahora se abría su oportunidad. Un caso típico era el del oaxaqueño Porfirio Díaz, nacido en 1830. Alumno de Juárez en el Instituto de Ciencias de Oaxaca y, como él, antiguo candidato al sacerdocio, Porfirio había abrazado la carrera de las armas en la revolución de Ayutla para no abandonarla más. Como jefe político del distrito de Ixtlán, en la sierra, este mixteco casi puro hacía honor a sus aguerridos y constructores antepasados: lo mismo empuñaría las armas contra los conservadores al mando de un ejército personal de fieros juchitecos que supervisaría la construcción del Ferrocarril de Tehuantepec. Era cacique y caudillo al mismo tiempo. En el ejército liberal había militares, agricultores, profesores, abogados, mineros, escribientes de notaría, periodistas. Un contingente militar de primera importancia era el de los llamados «fronterizos»: rancheros, comerciantes, contrabandistas, caciques de los estados del norte del país, fogueados en las guerras contra los indios nómadas, ajenos por entero al ideario conservador, anticlericales por temple, liberales e individualistas por geografía, historia y vocación. Pero entre todos los soldados liberales, destacaba un personaje tan notable como extraño, una nueva encarnación del religioso en armas: Santos Degollado.

Nacido en Guanajuato en 1811, meses después de la entrada de las huestes de Hidalgo, hijo de un oficial insurgente al que el gobierno virreinal confiscó sus bienes, huérfano de muy niño, Degollado fue interno en el Colegio Militar y, por veinte años, escribiente en la haceduría de la catedral de Morelia. En sus ratos libres, como Morelos, estudiaba idiomas. Así lo conoció otro lingüista huérfano, el gobernador Melchor Ocampo, a quien Degollado llegaría a admirar sobre todos los hombres. Ocampo le encargó la Junta Directiva de Fomento de Artesanos y la secretaría del legendario Colegio de San Nicolás, donde Hidalgo había sido rector y que, cerrado desde tiempos de la Insurgencia, reabría sus puertas bajo la administración de Ocampo con el nuevo nombre de Colegio de San Nicolás de Hidalgo. En 1854, Degollado se levantaría en armas contra Santa Anna; dos años después formaría parte del Congreso Constituyente y sería electo magistrado de la Suprema Corte de Justicia y gobernador de Michoacán. Pero la peculiaridad de Degollado no estaba en su modesta carrera al amparo de la Iglesia, ni en sus puestos oficiales, sino en su religiosidad cívica. Hasta el monto de una súbita lotería que ganó por aquellos años lo había empeñado por entero en la causa. Aunque él mismo confesaba, al principio de la guerra, su «falta de pericia militar», llegaría a ser el comandante en jefe de las fuerzas liberales durante casi todo el periodo de lucha. En la práctica, a diferencia del invicto Macabeo, «don Santos» —como todo el mundo le decía— acumularía muchas más derrotas que victorias. ¿Por qué permanecería al frente? Por una simple razón: Degollado convocaba tras de sí voluntades. «Si como general no sabía más que dejarse vencer», escribe Justo Sierra, «como hombre era invencible.» Con la prédica sobre la «santa causa de la democracia», Degollado levantaba ejércitos, los perdía y volvía a levantarlos. Era un iluminado, el ejemplo más claro de una fusión entre el íntimo catolicismo y el liberalismo político:

«Educado al arrimo de la Iglesia», escribe Sierra, «fue moralista, canonista, teólogo antes que revolucionario; fue a la lucha por la Reforma con el alma entera, con una fe inmensa en su ideal, sin perder un átomo de su alma religiosa. Cuando trataba de develar el poder de la Iglesia, era porque la Iglesia había torcido el camino, equivocado el sendero y resultado infiel a la enseñanza del Cristo. El católico era él, él el canonista y el teólogo; los obispos eran los impíos; la democracia era la cristiana; la libertad religiosa era la enseñanza pura de la Iglesia, de san Justino, de Tertuliano, de los grandes apologistas de la época de los mártires; la que se oponía a la libertad era la Iglesia de la opresión, de la tiranía, de la Inquisición, de los reyes siniestros de trajes negros de la casa de Austria. La impiedad era querer atajar el avance de las ideas nuevas, la ascensión del pueblo en el ambiente caldeado por ellas».

Una frase que alguien escuchó en un *vivac* del campo liberal resumía el arco de lealtad entre Degollado y su gente: «nos dan ganas de hacernos matar por don Santos, sólo para que don Santos sepa que nos hemos hecho matar por él». Practicaba una «leva» espiritual.

El ala civil del grupo liberal era aún más impresionante. Había varios escritores y periodistas de primera línea: el señor «don Guillermo» Prieto, mucho más puro y enrojecido que en los tiempos en que paseaba con Alamán; el cronista del Congreso Constituyente, el periodista más completo del siglo XIX: Francisco Zarco; el furibundo «Nigromante» Ignacio Ramírez, librepensador y creador del Instituto de Ciencias y Artes de Toluca, donde había formado a un indio puro oriundo —como Vicente Guerrero— de Tixtla, llamado a ser el más extraordinario empresario cultural y literario del siglo XIX: Ignacio Manuel Altamirano. Estaban los juristas Vallarta, De la Fuente, Iglesias, Zamacona, el hacendado socialista Arriaga. Y estaban Ocampo, Lerdo y Juárez. Casi todos —salvo Juárez— habían sido constituyentes. Habían creado una constitución que consagraba las más amplias libertades (de manifestación de las ideas pública y privadamente, de enseñanza, circulación de personas, asociación y conciencia); habían ampliado las garantías (abolición de fueros y tribunales especiales, de prisión por deudas, defensa libre en todo juicio civil o penal, y, sobre todo, garantía de *amparo* ante los abusos de la autoridad); habían dado al poder legislativo la supremacía sobre el ejecutivo; habían dispuesto la elección popular de magistrados. Aquellos hombres «fiera, altanera, soberbia, insensata, irracionalmente independientes» habían crecido en la era de Santa Anna. Era natural que tuviesen la obsesión de vacunar al país contra cualquier santanismo, con o sin Santa Anna, y gozar, por primera vez en

México, de la más plena libertad cívica y política, ejercerla aun al riesgo de la anarquía. Nadie definió mejor que Ocampo esta vocación. Pretendiendo lamentarla, la celebraba, comparándola con la actitud de sus adversarios. Toda la querella de fondo entre ambos bandos cabía en esta reflexión del naturalista de Pateo:

«Por desgracia, el partido liberal es esencialmente anárquico; no dejará de serlo sino después de muchos miles de años. Nuestro *criterio de verdad está en la mutua glosa de los sentidos, o en las inducciones rigurosamente lógicas que estén de acuerdo con la experiencia;* el criterio de nuestros enemigos es la autoridad. Así, cuando ellos saben que lo manda el rey o el Papa ... obedecen ciegamente; mientras que, cuando *a nosotros se nos manda, si se nos explica el cómo y el por qué, murmuramos y somos remisos, si es que no obedezcamos o nos insurreccionemos.* Porque cada liberal lo es hasta el grado en que sabe, o en que desea manumitirse; y nuestros contrarios son todos igualmente serviles y casi igualmente pupilos. Ser liberal en todo cuesta trabajo, porque se necesita el ánimo de ser hombre en todo...».

La más extraña paradoja del grupo liberal es que su protagonista principal, el hombre de más edad y experiencia, no se ajustaba precisamente a la definición de Ocampo. A su modo —férreo, idolátrico— creía religiosamente en la Constitución, en la sacralidad de su investidura presidencial, en la obediencia y la autoridad que a esa Constitución y a esa investidura se debían. No era un dictador que ejerciera, a la usanza criolla, el mando por el mando. Juárez detestaba lo que llamaba «la odiosa banderola del militarismo». Mucho menos era un temerario apóstol de la libertad, un primitivo cristiano de las catacumbas perdido en el siglo XIX, como Degollado. El ejercería el mando a la manera de sus antepasados zapotecas. Desde los días de su gobierno en Oaxaca había ambicionado y columbrado su papel histórico. El, «hijo del pueblo», debía continuar el interminable camino de su emancipación: el suyo y el de sus hermanos. Presentía que aquel rebaño necesitaba un pastor. El lo sería por los siguientes quince años, sin faltar un solo día.

*

Los escenarios predominantes en el primer acto, el acto militar, de la guerra de Reforma, fueron los estados del centro y occidente de la República, en particular Jalisco, San Luis Potosí, Zacatecas, Colima, Guanajuato. La capital del bando conservador era la ciudad de México; la del liberal, a partir de mayo de 1858, sería el puerto de Veracruz. Allí, confiando «en que la Divina Providencia nos siga protegiendo», se había refugiado Juárez con su gabinete de letrados: Ocampo, Prieto, Lerdo, Ruiz.

La guerra duró tres años exactos: de enero de 1858 a enero de 1861. Arrancó, los primeros meses, con un arrollador avance de los conservadores. Se estabilizó por dos largos, interminables años, en un doloroso equilibrio. Y en los seis últimos meses de 1860 se precipitó el triunfo liberal. Con fuerzas numéricas similares, sólo en 1858 se libraron 11 batallas en forma: en cinco vencieron los liberales, en tres los conservadores y en tres el triunfo no se definió. La aduana de Veracruz daba a los liberales cierta ventaja financiera sobre sus enemigos, que cargaban con la burocracia capitalina. Con todo, las finanzas fueron siempre el talón de Aquiles de ambos bandos. Por falta de liquidez más que de voluntad, la Iglesia no podía apoyar demasiado al «Macabeo». Los liberales, por su parte, se financiaban con los anticipos que empresarios, agiotistas y especuladores les entregaban a cuenta de bienes del clero que al terminar la guerra —si triunfaban, por supuesto— se les adjudicarían. Miramón llegaría a contratar préstamos desastrosos con banqueros europeos, firmando pagarés por 15 millones de pesos y recibiendo poco más de dos. Los liberales no veían más remedio que buscar apoyo en los Estados Unidos, con la única garantía posible: los bonos sobre las propiedades eclesiásticas que se nacionalizarían.

Hubo un momento, al principio de 1859, en que el «Macabeo» volvió la vista hacia Veracruz. Hasta entonces había contendido en dos frentes: contra el cacique más poderoso del norte, el amo y señor de Monterrey, Santiago Vidaurri, y contra «don Santos». Con Márquez sólidamente adueñado de la capital de la República, la salida estaba en un golpe rápido sobre el puerto. En esas circunstancias, Juárez ordenó a Degollado evitar a toda costa el ataque a Veracruz del único modo posible: avanzando hacia la ciudad de México. Según Bulnes, esta decisión de Juárez significaba enviar al matadero a Degollado para salvarse él. La asimetría de las fuerzas que contenderían en la capital y la solidez defensiva de Veracruz parecían aconsejar lo contrario: esperar a Miramón en Veracruz y vencerlo. En todo caso, Miramón desistió de su avance y regresó a México. Degollado entró en la ciudad y fue derrotado, esta vez de una manera atroz. El 11 de abril de 1858 ocurrió en el pueblo de Tacubaya, aledaño a la capital, un hecho sin precedentes: el ejército conservador de Leonardo Márquez —conocido desde entonces como el «Tigre de Tacubaya»— asesinó a todos los prisioneros, incluidos los jefes, oficiales y varios médicos que atendían a los heridos.

En San Luis Potosí, el *Nigromante* escribió a propósito de la masacre un soneto memorable:

> Guerra sin tregua ni descanso, guerra
> a nuestros enemigos, hasta el día
> en que su raza detestable, impía
> no halle ni tumba en la indignada tierra.
>
> Lanza sobre ellos, nebulosa sierra,
> tus fieras y torrente; tu armonía
> niégales, ave de la selva umbría;
> y de sus ojos, sol, tu luz destierra.
>
> Y si impasible y ciega la natura
> sobre todos extiende un mismo velo
> y a todos nos prodiga su hermosura,
>
> anden la flor y el fruto por el suelo,
> no les dejemos ni una fuente pura,
> si es posible ni estrellas en el cielo.

La gente decente de la ciudad, los dignatarios de la Iglesia y los jerarcas militares organizaron una gran celebración para festejar su triunfo. La ciudad se iluminó profusamente. Ante el espectáculo, el joven Altamirano, discípulo de Ramírez, escribió su propia estrofa:

> ¡Ilumínate más, ciudad maldita,
> ilumina tus puertas y ventanas!
> ¡Ilumínate más, luz necesita
> el partido sin luz de las sotanas!

Degollado viaja a Veracruz. Presenta una situación financiera desesperada. El drama sube de tono. Había que obtener fondos frescos para la guerra en los Estados Unidos y responder con leyes históricas al agravio de Tacubaya. El acto siguiente sería trascendental: ya lo había anticipado Ocampo, en un fogoso discurso del 16 de septiembre de 1858, opuesto al que apenas seis años antes había pronunciado en Michoacán. Ahora no creía en la unión sino en la más radical de las reformas. Había que dar un viraje decisivo a la historia mexicana, emanciparse por entero de los usos virreinales. «Estamos mal educados, señores», diría entonces, y para reeducar a la población en la ética del trabajo y el conocimiento primero tenía que instaurarse de lleno la soberanía del Estado civil en México. Había que entrar al segundo acto del drama: la Reforma propiamente dicha, la expedición de leyes que modificaran la estructura social, religiosa y económica de México, la estructura histórica.

*

Todos los indicios biográficos indican que Juárez no quería promulgarlas. «El gobierno», recuerda Prieto, refiriéndose a Juárez, «se resistía a publicarlas.» No correspondían al estilo de Juárez. Al igual que Comonfort —a quien, significativamente, tuteaba—, Juárez creía que el orden y la libertad eran compaginables bajo la égida de un poder sabio, severo y paternal. En su fuero interno, Juárez habría esperado meses o quizás años. El piadoso pueblo mexicano podía confirmar en esas leyes lo que los conservadores voceaban en cada cuartel, en cada púlpito: que se trataba de una guerra de religión. Pudieron más el apremio de sus consejeros y la evidencia de que varios gobernadores las estaban expidiendo ya. No tenía alternativa y cruzó el Rubicón.

Al influyente veracruzano Miguel Lerdo de Tejada (historiador, administrador y economista del tipo de Lorenzo de Zavala y autor de la Ley Lerdo de 1856, hombre más práctico que ideólogo, a quien el gobierno sureño de James Buchanan consideraba un *all american)* correspondió la redacción de la Ley de Nacionalización de los Bienes del Clero, promulgada el 12 de julio de 1859. El resto, relativo a la vida social y cívica del México futuro, fue obra de Melchor Ocampo.

La reforma de Ocampo consistió en cinco leyes. Las cuatro primeras, promulgadas en julio y agosto de 1859; la última, casi al término de la guerra, en diciembre de 1860:

1. Ley de exclaustración de monjas y frailes, y extinción de corporaciones eclesiásticas.
2. Ley del matrimonio civil.
3. Ley de registro civil y secularización de cementerios.
4. Ley de limitación de días festivos y prohibición de asistencia oficial a ceremonias religiosas por funcionarios públicos.
5. Ley de libertad de cultos.

La segunda tocaba en Ocampo un punto sensible. A su hija Josefina, esposa del embajador en Washington José María Mata, le envió un paquete con las leyes y «la expresa recomendación de leer el artículo 15, que es suyo». Disponía que después de la ceremonia matrimonial, una vez que los cónyuges se hubiesen aceptado como tales mutuamente, el juez leyese unas palabras sobre la «sacralidad» de ese vínculo. Ese texto sería conocido más tarde como «la Epístola» de Melchor Ocampo y se escucharía en todas las ceremonias de matrimonio civil hasta los años ochenta del siglo XX. La «Epístola» no hablaba demasiado del matrimonio en sí, sino de las complementarias prendas «sexuales» —es decir, naturales— del hombre y la mujer, para luego pasar a su verdadero tema: la familia. El juez les manifestaría que ambos debían «prepararse con el estudio y la amistosa y mutua corrección de sus defectos, a la suprema magistratura de padres de familia». De no inspirar a los hijos «tiernos y amados lazos», la sociedad, que «bendice, considera y alaba a los buenos padres ... censura y desprecia debidamente a los que por abandono, por mal entendido cariño o por su mal ejemplo, corrompen el depósito sagrado que la naturaleza les confió, concediéndoles tales hijos. Y por último, que cuando la sociedad ve que tales personas no merecían ser elevadas a la dignidad de padres, sino que sólo debían haber vivido sujetas a tutela, como incapaces de conducirse dignamente, se duele de haber consagrado con su autoridad la unión de un hombre y una mujer que no han sabido ser libres y dirigirse por sí mismos hacia el bien». El doloroso motivo biográfico era evidente, lo mismo que la referencia a la sacralidad, no de Dios, sino de la sociedad y la naturaleza. Quería legislar, para el futuro de México, el origen, la crianza, la familia que no tuvo.

*

El tercer acto del drama ocurre bajo el signo de la desesperación. Si bien las Leyes de Reforma fundaban un orden nuevo, no resolvían los apremios del momento. Conforme avanzó el año de 1859, las noticias en el campo liberal fueron más sombrías: en junio, la derrota de la importante columna del general Calderón a manos del cacique Lozada; en septiembre, la defección de otro cacique, no indio sino mestizo: Santiago Vidaurri, que planeaba la separación de Nuevo León y Chihuahua del resto del país mientras concluía la guerra. Ese mes se sabe que Almonte ha pactado un tratado de eventual cooperación militar con el ministro español Mon. En octubre, Degollado sufre en Estancia de Vacas la más costosa de sus derrotas. Puertas adentro, los liberales se dividen. Muchos dudan de la efectividad de Juárez y algunos desobedecen sus órdenes expresas. Lerdo lo trata con visible menosprecio y hasta descortesía. Otros, como el joven Altamirano, son aún más críticos:

«No admitimos más soberanía que la de los estados, quienes deben delegarla en manos hábiles de reconocida actividad. Don Benito Juárez sabe esperar sin padecer, no sabe obrar sacrificándose; no es el hombre de la revolución sino el de la contrarrevolución».

La santa alianza entre Ocampo y Juárez se mantiene firme, pero es obvio que la desesperada situación reclama un viraje. Ambos deciden dárselo. Requieren más que nunca el apoyo norteamericano y sobre ello entablan conversaciones con el nuevo embajador del gobierno de Buchanan: Robert MacLane. Ocampo y él llegan a un arreglo a fines de diciembre y firman un tratado que debía ratificarse en el Senado norteamericano.

Se trata de una de las páginas más desconcertantes de la historia del siglo XIX. Ocampo, el hombre que en 1847 había pugnado por la guerra de guerrillas, el mismo que había clamado al cielo por la destrucción del país antes que verlo dominado por los angloamericanos, concertó, con aprobación de Juárez, nada menos que la entrega parcial de la soberanía mexicana a cambio de apoyo económico y militar contra los conservadores. Entre sus once artículos, el Tratado MacLane-Ocampo incluía dos mortales de necesidad:

- Cesión a perpetuidad de México a los Estados Unidos del derecho de tránsito por el Istmo de Tehuantepec.
- Consentimiento para que, a petición del gobierno de México, los Estados Unidos empleen la fuerza en territorio mexicano para proteger el tránsito por el Istmo. «Sin embargo, en el caso excepcional de peligro imprevisto o inminente para la vida o las propiedades de ciudadanos de los Estados Unidos, quedan autorizadas las fuerzas de dicha república para obrar en protección de aquéllos sin haber obtenido previo consentimiento y se retirarán dichas fuerzas cuando cese la necesidad de emplearlas.»

The Times de Londres comentó con laconismo: «México pasará virtualmente al dominio norteamericano». A su vez, el *Daily Picayune* comentaba que cuatro millones de pesos era un precio módico para las ventajas del tratado: «un dominio tan completo como pudiésemos tenerlo si hubiéramos comprado territorio». Los expansionistas sureños, los mismos que habían abogado en 1846 por la guerra contra México, se frotaban las manos. También algunos mexicanos *all american*. Pero a diferencia de lo que ocurrió en 1847, la mayoría en el Senado estado-

Miguel Miramón, ca. 1860

unidense la tenían los republicanos, y había voces que, como la de Abraham Lincoln en 1846, volvían a declararse enemigas de la expansión abierta o enmascarada. *The Times* de Nueva York afirmaba: «El partido llamado liberal de México hizo en el Tratado MacLane-Ocampo concesiones vergonzosas a los esclavistas del Sur, intimidado o comprado por los hombres de la esclavitud».

«Dios era juarista en 1860», ha dicho un historiador del siglo XX. El tratado, que a todas luces comprometía la soberanía del país imponiendo sobre él un protectorado perpetuo, no sería ratificado en el Senado norteamericano. Sus dificultades prácticas, sus cláusulas de libre comercio y la cercanía misma de la guerra civil norteamericana, que ya se anunciaba en el horizonte, impidieron que Ocampo y Juárez pasaran a la historia como «traidores», «vendepatrias» y discípulos del fundador de Texas: Lorenzo de Zavala. Además no terminó allí su fortuna. Mientras el tratado se discutía en el Senado, la oportunidad de ponerlo en práctica se presentó para ventaja de las fuerzas liberales.

Desesperado a su vez, Miramón tendía cerco a Veracruz. Para completarlo, había contratado en La Habana dos vapores españoles de guerra que bloquearían el puerto. La diplomacia liberal de Washington se movió tan rápido como los barcos y corbetas norteamericanos que los capturaron bajo el pretexto o la razón de considerarlos piratas. Miramón, sin saberlo, había perdido la guerra de Reforma. Tampoco los liberales lo sabían: por eso, verdaderamente desesperados, se degradaron: en el acto número cuatro del drama comenzaron a devorarse entre ellos. O, mejor dicho, comenzaron a ser devorados por su propia instancia de poder: el presidente Juárez.

*

Tras la captura de sus buques, desde las afueras de Veracruz Miramón ofreció a Juárez un plan de armisticio. A pesar de que para entonces confiaba aún en la ratificación del tratado, Juárez aceptó, pero sus emisarios –Degollado entre ellos– no lograron que Miramón admitiera que la convocatoria al nuevo gobierno se basara en la Constitución del 57. Miramón se retiró hacia el occidente. Sus acéfalas fuerzas habían sufrido una serie de derrotas a manos de los generales dirigidos desde San Luis Potosí por Degollado. En agosto, en Silao, Guanajuato, es vencido estrepitosamente. Nadie dudaba ya del triunfo liberal. Degollado menos que ninguno. Sin embargo, ¿qué carácter tendría ese triunfo?, ¿sería definitivo?

Seguramente no, preveía don Santos: «la misma guerra que he sostenido durante *estos tres años me ha hecho conocer que no se alcanzará pacificación por la sola fuerza de las armas»*. Había que discurrir un medio para asegurar el porvenir dejando a salvo los principios liberales, decretar una amnistía general para los vencidos, abrirles una «puerta para que puedan salir con honor». Estas y otras reflexiones las hacía llegar Degollado en septiembre de 1860 al representante de S. M. Británica, Mister Mathews, junto con la propuesta de un plan de pacificación que, respetando las Leyes de Reforma pero dejando al parecer abierta la posibilidad de modificar la Constitución, debería abrir una nueva era. Lo más extraño de la nota era la forma en que se elegiría al presidente provisional que sustituiría a Juárez: por medio de una «junta compuesta por el cuerpo diplomático residente en México, incluso el ... ministro de los Estados Unidos, y de un representante nombrado por cada gobierno». A la semana de haber enviado esta carta en la que se comprometía a proponer el plan a su gobierno, don Santos lo circulaba cándidamente con el vencedor de Miramón en Silao, el general zacatecano Jesús González Ortega —que estuvo de acuerdo con él— y, desde luego, con las autoridades en Veracruz.

La respuesta de Juárez fue fulminante: destituyó a Degollado, atribuyó su nota a una «incalificable defección», a un «extravío», y lo sometió a juicio. Ocampo, en Veracruz, no abrió la boca para defender a su antiguo amigo: pesaba más su santa alianza con el presidente Juárez. Sin sombra de duda, Degollado había sido el organizador de las fuerzas de la Reforma, el crisol militar por tres años, el jefe con más batallas libradas al frente de sus hombres, «el caudillo más constante», en palabras del periodista Zarco. Nada le valió.

El juicio de Degollado fue un capítulo de autofagia en el liberalismo triunfante. Mientras los ejércitos de González Ortega daban la puntilla a los del «Macabeo» en la Navidad de 1860, don Santos vivía confinado en México. Sus reflexiones son una mezcla de perplejidad y dolor, sin mácula de venganza o rencor:

«¿Cómo es que el excelentísimo señor presidente permanece espectador frío de tantos vituperios contra el que fue su más fiel defensor: el que impidió que en el interior se le olvidase y se le desconociese; el que no quiso seguirlo a *una habitación segura en Ulúa* a pesar de no tener mando militar; el que durante seis días de bombardeo en Veracruz ni un solo momento se metió bajo los blindajes?».

El 1 de enero de 1861, cuando González Ortega entró en la capital dando fin a la guerra de Reforma, paró su escolta frente a la ventana del cuarto de Degollado, lo invitó a bajar, lo vitoreó y colocó sobre su cabeza varias coronas. Seguía sin entender la dureza del presidente: «¿no merece algún respeto la desgracia, ni consideración el infortunio, ni amparo el desvalido?». Vivía confinado en arresto domiciliario, había sido ilegalmente destituido de la gubernatura de Michoacán, que podía haber reasumido:

«al Supremo Gobierno ... le ha sobrado gana de castigarme por haber propuesto un medio de pacificación de que van a justificarme espléndidamente los sucesos que están por venir y que se están precipitando sobre esta desgraciada república. Harto hizo el excelentísimo señor presidente aplicándome la pena ignominiosa de destitución sin oírme...».

¿Encontrarían sus «ayes un eco en algún pecho generoso»? Seguramente no. Nadie se atrevería. «A grandes merecimientos, mayores ingratitudes ... almas envidiosas ... corazones desagradecidos.» Y, sin embargo, tenía derecho «a un fallo de los jueces ... a vivir en paz».

El gobierno de Juárez, instalado ya en el Palacio Nacional de la ciudad de México, se enfrentaba a una primera crisis. González Ortega renunciaba a la cartera de Guerra y amagaba con levantarse en armas. Juárez envía a su secretario con Degollado para ofrecerle la cartera; don Santos rehúsa. Creía merecer otro tipo de reivindicación, menos hija de la oportunidad, más hija de la justicia.

*

Mientras Degollado languidece, la generación de la Reforma escribe el quinto acto del drama: la venganza. El momento del triunfo había llegado, y con él la oportunidad de regocijarse de la suerte de los conservadores y cantar el himno que para ellos, «los cangrejos», había escrito tiempo atrás Guillermo Prieto:

Casacas y sotanas
dominan dondequiera;
los sabios de montera
felices nos harán.
Cangrejos a compás,
marchemos para atrás.
¡Zis, zis, y zas!
Marchemos para atrás.

¡Maldita federata!
¡Qué oprobios nos recuerda!
Hoy los pueblos en cuerda
se miran desfilar.
Cangrejos, a compás,
marchemos para atrás.

Si indómito el comanche,
nuestra frontera asola,
la escuadra de Loyola
en México, dirá:
Cangrejos, a compás,
marchemos para atrás.

Horrible el contrabando,
cual plaga lo denuncio;
pero entretanto el Nuncio
repite sin cesar:
Cangrejos, a compás,
marchemos para atrás.

En ocio, el artesano
se oculta por la leva,
ya ni al mercado lleva
el indio su huacal.
Cangrejos, a compás,
marchemos para atrás.

Habría otras venganzas, menos inocuas. La oposición de la Iglesia había sido implacable, como implacable sería la reacción liberal a partir de 1861. Más que como liberales, actuarían como jacobinos. La historia aplicaría a esa época la frase perfecta: «la piqueta de la reforma». Aquellos conspicuos abogados tomaron literalmente la piqueta en sus manos para destruir altares, portadas, púlpitos y confesionarios. Por primera vez en México se vieron escenas calcadas de la Revolución francesa. Hubo santos decapitados, balaceados, quemados en públicos autos de fe; saqueo de joyas, tesoros, archivos, pinacotecas; varias bibliotecas eclesiásticas se perdieron, se pudrieron o terminaron en coheterías; hubo obispos lapidados, remate generalizado de bienes. En todo el país, de los conventos salieron aterradas monjas que por décadas habían permanecido enclaustradas; el gobierno, por orden de Ocampo, deportó a todos los obispos del país, con dos excepciones: el anciano vicario de Baja California (un desierto) y el obispo de Yucatán (una isla histórica y geográfica de México). El joven Altamirano protestó: «debería ahorcarlos».

La fiesta jacobina es breve. El erario está exhausto. Los liberales están divididos y los conservadores, derrotados como ejército, han optado por el asesinato selectivo. Es el acto final: el martirio.

*

Melchor Ocampo había renunciado a su ministerio y vuelto a su amada hacienda. Ahora vivía con sus hijas en Pomoca, una fracción de Pateo. En 1859, en plena guerra de Reforma, había persuadido a Juárez de declarar benemérito de la patria a Humboldt, a quien, por cuenta del tesoro, le mandaría hacer en Italia una estatua que se colocaría en el Seminario de Minas que el sabio alemán había visitado. México le debía mucho, pero Ocampo le debía más. Era su verdadero padre intelectual.

Ocampo, en efecto, no provenía del pensamiento francés, ni en su vertiente constitucionalista (Constant, Tocqueville) ni en su vertiente enciclopedista y antirreligiosa (Diderot, Voltaire). Por su breve tratado de la tolerancia se acercaba más a los liberales anglosajones, pero los citaba poco y les debía menos. En general, Ocampo no provenía de pensamiento alguno. En lo económico, era admirador de Ricardo, en lo social de Proudhon. Había algo anarquista en su persona y sus ideas, y esa misma «independencia salvaje» lo apartaba del seguimiento «religioso» de cualquier doctrina. Ocampo no había mudado de religión —como verosímilmente lo hizo Mora—, tampoco aborrecía fanáticamente al fanatismo —como Ramírez— ni sublimaba su religiosidad transfiriéndola a una esfera cívica —como Degollado—. Era un hombre sin religión. Un humanista del siglo XVIII, un discípulo de Humboldt nacido en Michoacán.

Seguía el mismo método de conocimiento natural y social: la observación y «las inducciones rigurosamente lógicas que estén de acuerdo con la experiencia». Sólo a partir de ellas obtenía sus certezas. Conocer significaba explorar. Como Humboldt, Ocampo había llegado por su cuenta y con sus libros, por sus excursiones de herborización y sus viajes por Europa, por su aislamiento en la biblioteca o el jardín de Pateo, a una ética científica del conocimiento.

Por eso mismo rechazaba a la autoridad. Y en ese rechazo afirmaba su liberalismo. O quizá por razones más profundas: qué autoridad cabía en esa vida que había crecido sin ella. Ocampo, el expósito de la naturaleza, era hijo de lo que había hecho, pensado, plantado, reformado. Tenía cincuenta y siete años y estaba satisfecho. Pero ¿qué hacía en Pateo?

Buscar la muerte. A fines de mayo de 1861, una partida de hombres a caballo llegan a su hacienda y lo aprehenden. Llevan órdenes de Leonardo Márquez y Félix Zuloaga de presentarlo ante ellos. Su trayecto dura tres días. En el remoto pueblo de Tepeji del Río se le concede hacer testamento. Al prepararlo vuelve a su drama original: la orfandad. Se acuerda de su progenie y escribe: «Próximo a ser fusilado según se me acaba de notificar, declaro que reconozco por mis hijas naturales a Josefa, Petra, Julia y Lucila ... Adopto como mi hija a Clara Campos ... muero creyendo que he hecho por el servicio de mi país cuanto he creído en consecuencia que era bueno». Después de firmar, «en el lugar mismo de la ejecución, hacienda de Tlaltengo», agrega: «el testamento de doña Ana María Escobar está en un cuaderno en inglés, entre la mampara de la sala y la ventana de mi recámara». Ese testamento era un regalo a sus hijas: les regalaba la identidad hasta entonces oculta de su madre, la propia Ana María Escobar, recogida como él hacía muchas décadas por doña Francisca Xaviera Tapia. Después del tiro de gracia, el cuerpo de Ocampo se meció colgado de la rama de un pirú.

Al día siguiente, 4 de junio, al saberse en México la noticia del asesinato, en plena sesión del Congreso, aparece Santos Degollado. No pide que se defina su situación de inocencia o culpabilidad, pero exige algo más: que como soldado se le permita batir a los asesinos de Ocampo. El Congreso declara que «nunca ha desmerecido la confianza de la nación» y le otorga el permiso. Degollado tiene prisa. En el Monte de las Cruces, el mismo sitio donde Hidalgo había rehusado tomar la ciudad de México, el hombre que se negó a desafiar el poder de Juárez, cayó muerto —dice Bulnes— «con la cabeza agujereada, un pulmón vaciado de un lanzazo y perfectamente picado a bayonetazos». Entonces sí se le eximió póstumamente de toda culpa y se le declaró benemérito de la patria. Entonces se oyeron los elogios de Altamirano, Ramírez, incluso de los escritores más cercanos al presidente, como Zarco: era el patriota inmaculado, la más noble y pura personificación de las ideas democráticas y reformistas, el campeón más constante, moral, generoso, prudente, virtuoso, tierno, venerable:

«tú, Degollado», diría otro juarista convencido, Guillermo Prieto, «que te estremecías con el lloro de un niño, que te imponías privaciones de cenobita por no malgastar el óbolo de un pobre, que eras la santidad de la Revolución».

Eran lamentos sinceros, al margen del romanticismo de la época. Los liberales lloraban a sus santos y, en particular, a su Santos. Sólo Juárez calló. Muertos Ocampo, Degollado y, al poco tiempo, de una enfermedad, Lerdo, el drama de la Reforma lo encuentra solo y único en Palacio. El acto final es un silencioso e inescrutable monólogo que nadie escuchó, pero que varios liberales de entonces y después trataron de interpretar.

*

Hay dos vertientes de interpretación. La crítica a Juárez se resume en una observación de un escritor contemporáneo de Justo Sierra, Francisco G. Cosmes:

«En esta conducta de Juárez, que es una de las pocas manchas que presenta su historia, se ve predominar el espíritu del cacique indígena que considera como el mayor de los crímenes el disputarle el mando ... ese apego al poder supremo le llevaba a todos los extremos, aun al de la injusticia, cuando le era disputado ... A ese sentimiento subordinaba sus deberes más importantes e imperiosos».

Por eso —concluía Cosmes—, por sentir amenazado su poder, habría actuado contra su antiguo compañero.

La vindicación la haría el propio Sierra. En su opinión, Juárez no actuaba por ambición política sino por coherencia jurídica. En su reserva y su mutismo ante la absolución póstuma de Degollado por el Congreso había una doble razón: lógica y psicológica. De acuerdo con la primera, el gobierno no podía caer en la contradicción de haber separado legalmente del mando a Degollado por una falta contra la Constitución y luego declarar que se había equivocado. En cuanto a la razón psicológica:

«Juárez no era un sensiblero, ni un sentimental siquiera, era un rígido; no cruel, sino bondadoso a veces, nunca toleró que su bondad sobrepusiese en su espíritu a su criterio de justicia, aun cuando este criterio fuese contrario al de muchos, al de todos; cedía a veces por conveniencia de partido, no por convicción; creía entonces, en el fondo de su conciencia, que faltaba a su deber. Para Juárez, transigir con los enemigos de la Constitución y la Reforma, era una imperdonable falta, era un delito inexpiable; para no verse en tal caso llegaba a consentir en hacer correr graves peligros (que creía conjurar) a la nacionalidad misma. Antes que tratar con Miramón de potencia a potencia, antes de reconocerlo como un poder capaz de algún derecho, prefería acceder a la alianza con los Estados Unidos, aun cuando éstos se hubieran reservado la parte del león (tratado MacLane). A Miramón se le podía considerar como un poderoso caudillo de rebeldes y, en vista de las circunstancias, se podían acordar con él los artículos de una capitulación, no un pacto de paz. De aquí esa actitud que el grupo liberal, profundamente conmovido ante el cadáver de Degollado, sintió fría y dura, cuando era sólo quizá triste y seria. De aquí un movimiento brusco de antipatía hacia Juárez».

En el profundo análisis de Justo Sierra, Juárez aparece como el adorador religioso de entidades para él sagradas: la Constitución y la Reforma, es decir, las leyes. Así como Santos Degollado transfería su religiosidad de cristiano primitivo a la causa de la libertad, así Juárez habría transmitido, en la versión de Sierra, su inflexible religiosidad de cristiano zapoteca a su investidura presidencial:

«Juárez fue siempre religioso; cuando llegó a emanciparse ... la lucha por realizar un deber de justicia y razón tomaron en su espíritu la forma de un mandato superior ... de obediencia a un decreto del altísimo ... las ideas nuevas ... entraban dentro del molde secular de su alma ... como verdades divinas, sin oxidar el inalterable hierro de sus creencias religiosas».

Pero ¿cuál era el fin ulterior de esas creencias? ¿A quién pretendía salvar Juárez, petrificado en su posición por encima de la fortuna, la adversidad y las contingencias, asido a todos los elementos constitutivos de su raíz indígena: la astucia, el recelo, el tesón, la reflexión lenta pero firme, la severidad, la sobriedad, la aparente indiferencia, la paciencia? Imposible saberlo con certeza. Es muy probable que Justo Sierra, con aquella generosidad suya tan grande como su inteligencia, haya acertado al conjeturar que «a través de la Constitución y la Reforma Juárez veía la redención de la república indígena». Redimir a los indios, «nuestros hermanos», del clérigo, de la ignorancia, de la servidumbre, de «la estúpida pobreza», fue tal vez su «recóndito y religioso anhelo».

Así se explicaría su impasibilidad ante Degollado, su actitud pasiva en Veracruz y quizás hasta su aquiescencia con MacLane. Después de todo, los indios, «nuestros hermanos», eran anteriores a México. Pero acaso quepa una hipótesis más: no desde la lógica de la justicia —la de Sierra— ni desde la de la moral —la de Cosmes—. Una hipótesis que considerando justo el análisis psicológico-religioso de Sierra introdujera, en el acto final del drama de la Reforma, un matiz nuevo.

Juárez no actuaba sólo por ambición de poder ni por apego religioso a la inmutabilidad de la ley. Juárez actuaba por *un misticismo del poder.* Creía representar un derecho histórico sobre esta tierra que ningún otro contemporáneo suyo tenía o siquiera sospechaba. No inventaba pasados, como los criollos. No buscaba padres fantasmales, como los mestizos. Era hijo de esta tierra y de esta historia, antes de que hubiera México y Nueva España. Antes de 1821 y 1521. Por eso debía afirmar ese poder no sólo frente a los enemigos sino frente a los amigos y a su costa. Por eso, en el extremo opuesto de Santa Anna, infundió a la silla presidencial una sacralidad que había perdido, la sacralidad de una monarquía indígena con formas legales, constitucionales, republicanas. Por eso nunca renunciaría al poder. Moriría en el poder. El poder era él.

El más hermoso imperio del mundo

Mientras México se desgarraba en el drama de la Reforma, muy lejos, en el norte de Italia, el pequeño reino de Lombardía-Véneto intentaba afirmar ideas de soberanía y pautas de vida democrática semejantes a las del bando liberal mexicano. No había llegado aún el momento de la unidad italiana, pero su perfil se dibujaba en el horizonte. El gobernador general de Lombardo era una suerte de Iturbide austriaco, un archiduque liberal y romántico cuyas admirables intenciones de hacer la felicidad de sus súbditos chocaban con la voluntad más elemental de esos mismos súbditos: la de decidir su propio destino.

El archiduque Fernando Maximiliano de Habsburgo había tenido el infortunio de nacer dos años después que su hermano, el entonces emperador de Austria-Hungría, Francisco José. Esta circunstancia marcó desde siempre sus pasos. Mientras el primogénito se preparaba para el acceso seguro al trono, la propensión del segundo vástago del emperador austriaco fue escapar, vagar por los mares, por la imaginación o por el aire. Parecía que Maximiliano hubiese intuido que aquel reinado de su hermano duraría las décadas que en efecto duró. En cuanto pudo visitó Grecia, Italia, España, Portugal, la isla de Madera, Tánger y Argelia, donde ascendió al monte Atlas. En las tumbas de los Reyes Católicos en Granada, «orgulloso y ansioso, y sin embargo triste», extendió la mano «hacia el anillo de oro y hacia la espada que en un tiempo fue poderosa» y pensó que sería «un sueño hermoso y divino para el sobrino de los Habsburgo españoles blandir la última para conquistar el primero». Aquel encuentro ocurría en 1854. Al año siguiente, como almirante y comandante en jefe de la flota austrohúngara, visitó Palestina; en 1856 Francia, Bélgica y Holanda, y en 1857 el reino de su prima, la reina Victoria.

Tenía entonces veinticinco años y un mundo de exóticos paisajes en la memoria y la fantasía. En ese año se casó con Carlota Amalia, hija del rey Leopoldo de Bélgica, y juntos se mudaron al castillo de Miramar, que Maximiliano había comenzado a construir dos años antes. Se trataba de un reluciente palacio de piedra caliza vecino a Trieste, levantado sobre una gran roca a orillas del Adriático. Su despacho era una copia exacta del interior de su fragata, la *Novara*. Desde allí, mirando al mar, Maximiliano escribía sus *Memorias* y volaba: «y si la hipótesis de los globos aerostáticos se convierte alguna vez en realidad, me dedicaré a volar y encontraré en ella, con toda la certeza, el mayor placer».

Pero sobre la tierra el destino seguía siendo adverso a aquel joven rubio, pálido, de expresivos ojos azules, cuyo saliente mentón se disimulaba tras el rizo cuidadoso de su barba. Nada más remoto a sus ideas que el absolutismo o el catolicismo beato. Era liberal, como su siglo. Y sin embargo, la gente en Milán lo veía con respeto privado y recelo público: un príncipe extranjero, un advenedizo. De nada habían servido sus planes y sus obras. Vivía en la «constante humillación de representar un régimen indolente y sin política definida al que la razón trata de defender en vano». A su «querida madre», la archiduquesa Sofía, que le recomendaba resistir con honor, le confiaba su zozobra:

«Lo que usted me dice ... desde un punto de vista religioso es mi entera convicción ... si no fuese por los deberes religiosos ya estaría hace tiempo lejos de este país de martirio ... A pesar de la burla que me espera y de todas las calumnias permanezco tranquilo en mi puesto. En el peligro no me vuelvo».

En 1859, ante la tensión creciente, Francisco José envió un refuerzo de tropas que de hecho significaban la remoción de Maximiliano. Al hacerlo —escribía éste— pasaba sobre el «decoro» y «el buen nombre de un archiduque». ¿No había lugar en el mundo —es decir, monarquía en el mundo— para aquel príncipe de modales delicados, y su firme y ambiciosa mujer, destinada como él, más que él, a «reverdecer todas las glorias»? Parecían nacidos en el siglo erróneo, en el sitio erróneo: «Es triste ver hundirse cada vez más por ineptitudes, errores y un proceder incomprensible, a nuestra hermosa monarquía, tan poderosa antaño».

En el «espantoso» frío de diciembre de 1859, Maximiliano dejó a su esposa en Bélgica y navegó al lejano Brasil, donde reinaba su primo hermano. Amaba la aventura:

«Al hombre le interesa lo alejado y lo desconocido», escribió a la vista de la costa americana, «y si sospecha vida en cualquier punto lejano es atraído hacia allí ... Me parece una leyenda que sea yo el primer descendiente de Fernando e Isabel que desde su niñez ha tenido como

Maximiliano de Habsburgo, ca. 1866

misión en la vida pisar un continente que ha alcanzado una importancia tan gigantesca para los destinos de la humanidad».

En algún momento de la travesía recordó quizá la extraña insinuación que un grupo de mexicanos le había hecho dos años atrás, en Monza, sobre una posible oferta del trono de México. «*Cela serait une belle position*», le había comentado su suegro, el rey Leopoldo. Por lo pronto, Maximiliano se abandonó a la sensualidad de una mujer brasileña que le transmitió una enfermedad venérea, de la cual sanaría con el tiempo. Con todo, a pesar de los placeres del trópico, no olvidaba la decadente monarquía austriaca presidida por un «nuevo Luis XVI» y el precario equilibrio de las potencias europeas que ponía en peligro sus bienes y propiedades, entre ellos el idílico refugio de Miramar. Era un príncipe en busca de un reino.

*

En París, encabezaba la *coterie* mexicana un exiliado profesional, un «afrancesado» perfecto, el hacendado José Manuel Hidalgo, amigo de la emperatriz, la granadina Eugenia de Montijo. Desde hacía años, por razones distintas, ambos soñaban el mismo sueño: establecer una monarquía en México. De pronto, en 1861, los acontecimientos parecieron configurar seriamente la posibilidad. La moratoria de pagos declarada por el gobierno de Juárez en junio de ese año inició el ciclo. En octubre, Inglaterra, Francia y España firmaban en Londres una convención para exigir a México por la fuerza el pago de las deudas incumplidas y la satisfacción de otras reclamaciones, no del todo injustificadas respecto de ingleses y españoles. A principios de 1862, escuadras de los tres países desembarcaban en el puerto de Veracruz. Al poco tiempo, satisfechas por la vía diplomática sus demandas, España e Inglaterra se retirarían dejando a la Francia napoleónica sola, en posición de llevar a cabo sus verdaderos propósitos: no el cobro de sus exageradas cuentas sino la invasión del territorio y la ejecución de un proyecto múltiple de reconquista. Para Eugenia representaba la vindicación de España; para Napoleón, aprovechando la guerra civil en los Estados Unidos, una renovada presencia en América.

Hacía más propicia la oportunidad aquello que Eugenia y los monarquistas mexicanos veían como el paralelo desmoronamiento de Lombardía-Véneto y de México. Todo les parecía favorable para fundar —restablecer, dirían ellos— el Imperio mexicano. Los viejos monarquistas criollos lo insinuaron al oído de la emperatriz, la emperatriz supo

Maximiliano y Carlota, ca. 1866

insinuarlo al oído de su esposo, Napoleón III se apresuró a insinuarlo al emperador de Austria, que a su vez ordenó a su embajador en París que lo insinuara a los oídos más perceptivos de las cortes europeas: los de su hermano, el archiduque Maximiliano y su joven Carlota.

Mientras Maximiliano y Napoleón entraban en un largo proceso de negociación en torno a las condiciones de apoyo financiero, militar y diplomático en que se establecería la nueva corona, el ejército francés avanzaba, no sin grandes contratiempos, en la ocupación del territorio mexicano. La derrota de las tropas francesas comandadas por el general Lorencez a manos del general Ignacio Zaragoza el 5 de mayo de 1862 pudo haber enfriado el entusiasmo de Maximiliano, y lo mismo otros presagios adversos: Inglaterra negaba su apoyo a la aventura (Victoria prefería el vacante reino de Grecia para Maximiliano); el príncipe Metternich la desaconsejaba firmemente; Francisco José deseaba alejar a su liberal y crítico hermano, pero se declaraba incapacitado para apoyarlo con fuerzas militares y recursos financieros de verdadera significación; todos sus tíos en la nobleza europea expresaban su escepticismo y temor; «te asesinarán», le diría María Amelia, esposa de Luis Felipe de Orleans, abuela de Carlota; su suegro, el rey Leopoldo, no rechazaba la idea, pero lo urgía a obtener un «acuerdo vinculatorio» con Napoleón.

Muy pronto quedó claro que todo el proyecto pendía de un solo hilo: el apoyo de Napoleón. Maximiliano jugaba con la idea de ponerle condiciones: no sería «su único protector», no contaría con su «total sumisión». Lo cierto, sin embargo, es que deseaba hasta tal grado aquel trono salvador que enfiló su disposición anímica para escuchar sólo lo que conducía a ese fin y prestó oídos sordos a todo intento o dato que pudiera disuadirlo. Había que estrechar a toda costa el vínculo con Napoleón y creer que aquel remoto país en desgracia clamaba por su salvadora llegada:

«Los sentimientos de amistad que Vuestra Majestad me inspiró desde el momento en que tuve la dicha de verlo por primera vez», escribió en agosto de 1863 a Napoleón, «no desaparecerán nunca y seré feliz, *sire,* de podérselo demostrar si los sucesos se desarrollan de tal modo que usted permita a mi hermano, el emperador, y a mí, poder colaborar en la obra de la reconstrucción de México. La dificultad más seria que se opondrá a la realización de esta empresa procederá, a mi juicio, de Norteamérica, en donde, como se puede presumir por las últimas noticias, resurgirá probablemente la Unión, aquella Unión, tan ávida de engrandecimiento como hostil al principio monárquico del otro hemisferio. La ayuda armada de Francia será el baluarte más fuerte del nuevo imperio contra los ataques de ese enconado adversario que, sin duda, no puede esperar a verse consolidado en el interior para emprender el ataque e intentar derrocar el trono erigido a sus puertas».

No podía engañarse sobre la arriesgada geopolítica de su decisión: un país lejano, un océano de por medio, un vecino poderoso y acechante que saldría tarde o temprano de la guerra civil, la sumisión a un solo protector que podía no ser eterno y cuya posición en la inestable Europa podría vacilar. Y sin embargo, decidió creer que los hados lo favorecían. Y no sólo los hados, también los votos de los mexicanos humildes y los deseos de los mexicanos más influyentes. Una carta de Santa Anna a Gutiérrez de Estrada, escrita desde su reciente refugio en la isla caribeña de St. Thomas, calificaba de «candidato inmejorable» al archiduque y ofrecía desde luego sus servicios para trabajar «hasta la realización plena del negocio». La prédica machacante de Gutiérrez de Estrada le confirmaba a Maximiliano que «cada día su proyecto tenía más partidarios en México». Una dudosa «votación de notables» circunscrita a las ciudades de Veracruz y México llegó a sus manos rogándole que aceptase.

Su decisión –tomada de antemano, a pesar de su aparente vacilación, por su propia biografía– le trajo complicaciones a principios de 1864 a causa de la dureza de Francisco José: al aceptar el trono mexicano le exigía renunciar a todos sus derechos sucesorios. Pasaron semanas de una tensa y dolorosa correspondencia que implicó, además de a la familia, a otras casas reinantes. Había una especie de ominoso presagio en el apremio de Francisco José. Napoleón presionó a su vez: habían negociado el convenio que Maximiliano quería; a esas alturas, no podía desdecirse.

Desde el punto de vista de Napoleón, se había caminado un largo trecho. Y, en efecto, así ocurría: el gobierno de Juárez había abandonado la capital de México en mayo del año anterior y se había dirigido al norte. Un mes antes, tras 61 días de sitio a la ciudad de Puebla, el cuerpo principal del ejército juarista había sido derrotado y reducido a prisión: 20 generales (entre ellos Porfirio Díaz y Jesús González Ortega), 300 oficiales, 11.000 soldados. Los 30.000 soldados del ejército francés al mando del general Forey, habían ocupado la capital en junio. Se había integrado una regencia con los generales Salas y Almonte y el arzobispo Labastida. En julio, una asamblea de 215 notables había resuelto instaurar la monarquía y designado una comisión que, encabezada por el imprescindible Gutiérrez de Estrada, cumpliese *post mortem* los deseos de Alamán: «Perdidos somos sin remedio si la Europa no viene pronto a nuestro auxilio». En octubre, el eficiente general Aquiles Bazaine había reemplazado a Forey al mando de las fuerzas francesas. (Al volver Forey a París, Napoleón no permitió que hablara con Maximiliano y éste, increíblemente, no insistió en ver al único hombre que podía darle noticias frescas de México.) En octubre, la comisión se había entrevistado con Maximiliano. Entre noviembre y febrero, mientras en México los conservadores fabricaban listas de apoyo al emperador, el avance del ejército francés había sido incontenible: Morelia, Querétaro, Guanajuato, Guadalajara, Zacatecas. Corría el mes de marzo, y Maximiliano comprendió que era tarde para replegarse. La vacilación y la inseguridad formaban parte de su carácter, pero rechazar la oferta sería lo último que haría. México significaba la reivindicación de la triste experiencia en Lombardía-Véneto y, lo más importante, la cristalización de la vocación monárquica que el destino, en apariencia, le había negado. La existencia de la nación llamada México resolvía la tensión de una persona con derechos divinos sobre la tierra llamada Fernando Maximiliano y de su esposa Carlota, que a todo lo largo de las negociaciones había sido la más firme abogada de su aceptación. La corona de México no era, como la de Grecia, «una mercancía rechazada por media docena de príncipes». Era la promesa de un gran imperio. Con lágrimas, Maximiliano recibió en Miramar a su hermano, con lágrimas firmó la renuncia exigida y con lágrimas lo despidió. Por fin, el 10 de abril de 1864, los miembros de la comisión mexicana arribaban a Miramar con las firmas requeridas. Tras el ditirámbico discurso de Gutiérrez de Estrada sobre las raíces monárquicas y católicas de México que ahora Maximiliano vendría a vindicar, el futuro emperador leyó, con voz temblorosa y en español, su respuesta afirmativa: «con el voto de los notables de México» se podía considerar como elegido por el pueblo mexicano. Las garantías que siempre había considerado necesarias para el buen éxito de su misión existían también, gracias a la generosidad del emperador de los franceses. Por eso aceptaba la corona y trabajaría por la libertad, el orden, la grandeza y la independencia de México. Entretanto la bandera imperial mexicana ondeaba en aquel salón de Miramar, los miembros de la comisión gritaban sus consabidos ¡vivas! al emperador y la emperatriz. La emoción fue excesiva para la frágil constitución de Maximiliano: víctima de una crisis nerviosa, dejó que Carlota presidiera los festejos.

El Tratado de Miramar, firmado en esos mismos días, contenía una serie de estipulaciones relativas a los costos de los ejércitos de ocupación, las deudas, reclamaciones y obligaciones que asumiría el nuevo gobierno, los sueldos de la corte y otros renglones cuyo monto no guardaba la más remota proporción con el estado económico real del país. Habían sido establecidos sobre el papel, para un reino hipotético, poético. Esta circunstancia no pasó inadvertida a los sagaces miembros del gabinete de Juárez, que desde la ciudad de Monterrey en el norte seguían con detalle cada paso de la aventura. El análisis que en su *Revista Histórica* hizo entonces el ministro José María Iglesias, jurista de primera línea, fue tan cuidadoso como demoledor: «Por el examen que hemos hecho del inolvidable Tratado de Miramar, se tiene en perfecto conocimiento que sus estipulaciones son de realización imposible ... por un lado ha habido perfidia, por el otro imbecilidad».

*

El sueño romántico comenzó el 28 de mayo de 1864, día en que la fragata *Novara* atracó en el puerto de Veracruz. Extrañamente, en la ciudad que supuestamente había votado por el imperio faltaban los arcos triunfales y los vítores. La recepción, según una dama de la corte de Carlota, fue «glacial». La Emperatriz lloró, pero Maximiliano pronunció un discurso que desmentía a la realidad:

«Mexicanos, vosotros me habéis deseado; vuestra noble nación por una mayoría espontánea me ha designado para velar de hoy en adelante por vuestros destinos. Yo me entrego con alegría a ese llamamiento».

En el trayecto a la capital, algunas ciudades de provincia se mostrarían más calurosas: 770 arcos de ramas y flores cubrieron el trecho entre Puebla y la ciudad prehispánica de Cholula, para que los emperadores cruzaran por ellos. Por fin, luego de postrarse ante la imagen de la Virgen de Guadalupe, Carlota y Maximiliano hicieron su entrada triunfal en la ciudad de México. En Monterrey, Iglesias apuntaba: «El Imperio mexicano ha sido el resultado de un aborto. Enclenque, raquítico, destartalado, tendrá una vida enfermiza y una temprana muerte».

A los ocho días de su llegada, se instalaron en el castillo de Chapultepec, al que darían una fisonomía nueva evocadora de Miramar. Era ya, de suyo, una metáfora de Miramar: un castillo sobre un monte arbolado. Faltaban un lago interior (que se construiría), los mármoles y muebles que pronto llegarían, y el mar, pero lo suplía la extraordinaria vista del valle de México, con sus espejos de agua y sus canales, los múltiples campanarios del viejo centro colonial y de los pueblos circunvecinos y, sobre todo, los dos majestuosos volcanes. «Es el Schönbrun de México», alardeaba Maximiliano a su hermano menor, el archiduque Carlos Luis, recordando el lugar donde ambos habían nacido: «un encantador palacio de placer sobre una roca de basalto rodeado por los gigantescos y famosos árboles de Moctezuma, y desde el cual se ofrece una perspectiva de tal hermosura, que quizá sólo haya contemplado otra tan bella en Sorrento».

Muy pronto, en la vida cotidiana del emperador comenzó a operarse un proceso de mímesis: se vestía a la usanza de los «chinacos» mexicanos, los típicos liberales, con sombrero ancho, chaqueta corta, calzonera y pantalón abierto desde las rodillas con botonadura. Paseaba como cualquier paisano, a caballo y sin boato. Quería demostrar su mexicanidad y su liberalidad. El no venía como emperador de los conservadores sino de los mexicanos. Quería granjearse a los liberales porque él mismo era liberal y porque, como le había aconsejado su suegro Leopoldo: «los católicos *bon gré mal gré* tienen que serte adictos». Entonces dio en escribir cartas idílicas a amigos y familiares, cartas que convencieran a toda Europa —o al menos a Francisco José— de que México era un remanso de paz:

«En Chapultepec estamos solos y muy retirados y vivimos todavía más tranquila y sencillamente que en Miramar. Por lo demás también en la ciudad damos muy pocas comidas, comemos casi siempre solos y por la noche no vemos a nadie. Esto lo exige, gracias a Dios, el serio carácter de los mexicanos, una cualidad que me viene muy bien y que me deja mucho tiempo para el verdadero trabajo. Las llamadas diversiones europeas como *soirées,* chismorreo de té, etc., de horrible recuerdo, no se conocen aquí en absoluto y nos cuidaremos mucho de introducirlas. La única diversión del mexicano es pasearse en un excelente caballo por su hermosa campiña y, de vez en cuando, visitar los teatros; a esto último yo renuncio, naturalmente, también. En el gran teatro, uno de los más hermosos del mundo, hay ahora, por lo demás, una excelente compañía de ópera italiana. También se dan rara vez bailes y si tienen lugar algunos, son muy hermosos y animados, y entonces la sociedad elegante y rica de aquí baila con verdadera pasión un baile nacional que es lo más encantador que se puede ver y que la condesa Melanie Zichy, según ella dice, quiere introducir en Viena. Carlota tiene catorce damas de palacio, sin sueldo, que todas las semanas alternan en el servicio, pero a las que, por supuesto, casi nunca se ve».

A principios de agosto de 1864, mientras el ejército de ocupación avanzaba hacia el norte y el occidente, Maximiliano emprende su primer viaje al histórico Bajío: el granero de México, el escenario de la guerra de Independencia. Visitó Querétaro, Guanajuato, León («el Manchester de México») y Morelia («muy liberal y por eso tanto más digna de ser conocida»). En una comida, para perplejidad de sus contertulios, pidió que se cantara *Los cangrejos*. En el trayecto paró en la hacienda de Corralejo, lugar de nacimiento de Hidalgo, y ordenó *in situ* la edificación de un monumento que advirtiera «detente caminante, has llegado a...». El 16 de septiembre llegó a Dolores y a las once de la noche, desde la ventana del cura, pronunció un discurso. «Puedes imaginarte», le escribió a Carlos Luis, «cómo me embarazó esto ante una masa de gente apiñada y silenciosa. Gracias a Dios todo salió bien y el entusiasmo fue indescriptible.» Tiempo después, Maximiliano ordenaría que se pintasen cuadros con la efigie de los héroes de la Independencia para colgarse en palacio. Aquel 16 de septiembre, Juárez celebraba la Independencia en un rancho del estado de Coahuila, mientras se disponía a replegarse más al norte aún, a Chihuahua. «Las sentidas palabras del presidente», escribía Iglesias, «conmovieron a los concurrentes. Después del discurso, entonaron los soldados canciones patrióticas que alternaban con danzas populares.» El himno nacional, en esas voces, adquirió una nueva significación: no era la ópera de la guerra, era la guerra.

Además de mexicano, Maximiliano debía probar que era liberal y para hacerlo no había sino un camino: tomar distancia con respecto al Partido Conservador y a las exigencias del Vaticano. «Lo peor que he encontrado en este país lo forman tres clases: los funcionarios de justicia, los oficiales del ejército y la mayor parte del clero.» Para resolver lo primero ordenaría la redacción de códigos y la remoción de los ineptos. Con los segundos sería más drástico: enviaría a Miramón a Berlín a estudiar artillería, y a Márquez a... Jerusalén, a fundar un convento franciscano. En lugar de Almonte, el puesto clave de relaciones exteriores en su gabinete lo tendría el licenciado Fernando Ramírez, un liberal moderado. En cuanto al clero, había que ser aún más drásticos: «todo lo que se ha dicho sobre el clero y su avasalladora influencia es falso, la gente de sotana es mala y débil y la enorme mayoría del país es liberal y pide el progreso en el sentido más completo de la palabra». Nunca se le ocurrió sacar las conclusiones de esa convicción: si todo México era liberal, y el liberalismo encarnaba legalmente en Juárez, ¿cuál era el papel de Su Majestad?

Seguir soñando: firmar un concordato con el Vaticano sobre la base de una confirmación de las leyes de Reforma. El nuncio al que Maximiliano aguardaba con ansiedad llegó por fin, pero no tenía el «buen corazón cristiano ni la voluntad de hierro» que esperaba, o la tenía más bien para trasmitir el pesar de Pío IX sobre su iglesia «defraudada» y un repudio total a las ideas reformistas del desconcertante emperador. A las dos semanas del arribo del nuncio, en la navidad de 1864, Maximiliano rompía con él y confirmaba la libertad religiosa y la nacionalización de los bienes del clero decretada por Juárez en Veracruz. Las bulas y demás documentos provenientes de Roma debían pasar por el ministro de Justicia y Negocios Extranjeros. Entre el gabinete juarista, estas medidas provocaban alegría y sorna: significaban el «más espléndido triunfo» de las conquistas de la Reforma, mostraban la solidez de los principios adoptados y una «censurable ingratitud» del «llamado emperador» con «los autores de su elevación». A la luz del análisis frío de los factores internos y externos en juego, cada vez parecía más claro, escribía Iglesias, que Maximiliano acabaría por sucumbir: «desengañado y arrepentido, abdicará para retirarse a Miramar, o caerá con sus escasos partidarios, terminando así su gobierno efímero que hasta ahora sólo se ha hecho notable por su inacción». Cinco posibilidades, o su combinación, precipitarían la caída: un conflicto europeo que provocara una guerra en la que Francia tuviese que intervenir; la retirada del ejército francés por la imposibilidad del tesoro imperial de sostenerlo; la muerte de Napoleón III; la reivindicación de la doctrina Monroe por parte de los Estados Unidos y «la prolongación indefinida de la guerra que sostienen los mexicanos amantes de la independencia y de la República».

Maximiliano no entreveía un destino semejante. Por el contrario: soñaba en expandir el Imperio mexicano hacia el sur, a Centroamérica, para que abarcase los territorios que había comprendido durante el primer Imperio, el de Iturbide. Los avances del ejército francés en Nuevo León y Tamaulipas presagiaban en su mente el fin de Juárez. La desordenada Hacienda llegaría a estabilizarse. México no era un país invadido por un ejército, todo lo contrario, era lo que Maximiliano quería que fuese: «Vivo en un país libre, entre un pueblo libre», escribía a su hermano menor, exaltando siempre su circunstancia con respecto a la decadente que había dejado atrás:

> «Si México está atrasado en muchas cosas, si le falta bienestar y desarrollo material, en cambio, en las cuestiones sociales, más importantes a mi juicio, estamos más adelantados que Europa y, en particular, que Austria. Aquí entre nosotros reina una democracia sana, sin fantasías enfermizas al estilo de Europa...».

«Carlotita», como le decían las damas de la corte, recibía y organizaba bailes los lunes. Para ella, más que para Maximiliano, representaban una delicia los saraos en las terrazas de Chapultepec. En más de una ocasión, un cañonazo al pie de palacio interrumpió el festejo. Para Maximiliano aquellos estallidos no significaban nada. 1864 moría con los mejores presagios. En Chihuahua, donde el gobierno constitucional se había refugiado, Iglesias estaba de acuerdo: «1865 nace lleno de mil promesas halagüeñas ... un porvenir rico en esperanzas nos anuncia el desenlace feliz de la segunda guerra de nuestra Independencia».

*

Napoleón III advirtió muy pronto que se había involucrado en un mal negocio. Los resultados no cuadraban con las expectativas. El juarismo podía ser, como le decía Carlota a Eugenia, «la forma más horrible de la demagogia», pero el hecho es que la pacificación no se completaba. Cierto que en febrero Bazaine había logrado la rendición de Porfirio Díaz en Oaxaca y capturado 4.000 hombres y 60 cañones, pero a un costo inmenso. En regiones aparentemente pacificadas, la lucha recomenzaba en la forma que había imaginado Ocampo para 1847: con la guerra de guerrillas. El 1 de enero, en un «manifiesto a la nación», Juárez había advertido que ese costoso y caótico ir y venir de los 27.000 franceses y sus aliados sólo acercaba el día del triunfo. Por lo demás, en el campo juarista (siempre bien informado por la prensa y por el acucioso representante en Washington, el oaxaqueño Matías Romero), desde hacía semanas se esperaba el gran acontecimiento: la derrota definitiva del general confederado Lee en Richmond. A principios de abril de 1865, la Unión había triunfado.

Como lo había previsto Iglesias, ése sería, a la postre, un factor fundamental en el repliegue francés. Napoleón, cada vez más desilusionado con las noticias financieras del Imperio, empezó a considerar un desembarazo parcial en la aventura. Por su parte, Maximiliano se inquietaba poco: con persuasión y buena fe, el Imperio lograría granjearse las simpatías del sucesor de Lincoln. Había, además, asuntos internos de suprema urgencia: decretar la nueva subdivisión del país en departamentos, planear el estudio de letras clásicas y filosofía, crear proyectos de colonización y, sobre todo, atender a sus verdaderos partidarios:

«los mejores son y siguen siendo siempre los indios; para ellos he promulgado ahora una nueva ley que crea un consejo que deba ocuparse de ayudarlos atendiendo a sus deseos, quejas y necesidades».

«Los indios», observaba un viajero de la época, «manifestaban al emperador en todas partes un fanático entusiasmo.» Tenían razón. Por primera vez, desde los remotos tiempos de los emperadores Austrias, los pueblos y las comunidades contaban con el oído de la autoridad para plantearle sus problemas en sus términos, no los del derecho romano de propiedad, sino los del derecho divino que sentían tener sobre sus tierras. En la zona de haciendas azucareras cercanas a las ciudades de Cuernavaca y Cuautla, habían ocurrido años atrás matanzas de hacendados y administradores españoles no vistas desde los días de la Independencia. Maximiliano conoció esas tensiones e intentó resolverlas. Sabía que algunos de esos pueblos guardaban títulos de propiedad emitidos por los primeros virreyes de la Nueva España en representación de la Corona española, además de testimonios y mapas con deslindes precisos que las haciendas habían atropellado. Con el tiempo, aquel consejo integrado por Maximiliano emitiría dos decretos notables: uno reconocería la personalidad jurídica de los pueblos para defender sus intereses y exigir a los particulares la devolución de sus tierras y aguas; otro ordenaba la restitución de tierras a sus legítimos dueños, además de la dotación a los pueblos que la necesitaran. No lo impulsaba un motivo socialista, más bien lo movía el viejo espíritu paternal de sus antepasados.

Lo más extraño de todo es que Maximiliano sabía que su situación militar se deterioraba tan rápido como sus finanzas. Las guerrillas y contingentes juaristas renacían en Michoacán, Jalisco, Sinaloa, Nuevo León. Ninguna conquista duraba. La suya era una ceguera parcial. Sus reclamos y cartas al respecto no eran los textos de un iluso o un tonto. Tiene datos concretos y fidedignos sobre su posición en el tablero, pero los ve de reojo o no parece extraer de ellos las conclusiones lógicas. Los ve para imaginar de inmediato la providencial solución que revirtiera el estado de cosas: sustituir a Bazaine, tomar él mismo las riendas de la Hacienda. Pero sobre todo, había que seguir el libreto. Pensar en la sucesión, por ejemplo. Su esterilidad lo forzaba a tomar decisiones imprevistas, y así, discurrió la idea de ungir heredero al trono a un pequeño nieto de Agustín de Iturbide. El hecho de que la madre del niño, norteamericana, se negara a abandonar a su hijo importaba poco: se le envió a París. El futuro Agustín II viviría en palacio. En Chihuahua, Iglesias se burlaba de aquel vínculo con el «desventurado héroe de Iguala»:

«El hecho en sí es en alto grado insignificante. El usurpador puede crear cuantos príncipes, duques, condes y marqueses tenga por conveniente, puesto que hay la seguridad de que esos títulos rimbombantes sólo servirán para poner cada vez más en ridículo a la improvisada nobleza que así se establezca, a la que la falta de todos los antecedentes de las europeas impedirá que llegue a constituir un verdadero cuerpo aristocrático, y para la que vendrá bien pronto el desengaño de que no ha servido sino para representar un papel absurdo en la farsa imperial».

Mientras la realidad externa e interna, como admirablemente había previsto Iglesias, se volvía contra él, Maximiliano acentuó el aliento romántico de su empresa. A fines de agosto escribía a su suegro, el rey Leopoldo, una carta en la que por primera vez entrevé la posibilidad de su fracaso, pero la envuelve en un halo de honor que sus hermanos —siempre sus hermanos— debían envidiar:

«Me gusta el trabajo duro, pero me gusta también que sea reconocido, quiero ver resultados y esto faltaba por completo al otro lado del océano, en tanto que aquí los veo en medida creciente. Mis últimas excursiones y la fiesta de nuestro gran día nacional (16 de septiembre) me han proporcionado en este sentido verdadero consuelo. Por eso no me entrego a ninguna ilusión, el nuevo edificio en el cual trabajamos puede derrumbarse con las tormentas, yo puedo perecer bajo él, pero nadie me puede privar de la conciencia de haber colaborado con buena voluntad a una idea noble y esto es siempre mejor y más consolador que pudrirse en la vieja Europa sin hacer nada».

Llegó el 16 de septiembre. Lo fundamental seguía allí: su vínculo con Napoleón —más allá de las mil reconvenciones, críticas, consejos y veladas advertencias que recibía de éste— y su sincero deseo de dar felicidad al pueblo que, como al pequeño Agustín, había adoptado. En su discurso, Maximiliano habla ya como un patriota mexicano, como los patriotas mexicanos que luchaban contra él:

«Mi corazón, mi alma, mi trabajo, todos mis leales esfuerzos son para ustedes y para nuestra querida patria. Ningún poder en el mundo podrá desviarme del cumplimiento de mi misión; toda mi sangre es ahora mexicana y si Dios permitiese que nuevos peligros amenazasen a nuestra querida patria, me veréis luchar en vuestras líneas por vuestra independencia e integridad».

En opinión de Iglesias, Maximiliano hacía un uso ilegítimo de la independencia: «mal sienta al que se ha ofrecido de instrumento para venir a destruirla, aparecer como panegirista de ella». Reprobaba también la reciente develación de una estatua de Morelos en la plaza de Guardiola. Sus elogios a Morelos «son un contrasentido en su boca».

Al mes siguiente, un durísimo decreto sugerido por Bazaine desmiente las lisonjeras promesas del emperador: todo aquel que «perteneciese a bandas armadas» sería ejecutado en consejo de guerra. Equivalía a otorgar a Bazaine facultades discrecionales sobre la vida y la muerte de la población civil. Bazaine —que para entonces se había casado con una joven y guapa mexicana y a ese idilio dedicaba sus crecientes ocios— las usó para fusilar con liberalidad. La medida no disuadió a los juaristas, pero Maximiliano pensó que había que paliarla con la clemencia. Después de todo, a su parecer, estaban casi vencidos. ¿No se había retirado ya Juárez del territorio nacional? ¿No había cruzado ya la frontera en Paso del Norte? La causa que «con tanto valor sostuvo don Benito Juárez ha sucumbido no sólo a la voluntad nacional sino ante la ley que este mismo caudillo invocaba en apoyo de sus títulos». Entonces su sueño entró en una nueva región de fantasía: llamó a Juárez para «venir y ayudarme fiel y sinceramente». Niox, capitán del estado mayor del ejército francés, escribiría:

«La preocupación constante del emperador Maximiliano ... era atraer a su lado a los disidentes liberales, a Juárez mismo si era posible. Viviendo de ilusiones, no desesperaba de llegar a este resultado, y se inclinaba más y más hacia el partido que la intervención francesa había combatido en México, mientras se alejaba de sus primeros y más fieles partidarios».

A juicio de Maximiliano, Juárez estaba arrinconado. Al volver a ampliar su periodo presidencial el 1 de diciembre de 1865 se había distanciado de muchos de sus partidarios y colaboradores. Su estancia en Chihuahua había sido efímera. De nuevo vivía en Paso del Norte. Si la República era él, la República tenía un palmo de territorio. Había que tenderle la mano, ofrecerle la presidencia del Tribunal Supremo. De pronto, llegaron tristes noticias de Bélgica: había muerto el rey Leopoldo. Su última carta decía: «en América hace falta el éxito, todo lo demás es pura poesía y pérdida de dinero».

*

Febrero de 1866. Maximiliano pasa largas semanas en su lugar de descanso favorito: Cuernavaca. Se había enamorado de «la india boni-

Carlota, 1866

ta», una mujer de apellido Sedano. Pero en esta ocasión venía con Carlota –que le narraba su ascenso a la Pirámide del Adivino en su reciente viaje a Uxmal, la zona maya en Yucán– y con el pequeño Agustín. Se hospedaba en una espaciosa quinta, en medio de un jardín frondoso, frente a uno de los paisajes de mayor belleza que «había visto en la tierra»:

«Figúrese usted», describía el lugar a su vieja amiga la baronesa Binzer, «la divina llanura de un ancho valle que se extiende ante usted como un manto de oro, a su alrededor varias filas de montañas que se sobreponen unas a otras en las formas más atrevidas, matizadas con las tintas más maravillosas, desde el más puro rosado, desde el púrpura y el violeta hasta el más oscuro azul celeste, las unas quebradas e intrincadas se elevan roca sobre roca y se parecen a las costas de Sicilia, las otras se alzan cubiertas de bosque como las verdes montañas de Suiza, y detrás de todo eso, destacando en el azul oscuro del cielo, los gigantescos volcanes con sus cumbres cubiertas de nieve. En el manto de oro imagine usted en todas las estaciones del año o, mejor dicho, durante todo el año, pues aquí no hay estaciones, una abundancia de vegetación tropical con su embriagador aroma, con sus dulces frutos y añada a esto un clima tan benigno como el mayo italiano y unos habitantes hermosos, de carácter amable y honrado».

Entre las innumerables fuentes, los «mangos seculares», las «espesas copas de naranjos», en «nuestras cómodas hamacas», mientras «pintados pajarillos nos cantan canciones, nos mecemos en nuestros sueños». El mayor de ellos era el de creerse adoptados por la tierra mexicana. De las dos palabras «Imperio mexicano», Carlota pensaba en la primera, Maximiliano en la segunda. «La vida en México vale la pena de luchar ... el país y el pueblo son mucho mejor que su fama», escribió a un conde amigo suyo, «y usted se admiraría de lo bien que vivimos entre este pueblo la emperatriz y yo, ya del todo mexicanizados.» Meciéndose en las cómodas hamacas de la vieja casona colonial del minero Borda, soñaban sueños distintos: ella un sueño de poder, Maximiliano un sueño de amor por la tierra que habían adoptado.

*

Al paraíso llegaron noticias infernales. El 15 de enero, Napoleón había resuelto el retiro de sus fuerzas de México. La evacuación debía completarse en un año. Las circunstancias internacionales lo exigían así:

la presión norteamericana, la amenaza de Prusia, la opinión pública en Francia, el despilfarro financiero del Imperio. Ante el golpe, Maximiliano vacila. ¿Apoyarse en Inglaterra? ¿Abdicar? Es el momento en que cobra relevancia Carlota. Ella iría a Europa y persuadiría de nueva cuenta a Eugenia, a Napoleón, hablaría con el Papa. Max seguiría atendiendo a los negocios del Imperio, promulgaría el Código Civil. Antes de partir, Carlota le escribiría reflexiones que dibujan con claridad su temple, tan distinto del de su esposo. Toda la experiencia de los reyes europeos, todas las enseñanzas de su propia estirpe —que Carlota sabía de memoria— apuntaban a una lección: abdicar, nunca. Su abuelo, Luis Felipe, había querido «evitar el derramamiento de sangre, fue indirectamente responsable de la sangre que se derramó en Francia»:

«Pues bien, ahora digo yo: Emperador, ¡no se entregue usted prisionero! En tanto que haya aquí un emperador, habrá un Imperio, incluso aunque sólo le pertenezcan seis pies de tierra. El Imperio no es otra cosa que un emperador. Que no tenga dinero no es una objeción suficiente, se obtiene crédito, éste se obtiene con el éxito y el éxito se conquista. Y si no se tuviese crédito ni dinero, se podría obtenerlos porque se respira y no se debe desesperar de uno mismo. Decir de una cosa que se ha emprendido y que se ha considerado posible que, finalmente, se la ha encontrado imposible nadie lo creerá. Añadir que no se retira porque se podía hacer la felicidad de una nación y que se tiene conciencia de lo contrario, significa darse a sí mismo una bofetada; además es una mentira cuando, en realidad, se es para esta nación la única áncora de salvación. Resultado: el Imperio es el único medio de salvar a México; debe hacerse todo para salvarlo porque uno se ha obligado a ello por juramento y palabra, y ninguna imposibilidad lo desliga de ese juramento. Como la empresa sigue siendo realizable el Imperio debe ser conservado y si es necesario defendido contra todo aquel que lo ataque. La expresión "demasiado tarde" no se puede aplicar aquí, pero sí la de "demasiado temprano"».

Como nunca antes, en estas palabras de Carlota se revelaba el sentido histórico de la aventura mexicana. La biografía del poder a la que pertenecían Maximiliano y Carlota no era la biografía del poder mexicana, sino la antiquísima biografía de las coronas europeas que a mediados del siglo XIX entraban en una lenta pero irreversible declinación. Una a una se desvanecerían las dinastías, surgirían en Italia y Alemania los estados nacionales y las repúblicas en Francia y España. Austria-Hungría e Inglaterra serían islas en las que la aristocracia resistiría. La primera, amenazada desde dentro por la disgregación; la segunda, segura en su antiquísimo sistema parlamentario. En ese cuadro de decadencia, los príncipes sin trono padecían más que nadie el apremio de la historia: llamados a reinar en un tiempo democrático y republicano que les volteaba la espalda, se sentían figuras vivientes de un museo de cera. Por eso Carlota se negaba con furia a la abdicación: la vivía como la derrota y la deshonra de su dinastía.

Pero ¿qué tenía que ver México con este drama específicamente europeo? Los problemas mexicanos eran otros, sobre todo la difícil integración de un estado político y de un mercado económico, la construcción de una nación a partir de una somnolienta colonia y un pasado reciente de caos, penuria y desintegración. ¿Por qué tenía que pagar México el segundo embarazo de la archiduquesa Sofía, madre de Francisco José y Maximiliano? Carlota nunca se hizo esas preguntas. A fines de 1865 había criticado a Juárez por reelegirse *in saecula saeculorum* pero no veía la irregularidad de su propia posición. Tampoco Maximiliano. Es extraño que no pusiesen en duda la *legitimidad* de su misión. Finalmente, en julio de 1866, Carlota viajó a Veracruz y se embarcó a Europa. En los campamentos liberales la noticia corrió como un reguero de pólvora, acompañada de una canción escrita por Vicente Riva Palacio:

Alegre el marinero
con voz pausada canta
y el ancla ya levanta
con extraño fulgor,
la nave va, en los mares,
botando cual pelota,
adiós, mamá Carlota,
adiós, mi tierno amor.

De la remota playa
se mira con tristeza,
la estúpida nobleza
del mocho y del traidor,
en lo hondo de su pecho
presiente su derrota,
adiós, mamá Carlota,
adiós, mi tierno amor.

Acábanse en palacio
tertulias, juegos, bailes,

agítanse los frailes
en fuerza de dolor,
la chusma de las cruces
gritando se alborota,
adiós, mamá Carlota,
adiós, mi tierno amor.

Murmuran tiernamente
los tristes chambelanes,
lloran los capellanes
y las damas de honor,
el triste Chucho Hermosa
canta con lira rota,
adiós, mamá Carlota,
adiós, mi tierno amor.

En tanto los chinacos
que ya cantan victoria,
guardando en su memoria
ni miedo ni rencor,
gritan mientras el viento
la embarcación azota,
adiós, mamá Carlota,
adiós, mi tierno amor.

«Supongo que estará muy triste», escribió irónicamente Juárez a un gobernador leal, «por la retirada de mamá Carlota ... Esta retirada precipitada de la llamada emperatriz es un síntoma evidente de la disolución del trono de Maximiliano.»

*

Mientras la nave de Carlota iba por los mares y el ejército francés hacía maletas para seguirla, las tropas juaristas tomaban un impulso que ya no perderían. Mariano Escobedo y varios jefes liberales avanzan desde el norte, Porfirio Díaz desde Oaxaca en el sur, Ramón Corona en el occidente, Régules y Riva Palacio en Michoacán. A sus treinta y cinco años, en promedio, casi todos son veteranos de la Reforma. Ahora ven cerca la victoria. Sienten que será suya: de la espada, no de la pluma.

En Europa, Carlota se entrevista con Napoleón, vuelve a Italia y a Miramar. En Napoleón ve a Mefistófeles: con evasivas ha determinado no enviar «ni un hombre ni un centavo más», ha faltado a su promesa, ha deshonrado a Francia, los ha abandonado. Por las noches, Carlota lee el Apocalipsis de San Juan. El 9 de septiembre escribe a su «tesoro entrañablemente amado» una carta delirante, memorable, una carta que ya sólo habla del luminoso futuro del Imperio mexicano pero que en realidad pertenece a la historia crepuscular de los imperios europeos. Con ella, Carlota dejaba a Max un perentorio consejo final, una pauta de honor:

«Considero», escribió al Emperador, «la cesación de la directa tutela [de Francia] como una gran suerte, tan grande que puede compensar la falta de ayuda material y de dinero. México es aliado *[sic]* de Francia y cuanto peor se porte el gobierno tanto más se interesará la nación que se ha opuesto a la idea de la violencia y que tiene el mayor interés en el éxito de su comercio ahí. Sé de buena fuente que también los Estados Unidos te reconocerán en cuanto vean que eres el soberano independiente de México, pues la doctrina de Monroe no se opone a los imperios. Tan pronto como el partido liberal de México vea que tú te quedas en el país se someterá a ti en bloque y entonces cesará todo motivo para que los Estados Unidos y Europa desconfíen de una monarquía fundada en la voluntad del pueblo. La nación mexicana cesa de existir en el momento en que tú la abandones y no se pueda gobernar ya independientemente. Juárez representaba a la nación hasta tu llegada, desde aquel tiempo eres tú el defensor de la independencia y de la autonomía de todos los mexicanos, pues sólo tú reúnes en tu mano los tres colores de los partidos de que está formado el pueblo: blanco el clero, como príncipe católico, verde los conservadores y rojo los liberales. Nadie, excepto tú, puede unir estos elementos y gobernar, y su sentido es todavía, como en los días de Iguala, única y exclusivamente la independencia de los mexicanos. Los liberales han visto ahora lo suficiente de ti, deben reconocer, con su sometimiento, la voluntad nacional que se manifestó con tu elección, pues hace tiempo que eres un príncipe elegido legítimamente. No se debe poner en duda el pasado con una nueva elección. No es necesario; por medio de los conservadores debes someter a todos los demás partidos. Es tu derecho y tu deber. Con la nación salvas también a los liberales, ellos te deben estar agradecidos. Como individuos hace tiempo que te aman, como partido deben ceder y cesar de existir. A ti ... [te pertenece] la bandera, eres la nación. "El soberano", como decía Juárez. Hay que decir, pues, con toda claridad a todos: yo soy el emperador, nadie necesita un presidente, un hijo de emperador no se llama presidente e introducir en forma moderna la monarquía con todo el respeto que le es debido. Ante ti debe inclinar la cabeza, pues la república es *une marâtre comme le protestantisme* y la monarquía es la salvación de la humanidad, el monarca es el buen pastor, el presidente el *mercenaire,* con esto está dicho todo. Tan pronto como esté resuelta la tarea de unir a los mexicanos en todas partes, tropas se necesitan pocas cuando cese la rebelión y tú estés entonces ante el mundo apoyado en tu pueblo ... Los restos de los "chinacos" se podrían emplear, como en Italia los garibaldinos, para una especie de milicia o de vanguardia de la nacionalidad contra ataques enemigos, sólo ocupándolos en algo desaparecerán. Yo no hablo aquí de los bandidos, sino de los defensores de la idea que toma cuerpo en la exclusión de los extranjeros. En Italia estas gentes son mantenidas por el gobierno dentro de ciertos límites y empleadas para fines italianos, son una fuerza de la nación. Hay que aprovechar los elementos que se tengan, pero en este caso estaría bien que los franceses empezasen pronto a evacuar. Si tiene éxito todo esto, como lo debe tener, la emigración afluirá de América y de Europa y *tú tienes el más hermoso imperio del mundo, pues México debe heredar y heredará, en mayor medida, el poderío de Francia.* Pero esto sólo sucederá consolidando el imperio con mexicanos. *Durante años enteros Europa estará en convulsiones, Austria perderá todos sus países.* Las dinastías de Prusia y Portugal robarán países, tú no puedes estar a la cabeza de ninguno de estos procesos de unión, que si, finalmente, favorecen a los pueblos, son indignos para sus autores. Y ninguna de esas naciones, Alemania y Constantinopla, ni Italia ni España serán lo que México llegará a ser si tú solo trabajas por tu imperio».

Días mas tarde, Carlota enloquecía en el Vaticano. *In articulo mortis,* se despide de Maximiliano. Moría y no moría. Hay quien asegura que por ese tiempo Carlota dio a luz al hijo que concibió con Alfred Van der Smissen, jefe de la expedición belga en México. Este hijo sería el gran mariscal francés Máximo Weygand. A su internación en un manicomio austriaco seguiría la reclusión en un castillo de su natal Bélgica. Moriría décadas más tarde, en 1927, después de Juárez, Max, Porfirio, Francisco José, Pío IX, Eugenia, Napoleón, Bazaine y todos los personajes de su tragedia. Pero ella no lo sabría. Seguía hablando del Imperio mexicano con el muñeco de trapo al que le decía Max o con el corazón de Max que atesoraba junto a ella.

*

Enfermo, desamparado, Maximiliano se dispone a abdicar. Viaja a Orizaba. Sabe ya de la locura de su mujer. ¿Quién lo aconsejaría ahora? Nadie, todos. Ha accedido a que el pequeño Iturbide vuelva con su madre. Ha anulado la ley del 3 de octubre. «Salgan, salgan de ese país», le aconseja un fiel amigo, Herzfeld, desde La Habana, «que dentro de algunas semanas será el teatro de la más sangrienta de las guerras civiles.» Pero para entonces Maximiliano ha vacilado de nuevo. No se iría sin dejar el país en orden y paz. Los caudillos conservadores que han vuelto, Miramón y Márquez, terminan por persuadirlo. El bravo cacique de los indios de San Luis Potosí, Tomás Mejía, seguía a su emperador. Con él levantarían ejércitos, revertirían el destino. Maximiliano vuelve a la capital: ahora es el último caudillo del último *encore* de un drama concluido: el de la Reforma.

El 5 de febrero, el día del décimo aniversario de la Constitución de 1857, salen de México los últimos soldados franceses. Desde Puebla, Bazaine pide a Maximiliano que lo acompañe. El emperador se niega. Pesa en su ánimo una carta de su madre en la que ésta aprobaba *«enteramente»* la decisión de Maximiliano de quedarse, pues así evitaba la *«apariencia»* de haber sido expulsado:

«Los ojos se me llenaron de lágrimas. El emperador lo notó y creo que adivinó la causa ... *Y a pesar de todo debo desear ahora que permanezcas en México todo el tiempo posible y que puedas hacerlo con honor»*.

El fin de Maximiliano tuvo todos los elementos de la tragedia. «Ahora soy general», escribía, como siempre, a sus amigos en Europa, «en servicio activo y en el campamento, con botas altas, espuelas y sombrero ancho. No conservo de mis arreos de almirante sino el anteojo, el cual no me abandona nunca.» Tenía accesos casi infantiles de esperanza, se refería con respeto «al valor y la virilidad del jefe de los liberales», había encontrado una salida honrosa a su drama personal. Por decisión colectiva de un consejo de Estado integrado por cinco letras «M» (Miramón, Mejía, Méndez, Márquez y el propio Maximiliano), las fuerzas conservadoras se replegaron a la ciudad de Querétaro, que por 70 días fue sitiada. Las fuerzas de refresco que en un momento había prometido Márquez, vencidas por el general Porfirio Díaz en Puebla, no llegarían nunca por ello y por el cálculo egoísta de Márquez, quien moriría en su cama... en 1913, casi 50 años después que sus compañeros. Hasta ese momento, Maximiliano se había dejado llevar por alegrías pasajeras y aparentes victorias, pero la inacción de Márquez lo quebró. Entonces busca desesperadamente el encuentro de «la bala salvadora». La defección de un coronel López, a quien había hecho «compadre», precipita su captura. La traición le duele menos que escuchar a lo lejos, en los campos liberales, *Adiós, mamá Carlota*. Mariano Escobedo recibe su espada: ofrece su sangre para no derramar más sangre.

Desde San Luis Potosí, Juárez ordena un proceso militar contra Miramón, Mejía y Maximiliano. (Méndez había sido muerto.) Todos los reos cuentan con abogados de primera línea, abogados liberales. Maximiliano no acude al juicio. Le niega jurisdicción. En un momento consideró la fuga: regresaría a Miramar, escribiría la historia de su reinado. Pero luego pensaba en Mejía, en Miramón, en el ultraje al honor que cometería y hasta en la simple y llana imposibilidad de ocultarse: ¿quién en México no reconocería sus doradas barbas? Prefiere escribir varias cartas y telegramas a Juárez:

«os conjuro de la manera más solemne, y con la sinceridad propia del momento en que me hallo, a que mi sangre sea la última que se derrame; así como también, a que consagréis aquella perseverancia que condujo vuestra causa a la victoria ... al noble fin de conciliar los ánimos, y de procurar una vez a este desgraciado país la paz y la tranquilidad fundadas sobre bases firmes y estables».

Su desprendimiento era sincero, pero confiaba aún en la clemencia de Juárez. A ella apelarían gobiernos europeos, el representante norteamericano y hasta el propio campeón del liberalismo italiano: Garibaldi. No faltó la seductora princesa que se echara a sus pies. Tampoco la súplica de la mujer de Miramón: «le toqué el corazón como padre y como esposo ... nada movió aquel empedernido corazón, nada llegó a enternecer a aquella alma fría y vengativa». «No soy yo quien los condena», dijo siempre, «es la ley, es el pueblo.» Maximiliano se resigna. No ve su responsabilidad en las querellas del «desgraciado país». Sus buenas intenciones lo ponen, como infante mimado de la historia, por encima de las responsabilidades. Escribe cartas de despedida. Arregla aún los mínimos detalles. A su médico de cabecera le ha comentado: «Estoy contento: Altamirano me ha dicho que el gobierno liberal dejará vigentes algunas de mis leyes». Un extraño aplazamiento de la orden revive exiguas esperanzas por tres días. Finalmente, el 19 de junio de 1867, en el Cerro de las Campanas que mira a la ciudad de Querétaro, el emperador de treinta y cinco años alcanzó la más mexicana de las muertes: cayó ante un pelotón de fusilamiento.

Mientras en Miramar Carlota hablaba sin cesar del «soberano del universo», la carroza negra de Juárez llegaba a Querétaro. Se dice que

Juárez bajó a los sótanos del convento de las Cruces donde yacía el cadáver de su enemigo y comentó: «Tenía cortas las piernas».

*

La tragedia de Carlota y Maximiliano alimentaría la imaginación literaria de varias generaciones de dramaturgos, novelistas, poetas y cineastas en Europa y América. Un contemporáneo, Franz Werfel, escribiría una pieza teatral; el cine de Hollywood le dedicaría una película; Malcolm Lowry conjuraría a los espíritus de Carlota y Maximiliano en su maravillosa novela, *Bajo el volcán,* escrita en el mismo paraíso de Cuernavaca donde, meciéndose en su hamaca, el emperador tejía sus sueños. Paradójicamente, ambos lograron al morir lo que tanto desearon en vida: hacerse mexicanos. En ningún lugar como en México persistiría el mito de la desdichada pareja imperial. Y el halo casi onírico de su leyenda los ligaría, en la frágil memoria occidental, a la historia mexicana, dándoles un sitio y un recuerdo que muchos de sus contemporáneos europeos —príncipes, duques, archiduques y emperadores— no tendrían.

Dictador democrático

El 15 de julio de 1867, después de cuatro años de peregrinaje con la República a cuestas, Juárez entró en la capital. Semanas antes había sido ocupada por las fuerzas del brillante general oaxaqueño de treinta y siete años y 37 batallas en su haber: «nuestro Porfirio», como Juárez le decía. Aunque los capitalinos vitorearon al presidente igual que habían vitoreado a Maximiliano o a Santa Anna, esta vez flotaba en el aire la convicción de que el país había entrado de verdad en una nueva etapa histórica: en su «segunda Independencia». La querella ideológica y militar en torno a los dos proyectos de nación que Mora y Alamán habían anunciado se terminaba para siempre. Al agotarse tras la derrota militar su última opción histórica —la importación de un monarca europeo— el Partido Conservador de los Alamán y los Miramón y del «cura» de Maravatío (centralistas, militaristas, clericales, proeuropeos, intolerantes), desaparecería del escenario nacional para no regresar a él nunca más, por lo menos abiertamente. El Partido Liberal quedaba solo para consolidar a la nación sobre las bases consagradas en la Constitución de 1857 y las Leyes de Reforma. La progenie de Mora y Gómez Farías había triunfado.

La dureza vengativa de los liberales en 1861 parecía presagiar actos terribles contra los muchos colaboradores del Imperio. En algunas ciudades del interior se «ajustició» —es decir, se fusiló— a varios antiguos prefectos. Pero el sentido de la nueva etapa era otro. Juárez lo resumió a su llegada a México en un memorable manifiesto:

«No ha querido ni ha debido antes el gobierno, y menos debiera en la hora del triunfo completo de la República, dejarse inspirar por ningún sentimiento de pasión contra los que lo han combatido ... Encaminemos ahora todos nuestros esfuerzos a obtener y consolidar los beneficios de la paz ... Que el pueblo y el gobierno respeten los derechos de todos pues entre los individuos, como entre las naciones, el respeto al derecho ajeno es la paz».

Frente al aura romántica de la pareja imperial y su trágico fin, la victoria de Juárez parece pálida, desangelada, casi injusta. Lo injusto es equiparar románticamente ambas historias. Más allá de la pureza de Maximiliano, su aventura mexicana tenía aún menos justificación que su gobierno en Lombardía-Véneto. México había sido sólo un pretexto para resolver su circunstancia familiar: por eso nunca advirtió el obvio contrasentido de su posición (liberal en un país que ya gobernaban liberales) ni pudo encarar el engaño del que había sido objeto por parte de los viejos monarquistas mexicanos. No pudo, porque él era el primer cómplice de ese engaño. Encarar los hechos lo hubiese conducido, como a Carlota, a la locura delirante: si la realidad me grita «no eres, nunca has sido el soberano de México», yo le respondo «soy el soberano del mundo». Era mejor caminar por otra senda de locura: seguir engañándose, seguir negando las evidencias, aceptar los llamados al honor que le hacían sus familiares, su propia madre, desde Viena. Era mejor morir.

Juárez simbolizó lo contrario: el principio de realidad. Para él y para México, era mejor vivir. En su fuero interno sabía —y por saberlo, no tenía que formularlo incesantemente— que el país estaba cansado de *representar* obras y papeles, de cantar himnos de guerra y victoria en medio de las más humillantes derrotas, de ostentar en sus capitales un boato cortesano mientras que las grandes mayorías seguían sumidas en una «estúpida pobreza». «Hijo del pueblo», como se refería a sí mismo a menudo, nunca olvidó su promesa en Oaxaca:

> «yo no lo olvidaré; por el contrario, sostendré sus derechos, cuidaré de que se le ilustre, se engrandezca y se cree su porvenir y que abandone la carrera de desorden, de los vicios y de la miseria, a que lo han conducido los hombres que sólo con sus palabras se dicen sus amigos y libertadores pero que con sus hechos son sus más crueles tiranos».

Juárez era un hombre de palabra pero no de palabras. El narcisismo imperial de las cortes europeas compensaba su decadencia con un océano verbal. El propio Maximiliano ejerció, en sus innumerables cartas, decretos y leyes, una suerte de imperio literario. En su exilio, Juárez escribió también, aunque en su caso se trataba de cartas de orden práctico a sus representantes diplomáticos, gobernadores, jefes militares. Cuestiones de armas, de aliento, de reconvención, de amenaza, de información útil, de política, no de literatura. No estaba enamorado de su papel. No representaba un papel. No se sentía una especie de Napoleón,

Benito Juárez, ca. 1867

un «Napoleón del Oeste» como Santa Anna, ni un nuevo y benévolo Carlos V como Maximiliano. Era el presidente de una república ocupada por un ejército extranjero.

*

Bulnes diría que Juárez no tenía más lenguaje que el oficial: severo, sobrio, irreprochable. Se equivocaba: Juárez era un hombre público con una intimidad profunda y tierna. A principio de 1865, mientras vivía en Chihuahua, Margarita (su mujer), sus tres hijas (Manuela, Felícitas, María de Jesús), su yerno (Pedro Santacilia) y sus tres hijos (Benito, su consentido Pepe y el recién nacido que no conocía, Antonio) se establecían en los suburbios de Nueva York. Por largas, desesperantes temporadas, no supo de su suerte. Al saberlos sanos y seguros, les escribía con frecuencia dándoles consejos de toda índole sobre la vida cotidiana. Por ejemplo, había que tener cuidado con los calentadores, no abusar de ese moderno invento:

«Yo creo que el frío, así como el calor, aunque mortificantes, son una necesidad que las leyes de la naturaleza han establecido para conservar y vigorizar al hombre, a las plantas y a los animales, y es necesario no contrariar esas leyes si no se quiere llevar en el pecado la penitencia».

Después de la salud y el mínimo bienestar material de su familia (era escrupuloso en su papel provisor), le preocupaba la educación de sus hijos. Luego de alentar a «su querido Santa» con «el triunfo de nuestras armas en Sinaloa contra franceses y traidores» y alegrarse de que «el espíritu público comienza a reanimarse» (todo esto escrito en enero de 1865, en el momento de mayor postración de la causa republicana) le señalaba pautas de formación para sus ovejas personales:

«Supongo que Pepe y Beno están yendo a la Escuela. Suplico a usted no los ponga bajo la dirección de ningún Jesuita ni de ningún secretario de alguna religión; que aprendan a filosofar, esto es, que aprendan a investigar el por qué o la razón de las cosas para que en su tránsito por este mundo tengan por guía la verdad y no los errores y preocupaciones que hacen infelices y degradados a los hombres y a los pueblos».

Era la prédica de Ocampo, vuelta sólida convicción en un hombre reformado. En esos días, recibe de su representante en Washington,

Matías Romero, una noticia que lo agobia. Su hijo Pepe está gravemente enfermo. Juárez no se engaña y escribe:

«Mi querido Santa: Escribo a usted bajo la impresión del más profundo pesar que destroza mi corazón, porque Romero en su carta del día 14 de noviembre próximo pasado, que recibí anoche, me dice que mi amado hijo Pepe estaba gravemente enfermo y como me agrega que aun el facultativo temía ya por su vida, he comprendido que sólo por no darme de golpe la funesta noticia de la muerte del chiquito, me dice que está de gravedad; pero realmente mi Pepito ya no existía, ya no existe, ¿no es verdad? Y considerará usted todo lo que sufro por esta pérdida irreparable de un hijo que era mi encanto, mi orgullo y mi esperanza. ¡Pobre Margarita!, estará inconsolable. Fortalézcala usted con sus consejos para que pueda resistir este rudo golpe que la mala suerte ha descargado sobre nosotros y cuide usted de nuestra familia. Sólo usted es su amparo y mi consuelo en esta imposibilidad en que estoy de reunirme con ustedes. Adiós hijo mío, reciba usted el corazón de su inconsolable padre y amigo. Dispense usted los borrones porque mi cabeza está perdida.

»Juárez».

Sin desatender en lo mínimo a sus quehaceres públicos, Juárez lleva dentro su pena: «no sé cómo puedo soportar tanto pesar que me agobia». La pérdida de su «querido hijo Pepe» y el no saber cómo seguía su familia, cómo estaba su mujer, «son penas muy crueles para un hombre que, como yo, ama tiernamente a su familia». Nueve meses después, en El Paso, lo sorprende la noticia de otra muerte: la de su hijo Antoñito que ni siquiera conoció. Ante «esa nueva desgracia de nuestra familia debe usted suponer lo que he sufrido y sufro sin tener siquiera el consuelo de estar con ustedes y consolarnos mutuamente». A su mujer le escribía consolándola, «aunque en materia de sentimientos naturales poco valen los consejos ... [hay que inclinarse] a la conformidad».

Tendría razón Justo Sierra al sostener que la ecuación «fisonomía inexpresiva, luego alma impasible, luego corazón insensible» era falsa. Juárez sufría muchísimo y no contaba siquiera —como Maximiliano— con un repertorio inconsciente de papeles dramáticos en los cuales insertar su propio drama. No le hubiese servido verse en la imagen de Cuauhtémoc o sus antepasados zapotecas o cualquier otra metáfora del sufrimiento estoico. El no quería sufrir ni se identificaba con los vencidos. Estaba cansado de sufrir. Estaba cansado de los siglos de sufrimiento. Para él y para «sus hermanos» en quienes veía la encarnación profunda de México, quería la victoria definitiva. Esa voluntad salvadora lo salvó.

*

También los amigos. El 21 de marzo de 1865, día en que cumplía cincuenta y nueve años, su «corazón lastimado no estaba para expansión alguna», pero los amigos Lerdo, Iglesias, Urquidi, Ruiz, Trías y Prieto y los vecinos y señoras de Chihuahua «hicieron un punto de honor» en festejarlo. «Me dieron una comida suntuosa», escribía el 23 a Santacilia, «y hoy habrá un magnífico baile, con el mismo objeto ... en la comida se brindó por la Independencia, por los defensores de ella, por los pueblos oprimidos, por la ciudad de Chihuahua, por nuestra familia y por mí.» En la fiesta se había distinguido un hombre en particular: «el amigo Guillermo ha estado admirable con su lira y ha tenido parte muy activa en todo lo que se ha hecho para celebrar mi día».

Prieto no sólo quería y admiraba a Juárez: lo veneraba. En Guadalajara, muy al principio de la guerra de Reforma, Prieto había interpuesto su cuerpo entre Juárez y un pelotón que se proponía fusilarlo en las oficinas del Palacio de Gobierno, y había disuadido a los militares conservadores con otras palabras de su «admirable lira»: «los valientes patriotas no asesinan». En la confusión y el titubeo, el presidente salvó la vida. Prieto lo había acompañado en el largo trayecto de Manzanillo a Veracruz a través de Panamá y Nueva Orleans, había vuelto con él a México y había seguido su peregrinar hasta Chihuahua.

En septiembre de ese mismo año, aquella amistad se resquebrajó. Juárez se confabulaba con su más inteligente colaborador y asesor en el gabinete —el ex rector del colegio jesuita de San Ildefonso, Sebastián Lerdo de Tejada, hermano menor de Miguel— para tomar la decisión más difícil y discutida de su gobierno en el exilio: prolongar unilateralmente su periodo presidencial hasta que «la cesación» del estado de guerra permitiera realizar elecciones. Según el precepto constitucional, el 1 de diciembre, día en que expiraba su periodo de cuatro años, Juárez debía entregar el mando al presidente de la Suprema Corte de Justicia, el general Jesús González Ortega. Este actuó en consecuencia y reclamó con anticipación el puesto, pero Juárez y Lerdo habían preparado ya un arsenal de argumentos legales y establecido contactos políticos para frustrar el traslado de poder. En esencia, Juárez actuaba sobre la base de las facultades extraordinarias que el Congreso le había otorgado a fines de 1861, en el umbral de la intervención europea. Estas facultades se habían emitido, «sin más restricciones que la de salvar la independencia integral del territorio nacional, la forma de gobierno establecida en la Constitución y los principios y leyes de Reforma».

A partir de entonces, Juárez había utilizado sus facultades con inmenso vigor, audacia y éxito. Gobernaba por decreto, como en Oaxaca en 1850. En uno de esos decretos, dictado el 25 de enero de 1862, condenaba a la pena de muerte a cualquiera que, a juicio de las autoridades republicanas, fomentase la reacción. «Como jefe de una sociedad en peligro», escribiría uno de los más finos analistas políticos del porfiriato, Emilio Rabasa, «asumió todo el poder, se arrogó todas las facultades, hasta darse las más absolutas, y antes de dictar una medida extrema cuidaba de expedir un decreto que le atribuyese la autoridad para ello, como para fundar siempre en una ley el ejercicio de su poder sin límites.» Se trataba, en palabras de Rabasa, de una «dictadura democrática».

En septiembre de 1865, Juárez consideró que las circunstancias de apremio nacional no habían desaparecido. «Yo tengo un deber sagrado que cumplir y seguiré mi destino ... sosteniendo la libertad y la independencia de mi patria», había escrito un año antes a un amigo que lo abandonaba, Manuel María de Zamacona. En septiembre de 1865 no había variado un ápice. No sólo prolongaría su periodo hasta la victoria total sino que encontró la manera de cesar a González Ortega aduciendo abandono de funciones.

En octubre, mientras preparaba su maniobra, Juárez escribía a Santacilia: «Prieto y tío Ruizito siguen en la oposición pero nadie les hace caso». El «tío Ruizito» era Manuel Ruiz, su amigo más antiguo en el gabinete, un abogado oaxaqueño que lo había seguido siempre. Al acercarse la fecha, Prieto envió a Juárez una carta cuidadosa en la que le pedía relevarlo de su puesto. Juárez respondió con dureza típica:

> «Mucho celebro que tengas una conciencia tan satisfecha y orgullosa pues así vivirás tranquilo. No puedo obsequiar tu intención relativa a que por una orden declare yo que han cesado los trabajos de la Administración General de Correos, porque no tengo el candor de ayudar a los invasores en desacreditar a la administración de mi país ... Tampoco te puedo decir que te separes, porque ni tengo motivos para decírtelo, ni el gobierno te repele, ni le sirves de estorbo».

Prieto no abogaba por González Ortega sino en la medida en que éste personificaba el derecho. A un amigo le confiaba sus motivos de disensión. Eran los mismos de Ruiz y serían los mismos que, a la larga, aduciría contra Juárez prácticamente toda la generación liberal:

«Juárez ha sido un ídolo por sus virtudes, porque él era la exaltación de la Ley, porque su fuerza era el Derecho, y nuestra gloria, aun sucumbiendo, era sucumbir con la razón social. ¿Qué queda de todo eso? ¿Qué queremos? ¿A quién acatamos? ¿Varía de esencia que ayer se llamara Santa Anna y Comonfort ... y que hoy se llame Juárez el suicida? Supongamos que Juárez era necesario, excelso, heroico, inmaculado en el poder, ¿lo era por él o por sus títulos? ¿Qué vale sin éstos? ... Yo avanzo hasta suponer feliz el éxito de este ensayo de prestidigitación de Juárez. ¿Está en honor seguirle? ¿Se debe dar asentimiento a semejante escalamiento del poder? ¿Se debe autorizar con la tolerancia de este hecho otros de la misma naturaleza que vendrían en seguida y no muy tarde? Yo, por mi parte, no lo haré. Me he propuesto ser tan ingenuo contigo que te confieso que ni el miedo al quebramiento de la Constitución misma, a pesar de lo que te he dicho, me contiene; es tan grande nuestra causa, sería tan inmarcesible la gloria del que lanzase al francés de nuestro suelo, que pudiera ser que me sedujera la complicidad de este extravío heroico, por lo que tendría de sublime la reparación. La reputación por la vida del país. ¿No lo he hecho yo? Esto no me asusta. Me asusta contemplar a Juárez revolucionario, inerte, encogido, regateando, ocupándose de un chisme o elevando al rango de cuestiones de estado las ruindades de una venganza contra un quídam. ¿Tú te figuras revolucionario a Juárez? ¿Te figuras lo que habré sufrido?...».

En diciembre ocurre el rompimiento con «el tío Ruizito» y con Prieto. Desde Paso del Norte, Juárez lo describe con sequedad a su querido Santa:

«Entre tanto avanzaron los traidores y ya yo me retiré de Chihuahua sin haber sabido más del prisionero. Supongo que [Ruiz] alegó el mérito de su protesta y que estará ya en México. Así ha terminado su carrera política un hombre a quien quise hacer un buen ciudadano, porque él se empeñó en ser lo contrario. Con su pan se lo coma. En cuanto a Guillermo Prieto, poco antes de que yo me retirara de Chihuahua, fue a verme con pretexto de empeñarse a que se accediera a la solicitud de Ruiz. Me dijo que me quería mucho, que era mi cantor y mi biógrafo y que si yo quería que él seguiría escribiendo lo que yo quisiera; ¿qué tal? Yo le di las gracias compadeciendo tanta debilidad y no haciendo caso de sus falsedades ... En fin, este pobre diablo, lo mismo que Ruiz y ... están ya fuera de combate. Ellos han valido algo porque el gobierno los ha hecho valer. Ya veremos lo que pueden hacer con sus propios elementos».

Aquel «pobre diablo» le había salvado la vida, pero a juicio de quien se reservaba todos los juicios, su actitud contrariaba el interés de cohesión nacional que Juárez sentía representar y, en efecto, representaba. Disentir, en ese momento, equivalía a desertar, a defeccionar, a dar armas al enemigo. Por eso fue implacable. Quizá Prieto comprendió entonces el destino de Santos Degollado.

*

«Para Juárez», escribió Rabasa, «la fuente del poder era inagotable.» Lo probó, lógicamente, con sus enemigos: los conservadores activos en la guerra de Intervención; los políticos, soldados, oficiales imperialistas; los gobiernos de los países europeos que habían roto sus vínculos con México y reconocido al emperador: Francia, Inglaterra, España. Lo probaría, desde luego, con su archienemigo, el archiduque Maximiliano. Lo probó también con amigos que no representaban una rivalidad política sino meramente moral (Degollado, Ruiz, Prieto). Pero lo probó, sobre todo, con los hombres del poder en la República: los caciques, los jefes militares, los gobernadores. Con ellos fue tan implacable como con sus enemigos.

Dos ejemplos ilustran esta actitud de Juárez: su relación con el poderoso cacique militar de Monterrey y Coahuila, Santiago Vidaurri, y con un hombre que comenzaba a acumular un inmenso poder y fortuna en el estado de Chihuahua: el gobernador Luis Terrazas. A fines de 1863, Juárez marcha hacia los dominios de Vidaurri. Le ha pedido contribuciones en fondos y contingentes militares que el celoso cacique considera violatorios de la soberanía estatal. «El gobierno central pretende que me suicide», escribe a González Ortega. Ya en la guerra de Reforma, Vidaurri se había declarado neutral y había jugado con la idea de una secesión temporal del norte de México. Aunque Juárez lo perdonó, lo hizo por cálculo político, no por simpatía. Vidaurri representaba un poder real al que hacía falta atraer, dejándole todos los márgenes de poder imaginables dentro de su estado, salvo uno: el de regatearle autoridad al gobierno central. Tras una junta secreta con Vidaurri en Monterrey, Juárez regresa a Saltillo y contrae una seria afección biliar: ahora sabe que Vidaurri desafía su poder y se pasará al enemigo. Juárez declara el estado de sitio en Nuevo León, separa a éste de Coahuila, y en plena guerra contra los franceses ordena a sus fuerzas leales atacar al cacique que en efecto defecciona y se pasa al bando imperial.

Acto seguido, ya dueño de Nuevo León, Juárez sospecha que Terrazas seguirá la misma pauta. La reticencia del gobierno de ese estado en apoyar al centro es comprensible: los franceses estaban en Puebla y el Bajío, pero Chihuahua vivía asolada por los indios «bárbaros» y los filibusteros que entraban a su territorio desde Texas. Otras zonas de la Administración Pública acusaban problemas de jurisdicción: ¿a quién, por ejemplo, le correspondía el manejo de la nacionalización de los bienes del clero? Terrazas pensaba que «el poder omnímodo» de Juárez violaba el precepto constitucional sobre la soberanía de los estados. Pero Juárez, recuérdese, actuaba con facultades extraordinarias y en un marco de suspensión de garantías. Por eso declara preventivamente el estado de sitio en Chihuahua. Cuando ocupa la capital, Terrazas sale, pero no sigue el ejemplo de Vidaurri. Meses después, cuando las fuerzas francesas llegan a Chihuahua y Juárez tiene que refugiarse repetidamente en Paso del Norte, Terrazas encabeza la resistencia contra el Imperio y finalmente triunfa. Se había tenido que plegar a la voluntad de cohesión que representaba Juárez.

Chihuahua y, sobre todo, Nuevo León, comprendieron entonces una lección que aplicarían de modo invariable en el futuro: antes que estados de México, eran México. Ningún cacique regional, ningún caudillo o militar podría alzarse contra el gobierno central. Juárez inauguraba una época y una tendencia histórica irreversible, el centralismo de fondo con formas federales, pero había dado también un impulso definitivo a la creación de un *nosotros* por encima de las localidades, regiones, estados: un *nosotros* nacional.

*

Al restaurarse la República en 1867, Juárez convocó a elecciones. Su único contendiente fue el caudillo militar triunfador de la intervención, Porfirio Díaz. Juárez las ganó con un 72 por ciento. En la misma memorable convocatoria que expidió al llegar a la ciudad de México, hablaba claramente de la necesidad de introducir reformas a la Constitución. Como su amigo Comonfort —que, de regreso del exilio, había muerto en campaña contra los franceses—, Juárez pensaba que la Constitución, si bien digna de veneración y respeto, era impracticable. Por una larga década había gobernado al país con la bandera de la Constitución y al margen de ésta: con facultades extraordinarias amplísimas y en un régimen de suspensión de garantías. Sin embargo, aquella tesonera defensa de la Constitución como símbolo, como causa, no implicaba necesariamente que fuese intocable. Comonfort había tenido razón en señalar sus defectos, pero carecía de la fuerza y de la legitimidad para modificarla. Su crítica, además, había sido prematura, porque la oposición conservadora estaba intacta. Antes de soñar siquiera con enmendarla, urgía vencer a los que se oponían a su mera existencia. En 1867 había llegado el momento de la enmienda.

El problema mayor, desde luego, era la vieja querella entre el Congreso y el ejecutivo. Era natural que tras la experiencia santanista, el Constituyente del 57 hubiese depositado un poder omnímodo en el legislativo a costa del ejecutivo y el judicial. Pero con buena lógica y un inmenso bagaje de experiencia, Juárez, Lerdo e Iglesias —«la trinidad de Paso del Norte», como se les llamaba— querían evitar el otro extremo: la hegemonía del Congreso sobre el ejecutivo, que había sepultado tanto a Morelos como a Iturbide. Además, a ese desequilibrio entre los poderes era atribuible el desorden que había privado en el país en los años veinte, cuando Mora y Alamán lamentaban la «dictadura de los muchos». En opinión de los juaristas, el Congreso creado por la Constitución no era más que una convención permanente. Había que modificar su relación con el ejecutivo, dando a éste un derecho de veto con dos tercios de la Cámara, restringiendo las facultades del Congreso para convocar a periodos extraordinarios y creando, como en los Estados Unidos, una cámara alta.

Juárez no logró que el Congreso admitiera estas reformas, pero tampoco le hicieron falta: a partir de 1867 la situación del país reclamó el uso de nuevas facultades extraordinarias y suspensión de garantías que el presidente solicitó y obtuvo. Respetándola formalmente, siguió gobernando sin la Constitución. Se había logrado el triunfo contra la reacción, contra «los cangrejos»; se había logrado la segunda Independencia; sin embargo, el país no alcanzaba el fin más preciado: la paz.

La razón era simple: la discordia interna del partido liberal. Una nueva lucha generacional lo desgarraba por dentro: la disputa por el poder entre la generación de intelectuales y abogados que en Veracruz habían hecho la Reforma y los jóvenes militares que llevaban diez años luchando con la espada por la Constitución, la Reforma y la segunda Independencia. ¿A quién le correspondía el triunfo? ¿Quién tenía derecho al poder? Nada hirió más a los militares liberales que la decisión de Juárez de licenciar a decenas de miles de soldados. Es verdad que el Estado no podía cargar con un ejército de 80.000 hombres que amenazaba con devorar todo el exiguo presupuesto. Y aun así, la hegemonía de los «tinterillos» parecía intolerable a los inquietos jefes militares. Pronto estallaría la primera revolución, el primer pronunciamiento, la primera «bola» de la era liberal contra la «dictadura» de Juárez. El presidente actuó con su acostumbrada resolución. Contaba con el apoyo de la mayoría del ejército y con la lealtad de los gobernadores, a quienes dejaba hacer y deshacer en sus feudos regionales siempre y cuando respaldasen al gobierno central. En los casos de infidencia, se declararon nuevos «estados de sitio» y se establecieron gobiernos militares.

Otra amenaza nunca conjurada contra la paz eran los asaltantes, bandidos y plagiarios. Los caminos del país estaban atestados de estos personajes nacidos del caos de la guerra civil. Para enfrentarlos, Juárez integró un grupo especial de acción represiva, los «rurales», compuesto muchas veces —como vacuna— por antiguos bandoleros. El cuadro de violencia interna lo completaban los caciques indígenas y sus huestes. El temible Manuel Lozada, el «Tigre de Alica», seguía dominando la región de Nayarit como un imperio aparte. Más al norte, en el fértil valle del Yaqui en Sonora, los indios yaquis y mayos se levantaban nuevamente en armas —ya lo habían hecho en 1825— para defender el «valle que Dios les dio», amenazado por la aplicación de las leyes liberales. En el extremo sur del país, en Yucatán, los mayas atizaban su guerra implacable contra el blanco: aunque nunca alcanzaría los extremos de la guerra de Castas, se había convertido en una espada de Damocles. Juárez empeñó en vano lo mejor de su tiempo, recursos y esfuerzos tratando de sofocar estos brotes. Todos los generales revolucionarios fueron derrotados pero sólo temporalmente, mientras llegaba otra oportunidad y aparecía un caudillo que los encabezara; los bandidos y los indios, con sus miras mezquinas o sublimes, continuarían en pie de guerra.

Juárez volvió a contender en las elecciones de 1871. Aunque el país no estaba enteramente pacificado, era difícil justificar a esas alturas su permanencia. Había sido un crisol durante la Reforma y la Intervención, pero entonces la independencia y la integridad del país estaban amenazadas. La nueva situación era caótica y discorde, pero a todas luces menos riesgosa. Nuevas personas, nuevas generaciones llamaban a la puerta y el presidente de sesenta y cinco años de edad se empeñaba en obstaculizarlas. Llevaba casi 15 años en el poder y parecía destinado a prolongar su estadía hasta que lo juzgara prudente. Por ese motivo, Sebastián Lerdo de Tejada, su amigo, su asesor clave, el último de sus fieles, se separaría de él para contender en las elecciones. Contaba con partidarios entre los viejos reformistas. El otro candidato sería, de nueva cuenta, el ídolo de la juventud, Porfirio Díaz. Ambos esperaban desplazar a Juárez, y juntos lo hubiesen logrado, pero Juárez triunfó con un 47 por ciento.

Fue la más turbia de sus victorias. Había maniobrado con la Cámara para reformar el sistema electoral en provecho de su candidatura y había favorecido una serie de prácticas electorales que viciarían el sufragio libre y secreto. Mientras las caricaturas de la libérrima prensa de la época se solazaban dibujando a un presidente hechicero que preparaba los brebajes de la sopa electoral, uno de sus críticos acerbos, el general Ireneo Paz, partidario de Porfirio Díaz, escribiría un soneto alusivo:

> ¿Por qué si acaso fuiste tan patriota
> estás comprando votos de a peseta?
> ¿Para qué admites esa inmunda treta
> de dar dinero al que en tu nombre vota?
>
> ¿No te conmueve, di, la bancarrota
> ni el hambre que a tu pueblo tanto aprieta?
> Si no te enmiendas, yo sin ser profeta
> te digo que saldrás a la picota.
>
> Sí, san Benito, sigue ya otra ruta;
> no te muestres, amigo, tan pirata;
> mira que ya la gente no es tan bruta.
>
> Suéltanos por piedad, querido tata,
> ya fueron catorce años de cicuta...
> ¡Suéltanos, presidente garrapata!

La generación de «chinacos», los militares liberales, tomaba la bandera de la Constitución contra Juárez. Se referían a él como el «candidato de sí mismo», el hombre que veía al poder «como un derecho de conquista», «su majestad Benito I». «Hoy no es la Constitución la que el gobierno defiende», sostuvo un crítico, «es el sillón presidencial.» Otro fue aún más lejos: «Julio César era más grande que Juárez y todos bendicen a Bruto, que lo mató». No sólo los jóvenes se separaban de Juárez: también los viejos liberales de la Reforma o antiguos constituyentes, como Ignacio Ramírez. Juárez no derogaba la Constitución ni la violaba: la desvirtuaba. Con entera falta de respeto, los críticos señalaban y documentaban el ultraje de Juárez a la soberanía de los estados («ponía gobernadores ... según era el grado de acatamiento y las protestas de las personas»), su apoyo a caciques como Pesqueira en Sonora, Terrazas en Chihuahua, Alvarez en Guerrero; y sobre todo, sus manejos electorales. En el Congreso, Zamacona tomó la palabra para advertir: «el poder que rige el país entra en el periodo de decrepitud y decadencia que coincide en el individuo con la época del egoísmo y de la codicia y no le permite la generosidad y la abnegación de otros tiempos». Ireneo Paz fue mucho más irreverente.

¡Catorce años, señor! esto va largo:
Ni que fueras el fraile de Friburgo,
ni que fueras un César, un Licurgo,
supiera tu poder menos amargo.

Di, ¿no se te hace de conciencia cargo?
¿Te crees un san Gregorio Taumaturgo?...
¡Ah!, no te olvides nunca del Habsburgo
que sucumbió por ser tan manilargo.

Yo la esperanza, mi señor, albergo,
de que no entres también a tal desvirgo
y al pedírtelo, humilde me postergo.

No vaya a dar a tu pescuezo un sirgo...
coge un sombrero, pues, chino o chambergo
y sal, si quieres escaparte virgo.

Luego de la reelección de 1871, la situación de inconformidad estalló en la propia tierra del hombre al que el gobierno de Colombia había dado el título de «benemérito de las Américas». Porfirio Díaz se levantó en armas en Oaxaca con su Plan de La Noria. Su lema era sencillo y contundente: «Sufragio efectivo, no reelección». No tuvo éxito. Las tropas federales lo habían puesto en una situación de inminente derrota y vagaba por las sierras del noroeste de México —había intentado pactar con el «Tigre de Alica»—, cuando el 18 de julio de 1872 lo sorprendió la noticia que conmovió al país: víctima de una angina de pecho, en el Palacio Nacional había muerto el presidente Juárez. El nuevo presidente Sebastián Lerdo de Tejada declaró una inmediata amnistía a la que Díaz, renuentemente, se acogió. Esta vez no esperaría muchos años para volverse a levantar. En 1876 encabezó la revolución de Tuxtepec, que lo llevaría primero al triunfo militar y luego, mediante una votación, a la amada silla presidencial, en la que permanecería el doble de tiempo que su admirado y criticado jefe.

*

Juárez había pastoreado al país en la guerra de Reforma y la Intervención. Comenzaba a pastorearlo en la nueva etapa de discordias civiles, cuando la muerte lo golpeó del modo más oportuno, no sólo para él y para su memoria, sino para el país. Juárez se había convertido en la manzana de esa discordia. Nunca había cedido el poder –ni en Oaxaca ni en México– ni estaría dispuesto a cederlo. Para sostenerse, hubiera tenido que recurrir a medidas de represión cada vez más drásticas contra sus propios compañeros, hubiese incurrido en una auténtica autofagia liberal. No era justo que su trayectoria se manchara.

Había llevado al país a la otra orilla. Basta comparar la guerra del 47 con la de 62 para advertir las diferencias fundamentales, atribuibles, en gran medida, a Juárez. En el momento de los criollos, México no era una nación: era un agregado de regiones y localidades sin conciencia nacional. Los «mexicanos al grito de guerra» veían pasar a las tropas norteamericanas como un desfile, como una representación teatral que no les competía. La pérdida de territorio, el peligro tangible de desintegración nacional, la violencia de la guerra de Reforma y los odios teológicos que despertó, contribuyeron a crear una conciencia nacional. Pero dos factores adicionales, vinculados internamente, contribuyeron también, de manera decisiva: la legítima, severa, inteligente autoridad de Juárez en todo el proceso y el ascenso concomitante de los mestizos al poder.

A partir de 1810, el orden español se había hecho trizas en toda la América hispana. La disgregación fue geográfica, social, política. Ninguno de los países sudamericanos volvería a restablecer un centro, una unidad: ni entre ellos, ni dentro de ellos. El intento anfictiónico de Bolívar sería tan utópico como la consolidación de regímenes democráticos en cada país. El siglo era de los caudillos, los tiranos, los dictadores. La unidad era imposible porque, con la excepción del Perú, habían constituido territorios de frontera, escasamente poblados, del imperio español. Nueva España era un caso distinto. Ahí se habían asumido plenamente las premisas del orden político español. A su manera, Nueva España era un centro del imperio, y México, la antigua Tenochtitlán, la capital del imperio azteca, era el centro de ese centro. Desde tiempos inmemoriales, México había vivido bajo el dominio de un Estado. La teocracia de los pueblos prehispánicos se avino bien con la nueva, más suave y persuasiva, teocracia de los españoles. En los pueblos de Oaxaca, en las sierras de Michoacán, en las planicies del

Bajío o las costas de Veracruz (al margen de las diferencias culturales que las aislaban entre sí), cada región había sentido a tal grado el peso del dominio central –de la capital novohispana y de la metrópoli–, que por tres siglos España imperó sobre aquel inmenso territorio sin necesidad de contar con un ejército. La prueba máxima de la cohesión política que caracterizaba a ese orden fue, justamente, la disgregación que sobrevino a su hundimiento.

La enormidad de Juárez, en términos políticos, estuvo en el restablecimiento de ese orden. Vertió vino nuevo en odres viejos. Logró crear una instancia legítima de autoridad en un país a punto de desaparecer y guió a éste entre dos terribles tormentas, de las que salió siendo *otro*. Recurriendo a la instintiva sabiduría de sus antepasados y con un fervor religioso que llegaba a la idolatría, transfirió sus antiguas lealtades a los nuevos contenidos políticos del siglo XIX: la ley, la constitución, la reforma. Vivió su mandato como un pastor llamado por Dios para conducir al desordenado rebaño hacia una ribera de emancipación, la misma que él, en lo personal, había alcanzado: de la «estúpida pobreza» e ignorancia de Guelatao a la altura de la silla presidencial. Quiso transferir esa experiencia a sus «hermanos». En una medida importante lo consiguió. Cuando Juárez murió, México era otro: no había sitio para óperas y representaciones. Había lugar para la historia y la realidad. Había un nuevo centro en el viejo centro. Un nuevo emperador, un nuevo tlatoani, un presidente sagrado. Era la misma tensión entre lo antiguo y lo moderno, la misma encrucijada que había sacrificado a Morelos, pero en una mejor posición histórica. La legitimidad que había nacido era una amalgama: difícil aleación de la tradición teocrática del pasado; el ideal republicano, liberal, democrático y federal del futuro; y la fuerza carismática de un caudillo vestido de negro que había fundido en una unidad la vieja dualidad de Morelos: religión y patria.

*

Juárez logró algo más: abrir una ancha puerta para que los mestizos accediesen a los puestos de mando en la vida nacional. Cierto, en la segunda mitad del siglo había ya un predominio mestizo en la demografía nacional, pero la figura del indio Juárez lo fortaleció. Durante su mandato, otro indio, Ignacio Manuel Altamirano, fundaría la revista cultural *El Renacimiento*, que significaría el arranque de la cultura nacional propiamente dicha. Su ejemplo fue seguido en varias ciudades: nacieron periódicos, sociedades culturales, publicaciones; se escribieron como nunca antes novelas históricas y costumbristas; se fundaron escuelas primarias; se creó una institución ejemplar que sería la primera, desde la salida de los jesuitas, en formar a varias generaciones de mexicanos en un pensamiento riguroso y científico: la Escuela Nacional Preparatoria. «Con Juárez quedó fundada, libre de todo peligro», escribió Andrés Molina Enríquez, el más profundo de los filósofos del mestizaje mexicano, «la nacionalidad mexicana fincada en el elemento mestizo ... una patria libre, independiente y respetable ... por eso para nosotros los mestizos, Juárez es casi un Dios.»

No había pacificado al país, no había instaurado la democracia, no respetaba el federalismo, pero hallaba el modo de no infringir la ley. El Congreso actuaba, deliberaba, se oponía. Los magistrados de la Suprema Corte de Justicia, elegidos popularmente, se desempeñaban con plena independencia. Por primera vez en su historia, México vivía un clima de completa libertad. Los cientos de periódicos de la época ejercieron la más libre de las críticas. Su blanco fue, muchas veces y con razón, la autoridad de Juárez, pero éste, con toda su severidad, no mató ni reprimió: si bien recurrió a las soluciones de hecho, lo hizo siempre con la ley en la mano. No abandonó el poder porque en nadie confiaba: había vivido demasiados años en el caos santanista y sentía tan frágil la ventura conquistada, que le pareció necesario pastorearla eternamente, hasta que una instancia superior dispusiera otra cosa. No lo movía la ciega ambición de mando, como sus críticos señalaron, sino el antiguo, imborrable *misticismo del poder.*

A Bulnes le asistía la razón cuando señalaba la injusticia histórica de atribuir todo el éxito de la Reforma y la Intervención a Juárez. Ambas epopeyas nacionales –que lo fueron en verdad– tuvieron muchos protagonistas conocidos, otros olvidados, otros más anónimos. Era y es injusto relegar a Degollado, Ocampo, Miguel Lerdo, Ramírez, a toda la generación intelectual del liberalismo, verdadera *autora* de la Reforma. Era y es injusto relegar a Zaragoza, González Ortega, Corona, Escobedo, Porfirio Díaz, a toda la generación militar del liberalismo, verdadera *autora* de la victoria en la Intervención. Pero más injusto sería no reconocer la dimensión excepcional del hombre modesto que siguiendo el llamado de su instinto, huyendo de una postración de siglos, convocaba misteriosa y firmemente, religiosamente, las siempre frágiles voluntades humanas.

Bulnes criticó a Juárez, con razón muchas veces, pero Justo Sierra hizo algo más importante: lo comprendió. En estos tiempos de escepticismo extremo es difícil leer sin ironía las exaltadas palabras finales de su obra *Juárez: su obra y su tiempo* (1906). Pese a ello, es preciso, si la nacionalidad mexicana tiene algún sentido:

«¡Gran padre de la patria!, viste el triunfo de tu perseverancia, de tu obra, de tu fe ... los impacientes de realizar ideales que sólo lentamente pueden llegar a la vida ... protestaron armados y sañudos ante ti; muchos eran tus colaboradores, tus correligionarios ... eran tus hijos ... Celebrando los ritos de nuestra religión cívica, cada generación, al partir, dirá a la generación siguiente que se levanta y llega: ¡perseverad como él, quered como él, creed como él!».

V
El ascenso del mestizo

El hombre de Oaxaca

Desde lo alto del castillo de Chapultepec, tres años antes de las fiestas del Centenario, Porfirio Díaz contemplaba el transparente valle de México. Un periodista norteamericano llamado James Creelman lo entrevistaba para *Pearson's Magazine.* «No hay figura más romántica o heroica en el mundo entero», escribía Creelman, «que aquel soldado estadista cuya juventud aventurera hace palidecer las páginas de Dumas y cuya mano de hierro ha convertido las belicosas, ignorantes, supersticiosas y empobrecidas masas mexicanas, oprimidas por centurias por la cruel rapacidad de los españoles, en una nación fuerte, progresista, pacífica, que prospera y paga sus obligaciones.» Justamente la imagen que Porfirio Díaz pretendía dar. ¿Era exacta?

Desde aquel mirador revisaron juntos las biografías paralelas del caudillo y de su país. Poco había que decir del pasado remoto. Creelman notó, a lo lejos, las «largas procesiones de indios mexicanos, acompañados de sus mujeres y niños, con sombreros monstruosos y sarapes de brillantes colores, descalzos o con sandalias, moviéndose continuamente de todas partes del Valle y de las gargantas de las montañas hacia el santuario de la Virgen de Guadalupe». Dos días más tarde —la entrevista ocurría el 10 de diciembre de 1907—, Creelman vería a cien mil indígenas «ensarapados, de rodillas, con sus mujeres y niños, sosteniendo en sus brazos flores y ceras encendidas, rogando ante la Virgen con una devoción que enternecía al más impío espectador y lo hacía reverente». En privado, también Díaz podía enternecerse, pero no en público y menos frente a un periodista norteamericano. «Los indios», apuntó, «forman más de la mitad de nuestro pueblo pero se interesan poco en política. Están ya acostumbrados a mirar a los que ocupan alguna autoridad como jefes, en vez de pensar por sí mismos. Esta es una tendencia que heredaron de los españoles, que les enseñaron a abstenerse de tener injerencia en los asuntos públicos y a confiar en el gobierno como en su solo guía.» Díaz completaba su visión reprobatoria de los siglos anteriores a la Independencia con frases breves, desdeñosas. «Eso», dijo de pronto Creelman, señalando a una horrible plaza de toros cerca del castillo, «es la única reliquia histórica que puede divisarse en el panorama.» ¿Estaba ciego? En casi todas las direcciones, decenas de cúpulas y campanarios poblaban el horizonte. A lo lejos, en el centro colonial, México seguía siendo «la Ciudad de los Palacios». A la distancia sobresalía el doble campanario de la catedral. Pero Díaz no corrigió la ceguera de Creelman sobre las «reliquias históricas» de México; por el contrario, la compartió: «No ha visto usted entonces los empeños», dijo, mitad en broma, «España nos trajo sus empeños así como sus plazas de toros». Ni una palabra más sobre la historia anterior a la Independencia.

A juicio de Díaz, como buen liberal, todo lo que México había logrado construir desde su independencia lo había hecho *a pesar de* aquel pasado, de espaldas a él y a su herencia. En unas cuantas palabras resumía las primeras décadas del siglo XIX: «Antiguamente no teníamos clase media en México, porque la mentalidad de la gente y sus energías estaban absortas en la política y la guerra. La tiranía y el desgobierno de España habían desorganizado la sociedad. La vitalidad productiva de la nación se desperdiciaba en luchas sucesivas. La confusión era general. No había seguridad ni para vidas ni para propiedades. Una clase media no podía surgir bajo tales condiciones». En 1908 México tenía ya una clase media, «el elemento activo de la sociedad, aquí y en todas partes». Esa clase media era hija del régimen de libertades cívicas conquistado en la Reforma y de la segunda Independencia, la alcanzada frente a los franceses y Maximiliano; era hija, también, del orden, la paz y el progreso que el país disfrutaba desde hacía años gracias a la «dictadura liberal» de Porfirio Díaz. Esa clase media, en suma, era hija de Juárez y Díaz. Ya se podía fincar sobre ella, confesaba Díaz, un régimen de libertades, una democracia.

*

Porfirio Díaz no era ajeno al drama original del mestizaje cultural de los indios. Para llegar a la altura de su posición política y sus ochenta años, sintió quizá que no sólo había remontado guerras, rebeliones, generaciones, sino también el atraso histórico característico de las razas indígenas de Oaxaca. A mediados del siglo XIX, una de sus etnias más numerosas, cerca de 200.000 personas, la formaban los mixtecos. Antes de la llegada de los españoles, habían sido los dueños de la región: guerreros, orífices, constructores; pero en 1830, cuando Porfirio Díaz nació, no eran una sombra siquiera de lo que habían sido. Aunque a diferencia de Juárez, Díaz no había participado directamente de ese mundo, en su fuero íntimo lo conocía: su madre era mixteca.

Sus primeras tropas, como comandante militar del Istmo de Tehuantepec durante la guerra de Reforma, las integraron indígenas mixes y zapotecos. Gobernándolos, observándolos, aprendió las sutilezas y rigores del mando, no en balde el idioma zapoteco reservaba una inusitada variedad de matices y grados para la palabra autoridad y para quien la ejerce. La mujer a la que más amó había sido indígena también: se llamaba Juana Catarina Romero, dama respetada tanto por su belleza y su «aire soberbio y orgulloso» como por sus profundos conocimientos de hierbas, sortilegios y brebajes: «aquella hechicera era capaz de hacer florecer un botón de rosa o comunicarse con los espíritus de los montes». El viajero francés a quien se debe esta descripción, Charles Etienne Brasseur, se impresionó aún más con Porfirio Díaz, «el tipo indígena más hermoso que hasta ahora he visto en todos mis viajes, la aparición de Cuauhtémoc tal y como me lo había imaginado». Según la leyenda, Porfirio logró en esos años (1857, aproximadamente) que la empresa del ferrocarril transítsmico, que trabajaba en esa zona, desviara el trazo de la vía hasta hacerla pasar a dos metros del chalet estilo francés que construyó para Juana Cata. Le había regalado el progreso.

Con el tiempo, aquella indígena portentosa que había aprendido a leer y escribir a los treinta años se convertiría en *Doña* Juana Catarina Romero, la empresaria más próspera, la «cacica» más poderosa, la «patrona» más pródiga y caritativa de la región de Tehuantepec: la madre y padre de los indios y mestizos. Sería dueña de industrias, comercios e ingenios; sus productos ganarían premios internacionales como el Cristal Palace Award en Londres o el de la Feria Mundial de Saint Louis Missouri; gracias a ella se introducirían escuelas, se remozarían calles e iglesias, se fundarían obras de beneficencia. Con el tiempo, también aquel guerrero de sangre y temple mixtecos, «amo absoluto de la región del Istmo de Tehuantepec», según Brasseur, se volvería amo absoluto del país, «madre y padre» de los mexicanos como los antiguos tlatoanis aztecas, «Moisés y Josué» del progreso de México.

No sólo el pasado indígena constituía a Porfirio Díaz. También el pasado católico y español. Frente a la casa donde Díaz nació estaba la parroquia de la Soledad, cuya milagrosa imagen, vestida de terciopelo negro bordado de perlas y piedras preciosas, era una de las más veneradas en la piadosa ciudad. No muy lejos se encontraba la casa donde se reunían, en misteriosas «tenidas», los masones. Contra ellos había pronunciado, justo en la parroquia y en el día de «Nuestra Señora de la

Soledad», un célebre sermón el párroco José Mariano Galíndez. No es imposible que esa mañana del 18 de diciembre de 1844 el joven Díaz, estudiante del Seminario Conciliar y candidato a sacerdote, haya cruzado la calle acompañando a su madre, sus tres hermanas y su pequeño hermano, y penetrado en el recinto para escucharlo:

«Nuestra Iglesia, en tiempos idos, era depositaria de la fe y era admirada por su piedad religiosa. Pongo, por ejemplo, a muchos conventos ... que eran asilos de inocencia y austeridad; a muchos eclesiásticos que nos han dejado memoria de sus virtudes; al entusiasmo por los ejercicios espirituales de que estaban empapadas todas las clases; a la exactitud con que la Iglesia era obedecida; a la devota asistencia a sus ceremonias; a las obras pías y fundaciones; a la lectura de literatura inocente; a la educación cristiana ... en una palabra, a las buenas costumbres ... Pero volvamos nuestros ojos al presente tiempo. ¡Qué diferente escena! Sufrimos el que los libros más impíos y licenciosos lleguen hasta aquí: empezaron a ser leídos con cierta reserva y luego se difundieron con tanta rapidez que empezaron a ser vendidos abiertamente en nuestras bibliotecas. Así, llegamos a titubear como niños, dejándonos golpear por nuevas doctrinas y aun deseando deificar a los hombres que nos engañan con astucia ... ¿Y cuál es el resultado? Lo que naturalmente tenía que suceder: el corazón se hiela, el entendimiento se oscurece, las costumbres se corrompen y la moderna filosofía está de moda ... vemos que las fiestas no son santificadas, que sólo los niños y las ancianas piadosas guardan obediencia a la Iglesia, que la abstinencia sólo se conoce en los monasterios ... Sentimos que hoy nuestras solemnidades están reducidas a trabajos estériles, que no producen los frutos del espíritu ni de la religión del alma».

El hogar de las nuevas, disolventes, impías doctrinas, el santuario de la moderna filosofía, era el Instituto de Ciencias y Artes. Los sacerdotes lo llamaban «la casa de herejes» y a sus estudiantes «libertinos». Uno de los maestros de esa «casa de herejes» era Benito Juárez. Años más tarde, uno de esos estudiantes «libertinos» sería Porfirio Díaz.

Para Díaz fue tan difícil la emancipación del Seminario como para Juárez. Este había tenido que convencer (y aparentemente lo consiguió) al pío Salanueva, mientras que Díaz —único sostén de su casa, padre de sus varios hermanos, porque su progenitor había muerto en la epidemia de cólera en 1833— tenía que convencer a su tío, nada menos que el obispo de Oaxaca, José Agustín Domínguez. No pudo hacerlo: aquel paso, como tantos otros en la vida de Díaz, lo dio de manera violenta. Estudió en el Instituto de Ciencias y Artes, del que fue bibliotecario; dio clases particulares de latín y se enfilaba a la profesión de abogado, pero su vocación no estaba en las letras. Era un hombre eminentemente práctico: buen artesano (hacía mesas, sillas, zapatos), excelente gimnasta (tuvo el primer gimnasio personal en Oaxaca) y jefe natural. Su inclinación, la vía para emanciparse, se hallaba en otra carrera: la de las armas. El propio Benito Juárez la había propiciado como director del Instituto (en 1852): en su gestión se dieron cursos de teoría y práctica militar que le fueron de utilidad a Díaz cuando selló su destino en el plebiscito público al que convocó Santa Anna: Oaxaca entera, temerosa, dijo «sí» en apoyo de «Su Alteza Serenísima». Díaz dijo «no», y escapó a la sierra de Ixtlán. Al triunfo de la Revolución de Ayutla, Juárez ejercería como gobernador del estado y Porfirio sería jefe político de esa región. El aguerrido mixteco estaba en deuda con el diplomático zapoteca: le debía un ejemplo de emancipación y una tajada del poder.

*

La deuda de gratitud crecería con el tiempo. A través de ella se entiende que haya sido Díaz quien, en el cenit de su poder, instituyese plenamente el culto a Juárez. Se entiende también que lo honrara con devoción filial en las fiestas del Centenario: «Juárez *esperaba»,* dijo Porfirio entonces, recordando la guerra de Intervención, «con una fe que parecía *inspirada».* Díaz procuraría la paz, el orden y el progreso material de México, con esa misma fe.

Durante la guerra de Reforma, Díaz permaneció anclado en la zona de Tehuantepec, «país belicoso y hostil», según recuerda en sus *Memorias.* Es la época en que forma su ejército personal de fieros juchitecos. El propio Juárez había fracasado en el empeño de reducirlos, de domarlos. Díaz hizo algo mejor: ganarlos, emplearlos. Libró 12 batallas, fue herido de gravedad, creó una policía secreta, sufrió peritonitis, instaló una fábrica de municiones, se volvió experto en escaramuzas, ataques súbitos, emboscadas. Pero sobre todo en manejar hombres, adivinar pasiones y ambiciones, y aprovecharlas: «Hubo un tiempo en que no recibí ni instrucciones ni ayuda de mi gobierno, por lo que me vi obligado a pensar por mí y convertirme en gobierno». Era, en palabras de Juárez, «el hombre de Oaxaca».

Durante la guerra de Intervención, Porfirio estuvo desde el principio en la primera línea del combate y la noticia. No fue el «hombre de Oaxaca»; fue, crecientemente, «el hombre de México». Cinco días después de la célebre victoria del 5 de mayo, escribía a su hermana en Oaxaca una carta memorable, de alma guerrera, mixteca:

«El día cinco del corriente llegó el deseado momento de sacudir los mamelucos colorados, y con el gusto rebosando a punto de ahogarnos comenzamos el sainete a las once de la mañana y esto fue hacer carne hasta las seis de la tarde, que el enemigo comenzó a correr; hemos tenido pérdidas muy considerables, pero hemos matado muchos, muchos monsieures; yo tengo un repertorio de zarandajas, como son fundillos y gorras coloreadas, cruces y medallas, armas, etcétera. En fin, yo nunca había tenido más gusto ni día más grande que el día memorable 5 de mayo, día grande y de gloria. El Chato [su hermano Félix] está bueno y muy contento porque comenzó a desquitarse, pues también entró al lanceadero con los zuavos».

Las peripecias de Díaz durante los cuatro años de la guerra parecían extraídas en efecto, como escribiría Creelman, de una página de Dumas. Escapatorias inverosímiles, marchas anibalianas, escondites de fieras o águilas, organización de ejércitos. Si la virtud de Juárez en el norte fue la estoica pasividad, la de Díaz en el sur fue la tenaz resistencia: hasta en la cárcel, no cejó un instante de pelear y porfiar. Los frutos vendrían más tarde, en 1866, cuando su estrella militar comenzase a brillar por encima de todas las otras. Sus triunfos de Jalatlaco, Miahuatlán y La Carbonera resonarían en los campos liberales. «El buen chico Porfirio», comentaba Juárez, que confiaba en él ciegamente, «no fecha sus cartas hasta tomar una capital.» El 2 de abril de 1867 lograba en Puebla su victoria más importante: la puntilla del Imperio. Antes había rehusado toda suerte de proposiciones del emperador. El 15 de julio de 1867, Porfirio entregaba a Juárez, en paz y admirablemente organizada, la ciudad de México. Para su sorpresa, la sañuda cara del zapoteca no era la misma de siempre: lo alejaba, lo repelía, le adivinaba ambiciones presidenciales que Porfirio, por supuesto, sí tenía. En todo caso, ¿de quién era la victoria?

Díaz pensó que la victoria era militar, pero contendió dos veces, democráticamente, para convalidarla: en 1867 y en 1871. Cansados de la espera y de los manejos políticos del grupo juarista, que amenazaba con eternizarse en el poder (a Juárez seguiría Lerdo, a Lerdo, Iglesias, y así *ad infinitum),* Porfirio y su amplia coalición de abogados y militares tomaron el camino tradicional de la política mexicana: la revolución. La primera, contra Juárez, fracasa. Díaz se retira a un puerto de Veracruz, el risueño Tlacotalpan, donde vuelve a elaborar sillas, escritorios,

Porfirio Díaz, ca. 1864

libreros, procrea a sus hijos Porfirio y Luz (se había casado en 1867 con Delfina Ortega Díaz, su sobrina carnal, la hija de su hermana Manuela) y planea un segundo golpe, éste sí definitivo, contra el gobierno de Lerdo de Tejada. Antes de darlo, hay un tránsito suyo por la Cámara de Diputados, que lo convence aún más de la necesidad de reclamar el triunfo por la vía de las armas, no de la persuasión y las palabras. En aquella ocasión, Porfirio Díaz —cosa rarísima en él— pidió la palabra, subió a la tribuna del Congreso:

«Y habló Porfirio en efecto, sosteniendo ser magna injusticia que a los buenos servidores de la nación, a los que habían derramado su sangre por defenderla, se les condenase a la miseria para hacer un ahorro insignificante; mas expresó aquellas ideas con tantos titubeos, en estilo tan desaliñado e incoherente y con voz tan desentonada, que el auditorio se llenó de pena y casi de angustia, no por los militares a quienes se quería reducir a pan y agua, sino por el preopinante, a quien se veía sufrir indecibles torturas en la terrible picota de la tribuna. Porfirio, finalmente, abrumado por la congoja y enredado en sus propias ideas y palabras, no acertó a salir del paso, no supo cómo concluir la oración, y rompió a llorar como un niño. Así bajó de la tribuna con el rostro congestionado y cubierto de lágrimas, en tanto que los circunstantes, sorprendidos, no sabían lo que debían hacer, si llorar también o prorrumpir en carcajadas».

Porfirio no olvidaría este episodio vergonzoso. Todavía en 1876, en plena revolución de Tuxtepec, al verse perdido en el pueblo norteño de Icamole, prorrumpió en llanto. Le dirían «el llorón de Icamole», pero a la postre los vencería a todos. Quienes vieron su entrada triunfal a la ciudad de México, comprendieron de pronto que se abría una época:

«el jefe, grave, con la cabeza descubierta (su amplio sombrero bordado colocado en la banca delantera del vehículo), medio inclinado hacia adelante, contestando ... la ovación. Su pecho saliente, vastos hombros, cuello fuerte: su cabeza erecta, virilmente colocada sobre sus hombros; con piel tostada por el sol; sus bigotes negros caídos; su mirada dominante, profunda y determinada, puesta en el horizonte, las calles, los edificios; su cejo ligeramente fruncido, cejas pobladas; abundante pelo rebelde; nerviosa y llamativa nariz olfateando el ambiente; su frente amplia y la mandíbula inferior acentuada; sus orejas ... largas y rojas. Un tipo acabado de masculinidad...».

Díaz supo siempre, aunque no lo formulara de manera explícita, que su misión era *continuar* a Juárez. En su fuero interno lo veneraba más que ningún otro: no con la lira, con los hechos. Sus desavenencias habían sido necesarias, naturales. No correspondía a Juárez pastorear al rebaño mexicano hacia las siguientes estaciones de emancipación: la paz, el orden y el progreso. Correspondía a la nueva generación, que tenía las armas y la fuerza para hacerlo. En el fondo, sólo había ocurrido un cambio de estafeta entre dos caudillos de Oaxaca: el zapoteca y el mixteco, el abogado suave, diplomático, y el soldado enérgico, constructor. Ambos eran tenaces, reservados, melancólicos, «místicos de la política». Juntos, en más de medio siglo de gobierno patriarcal, consolidarían, en distintos aspectos, a México como nación. El primero, en su forma política, su régimen laico de libertades, sus dimensiones geográficas definitivas y su lugar modesto pero respetado entre las naciones. El segundo, en su orden y seguridad internos, la paz y el crédito exterior, el progreso económico y, con todo ello, la conciencia de la nación sobre sí misma. Juntos lograrían transmitir su experiencia personal a México y, en cierta medida, lo «emanciparían». Como ellos, con ellos, el México moderno *huiría* del pasado indígena y colonial hacia un futuro que prometía dos bienes no siempre compatibles: libertad política y progreso material.

Orden, paz, progreso

El cambio de estafeta correspondió también a un cambio de valores en la élite liberal y mestiza del país. Por largas décadas habían defendido como valor supremo la libertad individual, la libertad política, la libertad sin más. Cuando la alcanzan, advierten de pronto que la libertad no es el único valor, ven de frente su retraso material, y escriben: «Somos niños, pretendemos ponernos al nivel de las naciones de Europa, dando un salto enorme de cuatro o cinco siglos». Exagerada o no, la distancia material era palpable. Los ferrocarriles fueron piedra de toque en esa toma de conciencia. En 1873 Lerdo había inaugurado por fin el Ferrocarril Mexicano soñado desde tiempos de Santa Anna. El mismo Lerdo, sin embargo, se negó a ampliar la red, sobre todo hacia el norte. La nueva generación que asciende con Díaz al poder piensa de otro modo. No es casual que su periódico de combate se llamara *El Ferrocarril.* Aun el gran periodista liberal, amigo y admirador de Juárez, Francisco Zarco, escribía por entonces, desilusionado: «¿Por qué, estando el país libre, se siente un malestar? ... porque no hay caminos; porque faltan vías de comunicación ... Sin el ferrocarril de Veracruz no haremos nada ... con él tendremos todo». La clave ahora no estaba ya en la libertad sino en la tríada del orden, la paz y el progreso:

«Donde hay caminos y correos, ferrocarriles y telégrafos, hospitales y hospicios, escuelas y colegios, fábricas y talleres, comercio, industria y actividad en las transacciones, la paz está asegurada por sí misma y el orden no necesita del apoyo militar porque todos están interesados en conservarlo».

«Es una desgracia que no aparezca un hombre superior que se atreva por caminos no ensayados en nuestras tradiciones políticas», escribió hacia 1877 otro purísimo liberal: José María Vigil. Para entonces, se equivocaba. El hombre que, sacrificando la libertad política, pondría riendas al país para conducirlo por el camino no ensayado de la paz, el orden y el progreso material existía ya. Era Porfirio Díaz y ocupaba la silla presidencial.

La palabra «riendas» no era inexacta. Díaz la usaba con frecuencia para hablar de la política, de *su* política. México no era un rebaño: era una inquieta «caballada» a la que había que domar y domarla, no era asunto de «leyes sino de muelles». El primer objetivo consistía en establecer el orden y la paz, y a él se abocó en sus primeros años de gobernante. En la entrevista con Creelman los recordaba:

«Principiamos por castigar el robo con la pena de muerte y obligábamos a que se ejecutara al culpable pocas horas después de haber sido aprehendido y condenado. Dimos órdenes, para que dondequiera que fuesen cortados los hilos telegráficos, sufriera la pena el jefe del distrito, en caso de no aprehender al criminal, y en caso de que la interrupción acaeciese en una hacienda, al propietario que no podía impedirlo se le colgaba del poste telegráfico más cercano. Téngase presente que éstas eran órdenes militares. Fuimos duros; a veces llegamos hasta la crueldad. Pero todo ello era necesario para la vida y progreso de la nación. Si cometimos crueldad, el fin ha justificado los medios. Era mejor que se derramara una poca de sangre, para evitar que se vertiera más después. La sangre que se derramó era sangre mala; la que se evitó y salvó, era buena. La paz era indispensable, aun cuando fuera una paz forzada, para que la nación tuviese tiempo de reflexionar y trabajar. La educación y la industria han continuado el trabajo empezado por el ejército».

Entre 1876 y 1888 —con el breve intervalo de 1880 a 1884, en que gobernó su compadre Manuel «el Manco» González—, Díaz logró la total pacificación del país que Juárez había soñado. No sólo fue implacable con los bandoleros: también con los indios yaquis y mayos de Sonora, a los que deportaba al terrible Valle Nacional de Oaxaca o más lejos, al último territorio de los otros indígenas irreductibles: los mayas de Yucatán. En su larga era, desaparecieron los caciques o, más bien, se convirtieron en gobernadores, pequeños Porfirios de sus respectivos estados.

La clave para «arriendar» a la caballada se resumía en una fórmula. El propio Díaz la describió con franqueza, casi con candidez, a James Creelman en aquella memorable entrevista autobiográfica: «Yo recibí este gobierno de las manos de un ejército victorioso ... se convocó a elecciones tan pronto como fue posible, y entonces mi autoridad fue conferida por el pueblo». Era esa época, explicaba Díaz, «en que el pueblo estaba dividido y sin preparación para el ejercicio de los principios extremos de un gobierno democrático; el haber descansado sobre las masas toda la responsabilidad del gobierno, de un solo golpe, hubiese producido condiciones que habrían desacreditado la causa del gobierno libre». Por ello había tenido que erigirse en garante, protector, depositario de los derechos democráticos consagrados en la Constitución, para el futuro lejano, deseable, en que los mexicanos, eternos menores de edad, pudiesen ejercerlos:

«Hemos preservado la forma de gobierno, republicana y democrática. Hemos defendido la teoría y la conservamos intacta ... Adoptamos una política patriarcal en la administración actual de los negocios de la nación, guiando y restringiendo tendencias populares, con la plena fe de que una paz forzada permitiría a la educación, a la industria y al comercio, el desarrollar elementos de estabilidad y unidad entre un pueblo por naturaleza inteligente, afable y afectuoso».

La «política patriarcal» llevó a sus últimas consecuencias las prácticas que los propios partidarios de Díaz habían criticado en Juárez. Frente a la actitud de Díaz con respecto a los otros poderes de hecho o de derecho (el legislativo, el judicial, los gobernadores, el ejército, la prensa, los intelectuales, la Iglesia) la de Juárez habría parecido blanda, casi tolerante.

Todos los diputados y senadores (desde 1874 había Senado), en lugar de ser engorrosamente elegidos, eran convenientemente electos, pero no por los distritos a los que pertenecían por arraigo o nacimiento, sino por voluntad del Gran Elector. Las elecciones representaban, por lo general, un mero trámite. El Congreso, orgullo de la Constitución, vivió en un gran receso por treinta años. Las diputaciones no eran cargos de responsabilidad, sino prebendas. Algo similar ocurría con la Judicatura. A los gobernadores, Díaz los trató como Juárez: los hizo sus aliados. Pero su control sobre ellos llegó a ser más estrecho. Bernardo Reyes, gobernador de Nuevo León y procónsul del Noreste, solía recibir órdenes, informes y sugerencias sobre asuntos tan variados como la elección para la Legislatura, el Senado y la Judicatura, indultos de reos sentenciados, tácticas de sujeción de caciques, listas de bandidos para deportación a Yucatán, problemas de colindancias entre Nuevo León y Coahuila, despojos a un cura de Monclova, órdenes para reprimir a rebeldes, lecciones a «los yanquis» que pretendían apropiarse del ferrocarril Monterrey-Golfo («no pueden venir a burlarse de los mexicanos») y cientos de asuntos más.

Sus gabinetes estaban formados por una mixtura de ideología y procedencia política. «En política no tengo ni amores ni odios», sería una de sus frases, avalada por la realidad: se allegaba lo mismo a viejos imperialistas, que a antiguos juaristas, lerdistas, conservadores. Lo único que contaba era la eficacia. A los propios juchitecos que en 1871 habían asesinado de manera brutal a su hermano Félix (que como gobernador de Oaxaca los había tratado, a su vez, con brutalidad) los perdonaba y pactaba con ellos. Quería abarcarlo todo, pero se cuidaba de no entrometerse en campos en que se consideraba incompetente: a sus ministros de Hacienda, primero el imperialista Dublán y, a partir de 1892, al joven y brillantísimo financiero José Ives Limantour, les confió por entero la política económica.

A sus compañeros en el ejército les dio, en sus propias palabras, «pan o palo». Pan, en la forma de prebendas y concesiones económicas; palo, como actos represivos si amenazaban levemente con disentir. Nunca fue menos militar el militarismo mexicano que bajo Porfirio Díaz. Por lo demás, para fines de siglo la mayor parte de esos compañeros habían muerto.

Con la prensa, su costumbre fue jalar la rienda, aunque no tanto que se rompiera. A un gobernador en apuros le aconsejaba:

«... mi opinión, que amistosamente le emito, es que daría mejores resultados que algunos de los agraviados lo acusen, y aunque sean dos o tres meses de prisión la pena que se les imponga, como esos escritores no se pueden callar durante su encierro, se les puede seguir acusando y anexando penas hasta endrogarlos en dos o tres años. La tarea es molesta y le llegará a cansar a usted; pero también es seguro que no será antes de que al procesado».

A los intelectuales, a los que en general despreciaba por «profundistas», los integraba al poder ofreciéndoles puestos en el Congreso u otro tipo de canonjías. Una frase aprendida en sus años infantiles resumía su relación con ellos: «Ese gallo quiere máis [maíz]».

Con la Iglesia, su manejo fue en verdad magistral: se llamó «política de conciliación». A diferencia del ex jesuita Lerdo que, además de incorporar a la Constitución las Leyes de Reforma, expulsó nuevamente a los jesuitas y hasta a las piadosas monjas de San Vicente de Paul (logrando con ello una rebelión de campesinos cristianos en el occidente de México), Díaz quería poner fin a la discordia religiosa. Había que abstenerse de aplicar las Leyes de Reforma «porque se sostienen los odios de partido». Al morir su primera esposa, Delfina, Díaz se retractó por escrito aunque privadamente de haber apoyado las Leyes de

Reforma. Poco tiempo después, en 1881, su amigo el padre Eulogio Gillow daría la bendición a dos dispares tórtolos: Porfirio Díaz –mestizo, viudo, de cincuenta y un años– y Carmelita Romero Rubio –criolla, soltera, de diecisiete–. En 1887, Díaz daba a su vez la bendición al nombramiento de Gillow como primer arzobispo de Oaxaca. Intercambio de regalos. De Díaz a Gillow: un anillo pastoral, gran esmeralda rodeada de brillantes. De Gillow a Díaz: una joya suntuosa que representa las glorias militares de Napoleón I. Al final de la época porfiriana, era claro que la Iglesia mexicana había recobrado fuerza espiritual y política, ya no económica: multiplicó sus peregrinaciones, escuelas, hospitales, diócesis, arquidiócesis, periódicos combativos. Hubo coronaciones, se creó la orden de las Hermanas Guadalupanas, volvieron los jesuitas. Pero Porfirio no les concedía todo aquello sin recibir: los obispos secundaban «la obra pacificadora de Díaz» y en el V Concilio Provincial Mexicano de 1896 ordenaron a los fieles algo inusitado, impensable en época de Juárez y del feroz «comecuras» Lerdo: obedecer a las autoridades civiles. El país parecía conciliar por fin, sabiamente, sus dos caras: ni tan liberal ni tan conservador.

La clave de todo el proceso era la reelección. La Constitución liberal del 57 la había permitido; Díaz la había combatido al grado de modificar, al triunfar en 1877, el texto constitucional para prohibirla. Poco después, el texto había sido modificado de nueva cuenta: se prohibía la reelección... inmediata. En 1888 se enmendaba de nuevo el tan manoseado artículo, esta vez para permitir la reelección por un periodo. «El buen dictador», diría Bulnes en un discurso, «es un animal tan raro que la nación que posee uno debe prolongarle no sólo el poder sino la vida.» En 1890 el Congreso se decidió, en efecto, por esa «prolongación» indefinida. Cada cuatro años, por muchos años, Díaz sería el candidato único, y cada cuatro años se reelegiría. Era el caudillo necesario, el hombre indispensable, el nuevo enviado de la providencia: la providencia liberal.

*

Con la paz y el orden advino el progreso. Desde finales del siglo XVIII, cuando a raíz de las reformas borbónicas el país había abierto levemente su economía al comercio exterior, no se veía en México un auge similar.

En 1885 se terminó de arreglar la deuda externa (con ruidosa oposición de los estudiantes acaudillados por el viejo liberal Guillermo Prieto). Con la liberalización del comercio interno –abolición de las alcabalas– y la acelerada construcción de ferrocarriles (de 638 km en 1876 a 19.280 en 1910) el país comenzó por primera vez a integrar un mercado interno y a vincularlo con el mundo exterior. La agricultura creció al 4 por ciento, la industria al 6 por ciento y la minería casi al 8 por ciento. A diferencia de los tiempos borbónicos, este crecimiento era amplio y diversificado, tanto en el número de productos de exportación como en su naturaleza. Aunque el peso de plata mexicano circulaba en Europa, Estados Unidos y hasta en China, no sólo de plata vivía México, también de metales industriales. En 1894 México tuvo su primer superávit presupuestal de la historia gracias al ejemplar manejo financiero y hacendario de Limantour. La inversión extranjera fluyó también, en proporciones increíbles por su monto y por su equilibrio, variedad y productividad.

Hasta el fin de siglo, Porfirio Díaz disfrutó las delicias del poder absoluto, pero un poder que, en justicia, utilizó tanto para mandar como para promover un desarrollo material sin precedente. Nadie podía refutar entonces ni después los avances económicos: nuevas industrias, minas, campos, bancos, servicios, oportunidades, ciudades habían abierto el horizonte de México. En unas décadas Díaz había logrado revertir el desprestigio del país en el exterior. Una nación que pudo haber naufragado ocupaba ahora el sitio que le correspondía, no el de los ensueños de grandeza criollos sino el de las modestas pero sólidas realidades mestizas.

El Monitor Republicano, el honestísimo periódico liberal, no podía menos que encomiar en este sentido a Porfirio: «Son admirables los progresos realizados por el país desde la revolución de Tuxtepec». Con todo, los guardianes de la tradición liberal interpretaban esa extraña combinación de liberalismo económico y opresión política como lo que era: una traición al auténtico liberalismo, una traición a la Constitución.

Los guardianes eran los muy jóvenes y los muy viejos, éstos desde la tribuna de *El Monitor Republicano*, aquéllos en *El Hijo del Ahuizote.* Aunque trató, don Porfirio no pudo nunca embridarlos. En la última década del siglo varios periódicos secundaban la labor machacona, honesta y crítica de esos periódicos. Entre ellos se destacaban *El Diario del Hogar,* del incansable Filomeno Mata, y un periódico católico: *El Tiempo.* A pesar del acoso oficial, la prensa no renunciaba a su papel de vigía crítico. Una de las batallas memorables del periodismo en México la libraron en esa época *El Monitor Republicano* y el más inteligente de los diarios oficiosos, *El Siglo XIX.*

Porfirio Díaz, ca. 1877

– Ningún gobernante de México ha gobernado democráticamente por la sencilla razón de que el pueblo mexicano no es demócrata ... un pueblo que necesita permiso del presidente de la República para ejercer su soberanía es menos soberano que un carnero ante un coyote ... El general Díaz no puede ser culpable de haber desempeñado en México un cargo que exigía fisiológicamente el organismo nacional.
– Aquí no hay más pueblo ni más República ni más poder que la voluntad del general Díaz ... él sabe hasta dónde perjudica a las costumbres democráticas, sustituidas hoy por las instituciones personales de la *necesidad,* que es un concepto impuro e indigno de la conciencia de un verdadero republicano.

Hacia fin de siglo, al desaparecer *El Monitor Republicano* por la implacable competencia de un moderno periódico oficial (llamado, cínicamente, *El Imparcial)* el sueño de la unanimidad parecía completo. El arte de la adulación llegó entonces a extremos increíbles. Hubo quien se arrodillara ante don Porfirio pidiéndole la reelección. Día a día se sucedieron agasajos, recepciones, banquetes, ceremonias, procesiones, carros alegóricos en honor del *Héroe de la Paz.* Fue la década de los aplausos que ni un sorpresivo atentado contra la vida de Porfirio en 1897 pudo empañar.

Era extraño ver cómo en aquel México liberal y progresista de fin de siglo se popularizaba la frase «Poca política, mucha administración». ¿No era, justamente, la frase de Alamán en 1846: «No necesitamos congresos, sólo unos cuantos consejeros planificadores»? Díaz encarnaba, en efecto, puntualmente, el programa de Alamán, el sueño conciliatorio de Comonfort, pero *desde* una legitimidad liberal, *desde* un orden liberal. Había encontrado la fórmula de síntesis que los criollos nunca pudieron vislumbrar. Y así ocurrió que México cerraba el siglo XIX y abría el XX en una situación impensable: la vida monárquica con formas republicanas.

Desde su exilio en Nueva York, donde murió en 1889, el ex presidente Lerdo había resumido su crítica en una frase lapidaria que no caería en el vacío sino en las inquietas conciencias de los «científicos» (así llamaría el pueblo, desdeñosamente, a los tecnócratas a quienes don Porfirio beneficiaba con puestos, concesiones o prebendas) y pasaría a formar parte de los sueños de unos cuantos periodistas auténticamente liberales:

«Yo profetizo para México la más grande y poderosa de las revoluciones. No revolución de partidos, estéril y gastada, sino revolución social. Nadie podrá evitarla».

Esfinge y patriarca

El novelista Federico Gamboa llevaba años observando al presidente Díaz: mientras más lo hace, menos respuestas encuentra y las preguntas aumentan: ¿Habrá alguien o algo que lo haga vibrar? ¿Tendrá intimidades? ¿Cómo amará a sus hijos? ¿Creerá en Dios? Gamboa no lograba descifrarlo, sólo describirlo: «Serio siempre, siempre en su papel, sin sonrisa, sin inclinaciones de su cuerpo alto y fuerte; su rostro, que nunca lo traiciona, en el que nadie puede descubrir cuándo está contento y cuándo disgustado, perfectamente enigmático ... Avaro de la idea que lo anima (¿cuál, a ciencia cierta? ...) a nadie se la muestra ... ¡Es la Esfinge, hasta por su color y por su origen, es la Esfinge!».

En 1900 Porfirio Díaz tenía setenta años de edad, cincuenta años de actividad militar y política y veinte de poder absoluto. Muchos de sus contemporáneos se preguntaban por el origen de aquel poder omnímodo que, pese a todo, nunca descendía a extremos de tiranía. Muchos de sus biógrafos buscaron el secreto en la vida personal de Díaz y concluyeron en la misma perplejidad de Gamboa: ¡es la Esfinge! Quizás el problema de interpretación consistía en pasar por alto el surtidor cultural del que abrevaba Porfirio Díaz, la fuente primera —no genérica, sino individual— de su conciencia: su raíz indígena.

Para acercarse a Porfirio Díaz se necesitaba una visión sensible a lo genérico como la de Andrés Molina Enríquez, un juez de pueblo en una región del Estado de México densamente habitada por comunidades indígenas y pueblos de origen indígena. El análisis caracterológico de Díaz apareció en la obra *Los grandes problemas nacionales* (1909). Su terminología positivista y las categorías raciales que empleaba oscurecían un tanto sus razonamientos, pero si las palabras «sangre» y «raza» se reemplazan por «cultura», el misterio de la esfinge comienza a revelarse:

«El general Díaz era mestizo, de sangre india y sangre española, en una proporción muy cercana al equilibrio perfecto de las dos sangres; si el equilibrio no era perfecto se debía a que sensiblemente dominaba la sangre india, determinando entre él y los indios una corriente de sentimientos y de ideas que facilitaba considerablemente su mutua comprensión y su mutua confianza. A pesar del ligero desnivel de sus dos sangres, el general Díaz en lo físico y en lo moral era un hermoso ejemplar de tipo racial mestizo de nuestra población que ha comenzado a ser, y será plenamente en lo porvenir, el verdadero tipo nacional».

Cabe conjeturar que Porfirio Díaz era *una identidad en tránsito.* Su paso de la condición antigua, la indígena, a la condición moderna no había sido tan largo ni tan radical como el de Juárez, a quien Justo Sierra atribuía una «doble manumisión» (de la lengua y la religión); pero sin ser indio del todo, lo era parcialmente y no sólo por razones genéticas sino culturales.

El tránsito se manifestaba, por ejemplo, en el lenguaje. Además de los *jué* en vez de fue, *máis* en vez de maíz, que nunca lo abandonaron, Díaz hablaba con una peculiar vaguedad. Siempre el «medio decir», el no comprometerse ni comprometer, el referirse «a lo que hablamos». El carácter de Díaz revelaba también su condición de paso. Reservado, notablemente silencioso e impenetrable; no manifestaba sus sentimientos, aunque nunca pudo mantener la impasibilidad característica de Juárez. Uno de los escritores más inteligentes de la época, Emilio Rabasa, le adivinaba «cierta anestesia de los afectos». Una tenaz melancolía debió de ser el precio psicológico de tanto poder asumido. Sin la capacidad de formular ideas, de fantasearlas o soñarlas, el empeño místico del poder se quebraba sólo con el llanto: «La inspiración, por reposada que sea», recuerda Zayas Enríquez, «produce en él enternecimiento y llora». Juárez, que lo conocía bien, le comentó alguna vez a Lerdo: «Porfirio mata llorando ... Llorando, llorando es capaz de fusilarnos a usted y a mí si nos descuidamos».

Con las mujeres de su familia —su esposa y sus hijas Luz y Amada, ésta nacida de una madre juchiteca en los años sesenta— se mostraba tierno y respetuoso. Con los hombres, sobre todo con su hijo «Porfirito», a quien apodaban «el Chas» por su desagradable costumbre de estornudar en público, se comportaba durísimo: a los doce años lo mandó al Colegio Militar, donde fue tratado con severidad.

Moralmente, el mestizo Díaz se daría cuenta de que la lealtad y la verdad —virtudes cardinales en el indígena— conducen más fácilmente al sacrificio que al poder. Había aprendido a bordearlas sin traicionarlas. Se volvió disimulado, como todo indígena, pero su disimulo era plenamente consciente. El término medio entre la lealtad y la traición es la perfidia, que Porfirio practicó toda la vida. También practicó la tolerancia y el perdón del enemigo, pero sus razones no eran tanto de moral cristiana como de lógica política.

Montaba caballos de gran alzada. Sin ser alto lo parecía. Todas las mañanas se levantaba al toque de diana, hacía ejercicio y se bañaba con agua fría. Se cuenta que alguna vez ciertos dubitativos inversionistas extranjeros que visitaban el Colegio Militar acompañados por Limantour se sorprendieron al ver en el flamante gimnasio a un viejo que levantaba pesas. «Ah, sí», respondió Limantour, «es el presidente Díaz. Viene todas las mañanas.» Parecía prometer una «longevidad incalculable».

Las fotografías son la prueba más obvia de su tránsito de identidad: muestran el paso del chinaco hosco y aindiado de bigotes caídos al vivaz general mestizo, y luego al hierático y sonrosado dictador con el pecho cuajado de medallas: un Bismarck americano. Estos tres momentos coinciden, además, con los respectivos vínculos amorosos de Porfirio: la india Juana Cata, la mestiza Delfina y la blanca Carmelita. La mujer como partera de identidad.

*

Para Emilio Rabasa, «aquel soldado que había hecho su aprendizaje en las campañas, tenía, sin embargo, como condiciones primeras de todo, la subordinación y la disciplina, y no podía entender el gobierno sino fundado en la autoridad; quizás haya creído que la autoridad era la única relación admisible entre el gobierno y el pueblo»... y entre los individuos, pudo agregar. Nuevamente el elemento teocrático.

Congruente con esa visión de la existencia humana, Porfirio creyó siempre lo que en 1908 le explicó con candidez a Creelman, el periodista norteamericano:

«desde entonces encontré a los hombres como todavía los encuentro. El individuo que ayuda a su gobierno en la paz o en la guerra tiene siempre algún móvil personal. Puede ser buena o mala su ambición, pero en el fondo es ambición personal. [La misión del gobernantes es] descubrir ese móvil ... He procurado seguir esta regla ... un gobierno progresista debe tratar de satisfacer la ambición individual tanto como sea posible; pero ... al mismo tiempo debe poseer un extinguidor para usarlo sabia y firmemente cuando la ambición individual arda con demasiada viveza en peligro del bienestar general».

Quizá la clave del enigma está en una palabra: paternidad. Porfirio se veía en la figura de un patriarca, cabeza de una grey de niños ambiciosos, dependientes e irresponsables:

«Los mexicanos», había dicho alguna vez a Bulnes, con un realismo no exento de crudeza, «están contentos con comer desordenadamente antojitos, levantarse tarde, ser empleados públicos con padrinos de influencia, asistir a su trabajo sin puntualidad, enfermarse con frecuencia y obtener licencias con goce de sueldo, no faltar a las corridas de toros, divertirse sin cesar, tener la decoración de las instituciones mejor que las instituciones sin decoración, casarse muy jóvenes y tener hijos a pasto, gastar más de lo que ganan y endrogarse con los usureros para hacer "posadas" y fiestas onomásticas. Los padres de familia que tienen muchos hijos son los más fieles servidores del gobierno, por su miedo a la miseria; a eso es a lo que tienen miedo los mexicanos de las clases directivas: a la miseria, no a la opresión, no al servilismo, no a la tiranía; a la falta de pan, de casa y de vestido, y a la dura necesidad de no comer o sacrificar su pereza».

«Por favorable que sea la opinión que tenemos de nuestra patria», lamentaba Díaz, «todavía no estamos convencidos de que sus hijos hayan adquirido el desenvolvimiento moral o intelectual suficiente.» ¿Cómo instaurar la democracia en un país de menores de edad? Sólo con el tiempo y la obediencia al patriarca severo pero no despótico; un patriarca que había decidido cambiar la piqueta de la Reforma por la conciliadora pala del progreso.

Andrés Molina Enríquez escribió que el don específico de Díaz radicaba precisamente en su «paternalismo integral». Don Porfirio encarnaba todos los atributos y funciones de un príncipe indígena versado en la doctrina tomista del bien común, que adornaba sus actos revestido con formas republicanas: «El señor general Díaz», confirmó además, sorprendentemente, el mestizo Molina Enríquez, «inauguró la política integral que no es sino la virreinal adaptada a las circunstancias tal cual Alamán la soñó sin haber podido realizarla».

Cabe pensar que el tránsito de identidad de Díaz, su movimiento de la condición antigua, la indígena, a la moderna, se realizaba *integrando* cada etapa, cada condición. Por ello, en su ejercicio del poder Díaz *proyectaba* ese mismo proceso de integración. El centro y el vehículo de integración era necesariamente el propio Díaz, que ya para entonces encarnaba ante sí mismo a un nuevo padre de la patria. Así se entiende que el resorte primario de la política de Díaz haya sido, como vio Molina Enríquez, *la amistad,* entendida como una transacción de beneficios por lealtad. Cada grupo étnico y social recibía el «tratamiento adecuado». A los «criollos conservadores» les daba puestos de brillo sin verdadero poder; a los «criollos del clero» los atraía «suavizando el rigor de las Leyes de Reforma»; a los «criollos nuevos» o liberales, los trataba con atención y confianza, abriendo para ellos la mano de las larguezas «con subvenciones, privilegios y monopolios». Frente a los mestizos, su actitud era de majestad y fuerza; su táctica, darles puestos secundarios en la burocracia o el ejército. «Desgraciadamente», opinaba Molina Enríquez, «no todos los mestizos han podido caber dentro del presupuesto.» Con respecto a los indígenas dispersos —los yaquis, por ejemplo—, su decisión invariable era reprimir y castigar; pero frente a los «indígenas incorporados» —clero inferior, soldados, propietarios comunales y jornaleros— lo caracterizaba la «bondad». Los primeros le agradecían el ocaso del jacobinismo; los segundos, la puntualidad de sus sueldos. En cuanto a las dos últimas categorías —claves en el conflicto agrario en que el propio Molina Enríquez participaría, años más tarde, como actor, profeta y legislador—, la actitud personal de Díaz fue, en opinión del sociólogo, cuidadosa y atenta:

«A los indígenas propietarios comunales los ha mantenido quietos, retardando la división de sus pueblos, ayudándolos a defender éstos, oyendo sus quejas y representaciones contra los hacendados, contra los gobernadores, etc. A los indígenas jornaleros, es decir, a los peones de los campos, que han sido los menos favorecidos directamente, les ha suavizado en algo su condición con sólo mantener la paz que permite el cultivo que les da jornales permanentes».

En esta inmensa concentración de poder, Molina Enríquez no veía un peligro sino una bendición:

«cuán compleja ha sido la obra del señor general Díaz, y cuán compleja ha tenido que ser su responsabilidad. Es un hombre único, que en una sola nación ha tenido que gobernar y ha gobernado sabiamente muchos pueblos distintos, que han vivido en diferentes periodos de evolución, desde los prehistóricos hasta los modernos».

Quizá la clave primordial del presidencialismo mexicano del siglo XX y una de las claves principales de la consolidación nacional tras el caótico siglo XIX hayan sido, en efecto, una y la misma: la relación de continuidad entre aquellas dos figuras paternas nacidas en Oaxaca, tierra

Porfirio Díaz, 1905

de «místicos de la política» donde la vida humana, radical e innatamente religiosa, se regía aún, en el fondo, por pautas teocráticas. Sólo ellos, que habían transitado en su vida por todas las capas sociales, culturales y raciales; sólo ellos, que habían nacido muy cerca del México precolombino y virreinal y se habían *emancipado* de ambos hasta llegar a la era de las locomotoras, pudieron iniciar la integración social e histórica de la nación: el zapoteca y el mixteco, Juárez y Díaz.

El cielo liberal

A partir del triunfo definitivo de la República en 1867 y la derrota del Partido Conservador, los liberales habían comenzado a construir su propio cielo, pero para legitimar el nuevo Estado les faltaba lo más importante: un credo. Aunque el Partido Liberal era, según sus propios voceros, «el verdadero observador del *Evangelio*», y aunque muchos de sus miembros seguían creyendo privadamente en el *Evangelio*, necesitaban una especie de evangelio, un cuerpo de creencias que diera cohesión a los héroes de la patria. Se necesitaba «crear», en palabras de Justo Sierra, «el alma social ... la religión cívica que une y unifica». Esta función la cumplió la historia. Por medio de los «catecismos de Historia patria» se despertaría y consolidaría «el santo amor», la «devoción profunda a la patria». Una vez que el Partido Liberal se había vuelto «el partido de la nación», toda vez que el Partido Liberal *era* la nación, se despertaría «en los alumnos una grande admiración por nuestros héroes, haciendo ver que por ellos los mexicanos formamos una familia». Se referían, claro, a la familia liberal.

El catolicismo en México era entonces lo que seguiría siendo: un cielo poblado de santos. Durante la época de Juárez y Díaz había nacido un cielo paralelo: el de los héroes. (Y un infierno paralelo: el de los villanos.) Las imágenes de los santos (en tela, bronce, marfil, piedra, papel) se veneraban en los altares y nichos de las iglesias y las casas. A partir de la era liberal, las imágenes idealizadas de los héroes comenzaron a proliferar en esculturas y bustos públicos, en lienzos neoclásicos «a la David» y, como los santos, en pequeñas estampas escolares. Los curas narraban las vidas ejemplares de los santos en sermones y catecismos; los oradores e historiadores liberales recordaban los actos heroicos, las frases célebres, las muertes inolvidables de los insurgentes en libros, poemas y discursos. Al calendario se le había llamado siempre en México «Santoral», porque consagraba las fechas de nacimiento y muerte de los santos; el calendario cívico incluyó nuevos «días de guardar»: el día de la Constitución (5 de febrero), el nacimiento de

Juárez (21 de marzo), el triunfo contra los franceses en Puebla (5 de mayo), el nacimiento de Hidalgo (8 de mayo), la muerte de Juárez (18 de julio), el triunfo de Díaz en Puebla (2 de abril), etc. Los días del santo del pueblo, barrio, capilla, eran ocasión de festejo: festejo de vida o de muerte; en las fechas cívicas, con la bandera ondeando o a media asta, el mexicano tuvo a partir de entonces nuevas razones para celebrar. Dentro de las capillas se conservaban las reliquias del santo, sus huesos, pertenencias o pequeños trozos de ropa; dentro de los monumentos cívicos, se hallaban las urnas con los huesos de los héroes, y sus prendas se exhibían en museos especiales. Así como los pueblos y ciudades, los barrios, las calles y callejones de México solían llevar, desde tiempos coloniales, el nombre de un santo, así por todo el territorio nacional se esparcieron los nombres de los héroes del periodo liberal: Dolores Hidalgo, Morelia, Ciudad Juárez, Ciudad Porfirio Díaz. Las procesiones alegóricas con la vida de sus santos eran costumbres vivas en muchos lugares del país; los desfiles alegóricos del 16 de septiembre comenzaron a serlo. Los héroes, en fin, se volvieron protagonistas de himnos oficiales y canciones populares, novelas románticas y poemas patrióticos, pero pocos calaron tan hondo en la conciencia popular como los santos. El 1 de noviembre los mexicanos celebraban, como siempre, el «día de Todos los Santos». Ninguna fecha del calendario cívico tuvo nunca una dimensión semejante: no hubo ni habría un día de todos los héroes.

Parecía que los porfiristas habían logrado fundar aquello que sus «padres venerables» del 57 habían deseado con tanto fervor: nada menos que una catolicidad cívica. Con todo, en medio de esa consagración de la verdad oficial, en plena apoteosis de la religión única de la patria, comenzaron a escucharse las notas heréticas. La primera, de orden privado, provino del mismísimo «sacerdote de la patria», el historiador Justo Sierra. En los últimos días de 1899 escribía a don Porfirio:

«La reelección significa hoy la presidencia vitalicia, es decir, la monarquía electiva con un disfraz republicano. Yo no me asusto por nombres, yo veo los hechos y las cosas; he aquí lo que con este motivo se me ocurre. La reelección indefinida tiene inconvenientes supremos; del orden interior unos y del exterior otros; todos íntimamente conexos. Significa bajo el primer aspecto que no hay modo posible de conjurar el riesgo de declararnos impotentes para eliminar una crisis que puede significar retrocesos, anarquía y cosecha final de humillaciones internacionales si usted llegase a faltar, de lo que nos preserven los hados que, por desgracia, no tienen nunca en cuenta los deseos de los hombres.

Y si se objeta que no es probable que no podamos sobreponernos a esa crisis por los elementos de estabilidad que el país se ha asimilado, entonces ¿cómo nos reconocemos impedidos para dominar la que resultaría de la no reelección? Significa, además, que es un sueño irrealizable la preparación del porvenir político bajo los auspicios de usted y aprovechando sus inmejorables condiciones actuales de fuerzas física y moral (preparación que todos desean, hasta los más íntimos amigos de usted, aunque le digan lo contrario). En cuanto a lo que atañe al exterior, ésta es a mi juicio, la impresión indefectible de los hombres de Estado y de negocios en los Estados Unidos, en Inglaterra, en Alemania, en Francia ... en la República Mexicana no hay instituciones, hay un hombre; de su vida depende paz, trabajo productivo y crédito».

Cuatro años más tarde, el furibundo Bulnes, tan valiente con el difunto Juárez, se atrevería también a criticar al «buen dictador». Lo haría pálida y tangencialmente, pero en público:

«La paz está en las calles, en los caminos, en la diplomacia. Pero no existe en las conciencias... ¡La nación tiene miedo! ... Después del general Díaz el país no quiere hombres. El país quiere partidos políticos, quiere instituciones, quiere leyes eficaces, quiere lucha de ideas, intereses, pasiones ... El país quiere ... que el sucesor del general Díaz se llame... ¡la ley!».

En ese mismo año de 1903 nacería la primera oposición política seria al régimen de Díaz. La encabezaban unos jóvenes oriundos, como él, de Oaxaca; eran místicos, como él, pero no del poder, sino del repudio al poder: los hermanos Ricardo, Enrique y Jesús Flores Magón. El 5 de febrero de 1903, precisamente en el aniversario de la Constitución, colgaron de los balcones de su nuevo (y efímero) periódico *Regeneración* una manta con las palabras letales: «La Constitución ha muerto». Díaz, por supuesto, los persiguió hasta arrojarlos a la prisión y al extranjero. Pero para entonces las semillas de una nueva reforma estaban sólidamente plantadas. En San Luis Potosí, un nuevo partido liberal había nacido para expropiar la palabra «liberal» a quienes la adulteraban, para defender los mismos principios del liberalismo puro, político, que Porfirio Díaz había abanderado en sus dos revoluciones de La Noria y Tuxtepec.

Por su formación anarquista y su nueva sensibilidad social, estos nuevos caudillos veían de manera distinta el progreso porfiriano. No lo negaban: ponderaban sus costos en el campo y la ciudad. Condenaban la persistencia, a un tiempo feudal y servil, del régimen de las haciendas que había proliferado en el porfirismo. Condenaban también la falta absoluta de legislación laboral en las fábricas, el trabajo infantil, las jornadas de sol a sol. En una palabra: la desigualdad, hija del liberalismo social, que ellos no atribuían a la época sino al dictador.

En 1906 y 1907, varios miembros de este partido clandestino se infiltraron en las bases obreras del mineral de Cananea, en Sonora, y de la gran fábrica textil de Río Blanco, en Veracruz. En los dos sitios estallaron sendas huelgas sin precedente en el porfiriato: largas, complejas, sangrientas. La «patriarcal» mediación de Díaz en la segunda no hizo más que atizar los ánimos. Un inteligente asesor suyo vio en ellas barruntos de tormenta en el cielo liberal:

«El movimiento actual no es aislado ni circunscrito a la clase obrera ... al odio hacia cierto círculo (los "científicos") se agrega la cuestión obrera y más tarde la cuestión agraria ... Que hay algo grave, muy grave, es cosa segura ... los movimientos operados son precursores de los que se preparan en otros grandes centros del país ... Cuando la idea revolucionaria es tan avanzada que frisa en un hecho, la única manera de dominarla es encabezarla».

¿Quién mejor que Díaz lo sabía? Hacía muchos años, en 1891, había dicho: «Creo que cuando prevalece el descontento contra un gobierno, va adquiriendo poco a poco una fuerza tan irresistible que no hay obstáculo capaz de detenerlo». Pero don Porfirio en 1907 no creía vivir una situación semejante. Con todo, era el momento de tomar la iniciativa y soltar él mismo la más revolucionaria de las ideas. Para declararla *urbi et orbi* se entrevistó con James Creelman. El número de marzo de *Pearson's Magazine* anunciaba el gran reportaje: «President Díaz: Hero of the Americas».

Por un sepulcro de honor

Habían hablado de los indios y los españoles, de sus hazañas guerreras y políticas, de Juárez y Maximiliano, de los tiempos de engañosa quietud de la Colonia y de la azarosa época de Santa Anna, del humo de los cañones y el humo de las fábricas, de la educación como prioridad nacional, de sus remotas correrías infantiles en las ruinas de Mitla y sus recientes correrías de cazador en la hacienda de El Cazadero, de sus fotografías a caballo o posando con el pecho cuajado de medallas... Era hora de que el «Master of Mexico» de setenta y siete años hablara del futuro político de su país.

Y habló. Midiendo palabra por palabra, letra por letra, comenzó por decir un sí y un no, un «sí, pero», a la pregunta clave: ¿entregaría al pueblo mexicano el depósito democrático que se había reservado desde el año de 1876?

«Es un error suponer que el porvenir de la democracia en México ha sido puesto en peligro por el largo periodo que ha ocupado el puesto un solo presidente ... Puedo decir sinceramente que el puesto no ha corrompido mis ideales políticos, y que creo que la democracia es un verdadero y justo principio de gobierno, aun cuando en la práctica es solamente posible para los pueblos que han adelantado mucho. ... Puedo deponer la presidencia de México sin el menor remordimiento; pero no puedo dejar de servir a mi Patria mientras viva ... Es un sentimiento natural para los pueblos demócratas el que sus gobernantes cambien a menudo. Yo estoy de acuerdo con ese sentir ... Cierto es que cuando un hombre ha ocupado un puesto elevado y poderoso por mucho tiempo, puede llegar a considerarlo como una propiedad personal; y está bien que los pueblos libres deban precaverse contra las tendencias de la ambición personal. Sin embargo, las teorías abstractas de democracia y la aplicación práctica y efectiva de ellas, no son a menudo necesariamente la misma cosa ... El porvenir de México está asegurado ... Los principios de la democracia no se han implantado lo bastante en nuestro pueblo; es mi temor. Pero la nación se ha desarrollado y ama la libertad. Nuestra dificultad ha sido que el pueblo no se preocupa lo bastante sobre asuntos políticos para la democracia. El mexicano, individualmente y, por lo general, se preocupa demasiado de sus propios derechos y está siempre dispuesto a reclamarlos. Pero no se preocupa mucho de los derechos de los otros. Piensa en sus privilegios, pero no en sus deberes. La capacidad para el dominio propio, es la base de todo gobierno democrático; y el dominio de sí mismo es posible para aquellos que respetan el derecho ajeno ... Sin embargo, creo firmemente que los principios de la democracia han crecido y fructificarán en México.»

Sin embargo, estaba forzado a transigir, a ser menos ambiguo, a tranquilizar un poco a la opinión pública norteamericana que lo sabía dueño de una fortaleza envidiable, pero lo sospechaba mortal. Por eso, acaso sin quererlo, transmitió más un *sí* que un *no:*

«He esperado con paciencia el día en que el pueblo mexicano estuviera preparado para seleccionar y cambiar su gobierno en cada elección, sin peligro de revoluciones armadas, sin perjudicar el crédito nacional y sin estorbar el progreso del país. Creo que ese día ha llegado. Cualquiera que sea el sentir o la opinión de mis amigos y partidarios, estoy dispuesto a retirarme cuando termine mi periodo actual, y no volveré a aceptar mi reelección. Tendré entonces ochenta años. Mi país ha tenido confianza en mí y me ha tratado con bondad. Mis amigos han ensalzado mis méritos y han hecho punto omiso de mis defectos. Pero acaso no estén dispuestos a tratar con la misma indulgencia a mi sucesor, y pueda tener, acaso, necesidad de mi consejo y ayuda; por consiguiente, deseo estar vivo cuando se haga cargo del poder, para que pueda yo ayudarle ... Yo veré con gusto un partido de oposición en la República Mexicana. Si se forma, lo veré como una bendición, no como un mal. Y si puede desarrollar poder, no para explotar, sino para gobernar, lo sostendré, aconsejaré y me olvidaré de mí mismo, para inaugurar con éxito completo un gobierno democrático en la República. Me basta con haber visto a México surgir entre las naciones útiles y pacíficas. No tengo deseo de continuar en la presidencia. Esta nación está lista para su vida definitiva de libertad».

En Washington, la entrevista fue leída con atención y con un moderado escepticismo. En México causó un revuelo inmenso. Había que tomarle la palabra al viejo dictador. Había que consolidar la oposición.

Francisco I. Madero, 1911

En Coahuila, un joven y riquísimo hacendado llevaba años de luchar por la democracia. No era un místico del poder, como Díaz, sino un místico de la libertad: Francisco I. Madero. En 1908, escribió un libro que se vendió como pan caliente en todo el país: *La sucesión presidencial de 1910.* Allí hacía un balance apasionado pero objetivo del régimen, y rechazaba la «política patriarcal», a la cual le atribuía:

«la corrupción del ánimo, el desinterés por la vida pública, un desdén por la ley y una tendencia al disimulo, al cinismo, al miedo. En la sociedad que abdica de su libertad y renuncia a la responsabilidad de gobernarse a sí misma hay una mutilación, una degradación, un envilecimiento que pueden traducirse fácilmente en sumisión ante el extranjero ... Estamos durmiendo», profetizaba Madero, «bajo la fresca pero dañosa sombra del árbol venenoso ... no hay que engañarnos, vamos a un precipicio».

Si don Porfirio tenía su idea fija (el poder), don Francisco tenía la suya (poner límites al poder). Con buena lógica y en un lenguaje que hasta sus detractores consideraron «virilmente franco y accesible a todas las inteligencias», Madero proponía el remedio: restaurar las prácticas democráticas y la libertad política que iguala a los hombres ante la ley; volver, en suma, a la Constitución del 57.

Nacido en 1873, tres años antes de que Porfirio Díaz tomara el poder, Madero representaba una voz antigua y nueva: antigua, porque había leído a los liberales «puros», los creadores de la Constitución y la Reforma y, como ellos, pensaba que el valor por el que todos ellos habían luchado, la libertad, se había perdido en el régimen de Díaz. Nueva, porque sus métodos de lucha no fueron simbólicos o románticos: desde 1903 había orquestado poco a poco (en cartas, en periódicos, en apoyo material a los disidentes) una vasta empresa de reconquista democrática. Había comenzado en su municipio, más tarde en su estado, y ahora intentaba una labor nacional. Algo debía su devoción libertaria a la fe espiritista que había adoptado en París: Madero hablaba, o creía hablar, con espíritus (entre ellos el del propio Benito Juárez) que le dictaban los pasos que había de dar. Se creía llamado por la providencia —siempre la protagonista de la historia mexicana— a redimir al pueblo mexicano de la tiranía—. Pero su principal inspiración era la lectura de la propia historia mexicana: encarnaba al último y más puro caudillo liberal del siglo XIX, al primer caudillo demócrata del siglo XX.

En 1909, Madero daba el paso decisivo: la formación del Partido

Nacional Antirreeleccionista y el lanzamiento de su candidatura presidencial para 1910. Al poco tiempo comenzaba una serie de giras políticas por toda la República al estilo político norteamericano: nunca en México se había visto algo semejante. «Es la lucha de un microbio contra un elefante», comentó don Evaristo Madero, el abuelo de Francisco, fundador de la gran dinastía empresarial de los Madero. Pero Francisco, que conocía la lección perseverante de Juárez y era tan «salvajemente independiente» como el hacendado liberal Melchor Ocampo, no cedió: sabía que los microbios, en efecto, a veces matan elefantes.

Díaz vio aquel intento de acción política del mismo modo en que hojeó ese libro: con infinito fastidio y desdén. El pobre «Panchito», quizá por sus fervores espiritistas, se había vuelto loco. En cuanto a la oposición «verdaderamente seria», la que propondría la candidatura del general Bernardo Reyes, su eterno procónsul en el norte, don Porfirio la sofocaría en 1909 de la manera más democrática: enviando a Reyes en una comisión al exilio. Juárez no habría hecho otra cosa. No, decididamente no: México no estaba preparado para la democracia. En julio de 1910, el viejo dictador se «sacrificaba» nuevamente por el bien de la nación: una elección a todas luces fraudulenta le daba la victoria sobre Francisco I. Madero, que desde su prisión en San Luis Potosí, ese mismo mes, llamaba al pueblo a una revolución con una fecha predeterminada: el 20 de noviembre de 1910. De Sonora a Yucatán, el pueblo —no sólo las élites— escuchó su voz: se le conocía ya como el Apóstol de la Democracia.

Díaz, entre tanto, iniciaba su octavo periodo presidencial, que debía terminar en 1916: a sus ochenta y seis años. Si Juárez había muerto en la cama... y en la silla, ¿por qué no él? Además, en el horizonte asomaba un hecho de inmensa significación: su octogésimo cumpleaños y el aniversario número cien de la patria mexicana. Había que festejar ambas biografías conjuntamente: en el fondo, Díaz pensaba que eran una y la misma.

*

Y vinieron las fiestas del Centenario en la provincia y la capital. Y Díaz presidió la apoteosis de los héroes y la suya propia. Y no se habían apagado aún las luces de bengala, ni había callado la música y la cohetería, cuando de pronto, como en una súbita erupción volcánica de los pasados mexicanos, todo se estremeció y confundió con otro estruendo, no de artificio, sino de verdad: el formidable estruendo de una nueva Revolución. Esta vez no sería una revolución de opereta, como las de Santa Anna. Tampoco una revolución breve y casi incruenta, como las que había encabezado el propio Díaz. No se parecería siquiera a la guerra de Reforma, guerra de élites al fin, guerra en la que el pueblo había participado más por la leva que por la voluntad. Esta vez sería «la más grande y poderosa de las revoluciones», la revolución social que Lerdo de Tejada había profetizado. Su bandera no era nueva. El caudillo Madero la había tomado de una vieja proclama de Díaz: «Sufragio efectivo, no reelección». Porfirio Díaz pensaba que septiembre de 1910 marcaría el Centenario de un ciclo histórico pleno, el de la Independencia consumada en el progreso, el orden, la paz. La historia cumplida, congelada. No había escuchado la voz crítica de Sierra en aquella lejana carta, ni había leído la última frase de su *Historia Política:* «Toda la evolución social mexicana habrá sido abortiva y frustránea si no llega a ese fin total: la libertad».

Nunca lo creyó y la historia se lo reclamó con inaudita puntualidad: septiembre de 1910 no marcaría un final sino un comienzo: el de una revolución popular muy semejante a la que se festejaba; una revolución que, como la de 1810, duraría diez años; una revolución generalizada, que costaría cientos de miles de vidas; una revolución encabezada por nuevos caudillos modernos y arcaicos, desgarrados como aquéllos entre los ideales de futuro y las raíces en el pasado; caudillos nacionalistas, democráticos, anarquistas, socialistas, religiosos, jacobinos, guadalupanos. Con el tiempo, todos estos caudillos ingresarían triunfalmente a un nuevo panteón cívico nacional: el panteón de la Revolución Mexicana. Sobre ellos se escribirían nuevas epopeyas, hagiografías, catecismos que darían cuenta de sus hazañas reales o imaginarias y de las muertes de varios de ellos: ya no frente a un pelotón sino asesinados a traición. Este catecismo revolucionario se enlazaría con el liberal para fundirse en uno solo: el Catecismo de la Patria Revolucionaria. Hidalgo, Morelos, Bravo, Guerrero, Juárez se hermanarían en el mismo cielo con Madero, Villa, Zapata, Carranza, Obregón, Calles, Cárdenas.

En el infierno seguirían purgando su culpa eterna los «traidores», los «vendepatrias», los «mochos», los «cangrejos», los «ilusos», los «reaccionarios», los «malos mexicanos»: Iturbide, Alamán, Santa Anna, Miramón, Maximiliano de Habsburgo (y Cuernavaca), acompañados ahora por un nuevo e inesperado huésped liberal: el «Héroe de la paz, el orden y el progreso», Porfirio Díaz, que no acabaría como Juárez, sino en el olvido, lejos de su país, de su añorada Oaxaca y de «Juana Cata», la india de Tehuantepec a la que llamaba y recordaba en su hora final. Falleció en París, el 2 de julio de 1915. Como todos los otros anti-

Tumba de Porfirio en el cementerio de Montparnasse, París

héroes de la maniquea historia mexicana, don Porfirio moriría sin «un recuerdo de gloria ni un sepulcro de honor», pero en su caso con una pena mayor, tal vez la más injusta de aquel siglo de caudillos. Los restos de todos, incluso los de Hernán Cortés, descansarían en México; los de Porfirio Díaz no. En 1994 permanecen todavía sepultados en una sencilla tumba del Panteón de Montparnasse en París, proscritos de la patria cruel que contribuyó a salvar, edificar y consolidar. Su exilio póstumo ha sido largo: quizá será eterno.

Apéndices

Bibliografía

I. Historia de bronce

Alamán, Lucas, *Semblanzas e Ideario,* UNAM (Biblioteca del Estudiante Universitario 8), México, 1978.

Cosío Villegas, Daniel, *Historia moderna de México: La República Restaurada,* Editorial Hermes, México, 1955.

Crónica Oficial de las Fiestas del Primer Centenario de la Independencia de México, bajo la dirección de Genaro García, Talleres del Museo Nacional, México, 1911.

González, Luis, *Todo es historia,* Editorial Cal y Arena, México, 1989.

–, *Once ensayos de tema insurgente,* Gobierno del estado de Michoacán/El Colegio de Michoacán, Michoacán, 1985.

Hale, Charles A., *Mexican liberalism in the age of Mora 1821-1853,* Yale University Press, Yale, 1968.

Historia del arte mexicano, tomos 8 y 9, Secretaría de Educación Pública/Instituto Nacional de Bellas Artes/SALVAT, México, 1982.

Historia general de México, tomo III, El Colegio de México, México, 1976.

La columna de la Independencia, Editorial Jilguero, México, 1990.

Meyer, Jean, *La Revolución Mejicana,* Dopesa, Barcelona, 1975.

O'Gorman, Edmundo, *México, el trauma de su historia,* UNAM, México, 1977.

Prieto, Guillermo, *Lecciones de Historia Patria,* Instituto Nacional de Bellas Artes/Instituto Nacional de Estudios Históricos de la Revolución Mexicana (INEHRM)/Secretaría de Educación Pública, México, 1987.

Rabasa, Emilio, *La organización política de México. La Constitución y la Dictadura,* Editorial América, Madrid, s.f.

Roa Bárcena, José María, *Catecismo elemental de la historia de México,* INEHRM/Instituto Nacional de Bellas Artes, México, 1986.

Sierra, Justo, *Obras Completas. Evolución Política del Pueblo Mexicano,* tomo XII, UNAM, México, 1977.

Sosa, Francisco, *Las estatuas de la Reforma. Noticias biográficas de las personas en ellas representadas,* Oficina Tipográfica de la Secretaría de Fomento, México, 1900.
Tena Ramírez, Felipe, *Vasco de Quiroga y sus pueblos de Santa Fe en los siglos XVIII y XIX,* Editorial Porrúa, México, 1990.
Vasconcelos, José, *Breve Historia de México,* Editorial Continental, México, 1971.
Vázquez de Knauth, Josefina, *Nacionalismo y educación en México,* El Colegio de México, México, 1970.

II. Sacerdotes insurgentes

Abad y Queipo, Manuel, *Colección de los escritos más importantes que en diferentes épocas dirigió al gobierno,* Mariano Ontiveros, México, 1813.
—, *Escritos del Obispo Electo de Michoacán... que contienen los conocimientos preliminares para la inteligencia de las cuestiones relativas al Crédito Público de la República Mexicana,* en José María Luis Mora, *Obras sueltas,* Editorial Porrúa (Biblioteca Porrúa 26), México, 1963.
Alamán, Lucas, *Historia de Méjico,* Editorial Jus, México, 1972, tomo I.
—, *Historia de Méjico,* tomo III, Imprenta de J.M. Lara, México, 1850.
Alamán, Lucas, José María Lafragua, Manuel Payno, *et al.*, *Episodios Históricos de la Guerra de Independencia,* tomo II, Imprenta de «El Tiempo», México, 1910.
Amaya, Jesús, *El padre Hidalgo y los suyos,* Editorial Lumen, México, 1952.
Apuntes para la biografía del Exmo. Sr. D. Lucas Alamán, Imprenta del Sagrado Corazón de Jesús, México, 1897.
Arreguín, Enrique, *Hidalgo en el Colegio de San Nicolás,* Ediciones de la Universidad Michoacana de San Nicolás de Hidalgo, Morelia, s.f.
—, *Hidalgo en San Nicolás. Documentos inéditos,* Fimax, Morelia, 1956.
Brading, David A., «La situación económica de los hermanos don Manuel y don Miguel Hidalgo y Costilla», *Boletín del Archivo General de la Nación,* XI, 1 y 2 (México, enero-junio 1970).
—, *Mito y profecía en la historia de México,* Editorial Vuelta, México, 1988.
—, *The First America,* Cambridge University Press, Cambridge, 1991.
—, *The origins of Mexican nationalism,* Cambridge University Press, Cambridge, 1985.
Bustamante, Carlos María de, *Hidalgo,* Empresas Editoriales, México, 1953.
Carrera Stampa, Manuel, «Hidalgo y su plan de operaciones», *His-*

toria Mexicana, III, 10 (El Colegio de México, octubre-diciembre 1953).

Castillo Ledón, Luis, *Hidalgo, la vida del héroe,* INEHRM, México, 1985, 2 vols.

Chávez, Ezequiel A., *Hidalgo,* Editorial Campeador, México, 1957.

De la Fuente, José María, *Hidalgo íntimo,* SEP, México, 1980.

«Don Miguel Hidalgo y Costilla», *Boletín Bibliográfico de la Secretaría de Hacienda y Crédito Público,* 375 (México, 15 de septiembre de 1967).

Fuentes Díaz, Vicente, *El Obispo Abad y Queipo frente a la Independencia,* Editorial Altiplano, México, 1985.

García, Genaro, *Documentos Históricos Mexicanos,* vol. 6, INEHRM, México, 1985.

González, Luis, *Once ensayos de tema insurgente,* Gobierno del estado de Michoacán/El Colegio de Michoacán, Michoacán, 1985.

González Navarro, Moisés, «Alamán e Hidalgo», *Historia Mexicana,* III, 10 (El Colegio de México, octubre-diciembre 1953).

Hamill, Hugh M., *The Hidalgo Revolt, Prelude to Mexican Independence,* Greenwood Press, Wesport, 1970.

Hamnett, Brian R., *Roots of insurgency. Mexican regions, 1750-1824,* Cambridge University Press, Cambridge, 1986.

Hernández y Dávalos, Juan E., *Colección de documentos para la historia de la guerra de Independencia de México de 1808 a 1821,* vols. I, II y VI, José M.ª Sandoval impresor, México, 1877-1882.

Hernández Luna, Juan, «Hidalgo pintado por los realistas», *Historia Mexicana,* IV, 13 (El Colegio de México, julio-septiembre 1954).

—, «El mundo intelectual de Hidalgo», *Historia Mexicana,* III, 10 (El Colegio de México, octubre-diciembre 1953).

Herrejón Peredo, Carlos, *Hidalgo antes del grito de Dolores,* Universidad Michoacana de San Nicolás Hidalgo (Biblioteca de Nicolaítas Notables 46), Morelia, 1992.

—, *Los procesos de Morelos,* El Colegio de Michoacán, Zamora, 1985.

—, *Morelos, Documentos inéditos de vida revolucionaria,* El Colegio de Michoacán, Zamora, 1987.

—, *Hidalgo. Razones de la insurgencia y biografía documental,* Secretaría de Educación Pública, México, 1987.

—, *Morelos. Vida preinsurgente y lecturas,* El Colegio de Michoacán, Zamora, 1984.

Humboldt, Alejandro de, *Ensayo político sobre el reino de la Nueva España,* Editorial Porrúa, México, 1973.

Lynch, John, *Las revoluciones hispanoamericanas (1808-1826),* Editorial Ariel, Barcelona, 1976.

Méndez Plancarte, Gabriel, «Hidalgo, reformador intelectual», *Abside* (México, abril-junio 1935).
Meyer, Jean, *Los tambores de Calderón,* Editorial Diana, México, 1993.
Meyer, Jean, *et al.*, *Tres levantamientos populares: Pugachóv, Túpac Amaru, Hidalgo,* CEMCA/CONACULTA, México, 1992.
Rangel, Nicolás, «Estudios literarios de Hidalgo», *Boletín del Archivo General de la Nación,* I, 1 (México, septiembre-octubre 1930).
—, *Los precursores ideológicos de la Guerra de Independencia,* Archivo General de la Nación, México, 1932.
Rivera, Agustín, *El joven Teólogo Miguel Hidalgo y Costilla, anales de su vida y de su revolución de independencia,* Ediciones de la Universidad Michoacana de San Nicolás Hidalgo, Morelia, s.f.
Teja Zabre, Alfonso, *Vida de Morelos,* INEHRM, México, 1985.
Timmons, Wilbert H., *Morelos, sacerdote, soldado, estadista,* Fondo de Cultura Económica, México, 1983.
Villaseñor y Villaseñor, Alejandro, *Biografías de los héroes y caudillos de la Independencia,* México, 1910.
Villoro, Luis, *El proceso ideológico de la revolución de independencia,* UNAM, México, 1967.
—, «Hidalgo: violencia y libertad», *Historia Mexicana,* II, 6 (El Colegio de México, octubre-diciembre 1952).
Zaid, Gabriel, *Omnibus de poesía mexicana,* Siglo XXI, México, 1973.

III. El derrumbe del criollo

Alamán, Lucas, *Semblanzas e Ideario,* UNAM (Biblioteca del Estudiante Universitario 8), México, 1978.
—, *Historia de México,* tomos IV y V, imprenta de J.M. Lara, México, 1852.
—, *Disertaciones,* tomos I y II, Editorial Jus, México, 1969.
—, *Documentos Diversos (inéditos y muy raros),* tomos III y IV, Editorial Jus, México, 1946-47.
Aguayo Spencer, Rafael, «Alamán estadista», *Historia Mexicana,* III, 10 (El Colegio de México, octubre-diciembre 1953).
Anna, Timothy E., *El imperio de Iturbide,* CONACULTA/Editorial Alianza, México, 1991.
Arnáiz y Freg, Arturo, «Alamán en la historia y en la política», *Historia Mexicana,* III, 10 (El Colegio de México, octubre-diciembre 1953).
—, «El Doctor Mora, teórico de la reforma liberal», *Historia Mexicana,* V, 20 (El Colegio de México, abril-junio 1956).

Barquin y Ruiz, Andrés, *Agustín de Iturbide: Campeón del Hispanoamericanismo,* Editorial Jus, México, 1968.
Berlandier, Luis; Rafael Chovell, *La Comisión de Límites. Diario de Viajes,* Archivo General del Estado de Nuevo León, Monterrey, 1989, n.º 39.
–, *La Comisión de Límites. De Bejar a Matamoros,* Archivo General del Estado de Nuevo León, Monterrey, 1989, n.º 40.
Bolívar, Simón, *Doctrina del Libertador,* prólogo de Augusto Mijares, compilación, notas y cronología de Manuel Pérez Vila, Biblioteca Ayacucho, Montevideo, 1976.
Bravo Ugarte, José, «El conflicto con Francia de 1829-1839», *Historia Mexicana,* 8 (El Colegio de México).
Bulnes, Francisco, *Las grandes mentiras de nuestra Historia. La Nación y el ejército en las guerras extranjeras,* Editora Nacional, México, 1951.
Calderón de la Barca, Madame, *La vida en México durante una residencia de dos años en ese país,* Editorial Porrúa, México, 1959.
Costeloe, Michael P., *La primera república federal de México. 1824-1835,* Fondo de Cultura Económica, México, 1983.
Díaz Díaz, Fernando, *Caudillos y Caciques,* El Colegio de México, México, 1972.
–, *Santa Anna y Juan Alvarez frente a frente,* Secretaría de Educación Pública (Sepsetentas 33), México, 1972.
Fernández de Lizardi, José Joaquín, *Obras. Periódicos,* UNAM, México, 1973.
Florstedt, Roberto F., «Mora contra Bustamante», *Historia Mexicana,* XII, 45 (El Colegio de México, julio-septiembre 1962).
–, «Mora y la génesis del liberalismo burgués», *Historia Mexicana,* XI, 42 (El Colegio de México, octubre-diciembre 1961).
González Navarro, Moisés, *Anatomía del poder en México 1848-1853,* El Colegio de México, México, 1983.
Gringoire, Pedro, «El "protestantismo" del Doctor Mora», *Historia Mexicana,* III, 11 (El Colegio de México, enero-marzo 1954).
Gutiérrez Casillas, José, S.J., *Papeles de don Agustín de Iturbide,* Editorial Tradición, México, 1977.
Hale, Charles A., «Alamán, Antuñano y la continuidad del liberalismo», *Historia Mexicana,* XI, 42 (El Colegio de México, octubre-diciembre 1961).
–, *Mexican liberalism in the age of Mora 1821-1853,* Yale University Press, Yale, 1968.
Herrejón Peredo, Carlos, *Guadalupe Victoria, Documentos I,* INEHRM, México, 1986.

Liceaga, José María de, *Adiciones y rectificaciones a la Historia de México,* INEHRM, México, 1985.

López Aparicio, Alfonso, *Alamán, primer economista de México,* Editorial Jus, México, 1986.

López de Santa Anna, Antonio, *La guerra de Texas. Documentos,* Universidad Autónoma Metropolitana (UAM), México, 1983.

Mora, José María Luis, *Obras sueltas,* Editorial Porrúa (Biblioteca Porrúa 26), México, 1963.

—, *Obras completas,* tomos II, IV y VIII, Instituto Mora/Secretaría de Educación Pública, México, 1987.

—, *México y sus revoluciones,* 3 tomos, Editorial Porrúa, México, 1977.

Mörner, Magnus, «Una carta de Iturbide en 1824», *Historia Mexicana,* XIII, 52 (El Colegio de México, abril-junio 1964).

Morton Ohland, «Life of general don Manuel de Mier y Teran, as it affected Texas-Mexican relations», *Southwestern Historical Quarterly,* XLVI, 1 (julio 1942).

Muñoz, Rafael F., *Santa Anna: El dictador resplandeciente,* Fondo de Cultura Económica, México, 1983.

Noriega Elío, Cecilia, *El Constituyente de 1842,* UNAM, México, 1986.

O'Gorman, Edmundo, *Hidalgo en la historia* (discurso), Academia Mexicana de la Historia, México, 1964.

—, *La supervivencia política novohispana,* CONDUMEX, México, 1969.

Olavarría y Ferrari, Enrique, y Juan de Dios Arias, *México a través de los Siglos,* vol. IV: *México Independiente 1821-1855,* Editorial Cumbre, México, 1970.

Otero, Mariano, *Obras,* recopilación, selección, comentarios y estudio preliminar de Jesús Reyes Heroles, Editorial Porrúa (Biblioteca Porrúa 33), México, 1967, 2 vols.

Pérez, Fernando, sobre Javier Ocampo: «Las ideas de un día. El pueblo mexicano en la consumación de su independencia», *Historia Mexicana,* XX, 78 (El Colegio de México, octubre-diciembre 1970).

Poinsett, Joel R., *Notas sobre México,* Editorial Jus, México, 1973.

Potash, Robert A., *El Banco de Avío de México, el fomento de la industria 1821-1846,* Fondo de Cultura Económica, México, 1986.

Prieto, Guillermo, *Memorias de mis tiempos,* Editorial Patria, México, 1969.

Reyes de la Maza, Luis, *El teatro en México en la época de Santa Anna,* UNAM, México, 1979.

Reyes Heroles, Jesús, *El Liberalismo Mexicano,* Fondo de Cultura Económica, México, 1982, 3 vols.

Sanders, Frank, «México visto por los diplomáticos del siglo XIX»,

Historia Mexicana, XX, 79 (El Colegio de México, enero-marzo 1971).

Sierra, Justo, *Evolución Política del Pueblo Mexicano,* tomo XII de *Obras Completas,* UNAM, México, 1977.

Suárez y Navarro, Juan, *Historia de México y del general Antonio López de Santa Anna,* INEHRM, México, 1987.

Trueba, Alfonso, *Iturbide, un destino trágico,* Editorial Jus, México, 1959.

Valadés, José C., *México, Santa Anna, y la guerra de Texas,* Editorial Diana, México, 1982.

—, *Alamán: Estadista e historiador,* UNAM, México, 1987.

Vázquez Mantecón, Carmen, *Santa Anna y la encrucijada del Estado; la dictadura (1853-1855),* Fondo de Cultura Económica, México, 1986.

Velázquez, María del Carmen, «Alamán y sus ideas», *Historia Mexicana,* II, 8 (El Colegio de México, abril-junio 1953).

Ward, George Henry, *México en 1827,* Fondo de Cultura Económica, México, 1981.

Zavala, Lorenzo de, *Obras. El Historiador y el Representante Popular. Ensayo crítico de las revoluciones de México desde 1808 hasta 1830,* Editorial Porrúa, México, 1969.

—, *Obras. El periodista y el traductor,* prólogo, ordenación y notas de Manuel González Ramírez, Editorial Porrúa (Biblioteca Porrúa 32), México, 1966.

Zavala, Silvio y José Bravo Ugarte, «Un nuevo Iturbide», *Historia Mexicana,* II, 6 (El Colegio de México, octubre-diciembre 1952).

IV. El temple del indio

Aurreola Cortés, Raúl, *Ocampo,* Universidad Michoacana de San Nicolás de Hidalgo, 1992.

Basch, Samuel, *Recuerdos de México,* Editora Nacional, México, 1953.

Bazant, Jan, «La desamortización de los bienes corporativos de 1856», *Historia Mexicana,* XVI, 62 (El Colegio de México, octubre-diciembre 1966).

Berry, Charles, «La ciudad de Oaxaca en vísperas de la Reforma», *Historia Mexicana,* XIX, 73 (El Colegio de México, julio-septiembre 1969).

—, *La Reforma en Oaxaca. Una microhistoria de la revolución liberal 1856-1876,* Editorial Era, México, 1989.

Blasio, José Luis, *Maximiliano íntimo, memorias de un secretario particular,* Editora Nacional, México, 1966.

Bravo Ugarte, José, *Munguía, Obispo y Arzobispo de Michoacán (1810-1868),* Editorial Jus, México, 1967.
Broussard, Ray E., «Mocedades de Comonfort», *Historia Mexicana,* XIII, 51 (El Colegio de México, enero-marzo 1964).
Bulnes, Francisco, *Juárez y las revoluciones de Ayutla y Reforma,* Editorial H.T. Milenario, México, 1967.
Conte Corti, Egon Caesar, *Maximiliano y Carlota,* Fondo de Cultura Económica, México, 1971.
Covo, Jacqueline, *Las ideas de la Reforma en México (1855-1861),* UNAM, México, 1983.
De la Maza, Francisco, «Melchor Ocampo, literato y bibliófilo», *Historia Mexicana,* XI, 41 (El Colegio de México, julio-septiembre 1961).
De la Portilla, Anselmo, *México en 1856 y 1857. Gobierno del General Comonfort,* INEHRM, México, 1987.
Documentos básicos de la Reforma, 1854-1875, investigación histórica, introducción, compilación y registro bibliográfico de Mario V. Guzmán Galarza, vol. IV, Partido Revolucionario Institucional (P.R.I.), México, 1982.
El Sitio de Querétaro, compilación de Daniel Moreno, Editorial Porrúa, México, 1982.
Fuentes Mares, José, *Juárez, los Estados Unidos y Europa,* Editorial Grijalbo, México, 1981.
—, *... Y México se refugió en el desierto,* Centro Librero La Prensa, México, 1979.
—, *La emperatriz Eugenia y su aventura mexicana,* El Colegio de México, México, 1976.
González, Luis, *La Ronda de las generaciones,* Secretaría de Educación Pública, México, 1984.
—, *Galería de la Reforma,* Secretaría de Educación Pública, México, 1984.
Guzmán Galarza, Mario V., *Documentos básicos de la Reforma,* tomo IV, P.R.I., México, 1982.
Henestrosa, Andrés, *Los caminos de Juárez,* Fondo de Cultura Económica (Lecturas Mexicanas 77), México, 1985.
Hidalgo y Esnaurrízar, José Manuel, *Proyectos de Monarquía en México,* Editorial Jus, México, 1962.
Iglesias, José María, *Revistas Históricas sobre la Intervención Francesa en México,* Editorial Porrúa, México, 1987.
Israel, Jonathan I., *Razas, clases sociales y vida política en el México Colonial, 1610-1670,* Fondo de Cultura Económica, México, 1981.

Iturribarría, Jorge Fernando, «El partido borlado», *Historia Mexicana,* III, 12 (El Colegio de México, abril-junio 1954).
Jackson Hanna, Alfred, y Kathryn Abbey Hanna, *Napoleón III y México,* Fondo de Cultura Económica, México, 1981.
Juárez, Benito, *Discursos y manifiestos,* INEHRM, México, 1987.
–, *Documentos discursos y correspondencia,* Editorial Libromex, México, 1964.
–, *Epistolario,* Fondo de Cultura Económica, México, 1957.
–, *Exposiciones (cómo se gobierna),* INEHRM, México, 1987.
–, *Miscelánea,* INEHRM, México, 1987.
Knapp, Frank A., *Sebastián Lerdo de Tejada,* Universidad Veracruzana, Veracruz, 1962.
Knowlton, Robert J., «La Iglesia mexicana y la Reforma: respuesta y resultados», *Historia Mexicana,* XVIII, 72 (El Colegio de México, abril-junio 1969).
–, *Los bienes del clero y la Reforma mexicana, 1856-1910,* Fondo de Cultura Económica, México, 1985.
Kolonitz, Paula, *Un viaje a México en 1864,* Secretaría de Educación Pública, México, 1972.
Lefevre, E., *Historia de la Intervención Francesa en México, Documentos oficiales recogidos en la secretaría privada de Maximiliano,* Bruselas y Londres, 1869.
Lombardo de Miramón, Concepción, *Memorias,* Editorial Porrúa (Biblioteca Porrúa 74), México, 1989.
Maciel, David R., *Ignacio Ramírez ideólogo del liberalismo social en México,* UNAM, México, 1980.
Molina Enríquez, Andrés, *Juárez y la Reforma,* Editorial Libromex, México, 1958.
Moreno, Daniel, *Los hombres de la reforma,* Editorial Libromex, México, 1961.
Ocampo, Melchor, *Obras completas,* F. Vázquez editor, México, 1900, 3 tomos.
Ochoa Campos, Moisés, *Ignacio Manuel Altamirano, Discursos cívicos,* CREA, México, 1984.
Parra, Porfirio, *Estudio histórico-sociológico sobre la Reforma en México,* Trabajo presentado al Concurso abierto por «La Comisión del Centenario», Imprenta de la *Gaceta de Guadalajara,* Guadalajara, 1906.
Payno, Manuel, *Memorias sobre la Revolución,* INHERM, México, 1987.
Paz, Ireneo, *Algunas campañas. Memorias,* Imprenta y Litografía de Ireneo Paz, México, 1885.
Poesía Mexicana, 1810-1914, selección de Carlos Monsiváis, tomo I, PROMEXA, México, 1979.

Proceso de Fernando Maximiliano de Habsburgo, Miguel Miramón y Tomás Mejía, prólogo de José Fuentes Mares, Editorial Jus, México, 1966.
Ramírez de Arellano, Manuel, *Ultimas horas del Imperio,* Tipografía Mexicana, México, 1869.
Riva Palacio, Vicente, *Historia de la Administración de don Sebastián Lerdo de Tejada,* Imprenta y Litografía del Padre Cobos, México, 1875.
Rivera Cambas, Manuel, *Historia de la Intervención Europea y Norteamericana en México y del Imperio de Maximiliano de Habsburgo,* INEHRM, México, 1987, 3 tomos.
Roeder, Ralph, *Juárez y su México,* México, 1958, 2 tomos.
Scholes, Walter V., *Política mexicana durante el régimen de Juárez, 1855-1872,* Fondo de Cultura Económica, México, 1976.
Sierra, Justo, *Juárez: su obra y su tiempo,* Editorial Porrúa, México, 1989.
Sosa, Francisco, *Efemérides Históricas y Biográficas,* INEHRM, México, 1985, 2 vols.
Spores, Ronald, *et al.*, *Benito Juárez: Gobernador de Oaxaca, documentos de su mandato y servicio público,* Archivo General del Estado de Oaxaca, Oaxaca, 1987.
Torres, Víctor Manuel, «El pensamiento político de Ignacio Ramírez», *Historia Mexicana,* XII, 46 (El Colegio de México, octubre-diciembre 1962).
Treviño Villarreal, Mario, *Rebelión contra Juárez, 1869-1870,* Archivo General del Estado de Nuevo León, Monterrey, 1991.
Vasconcelos, Francisco, *Apuntes históricos de la vida en Oaxaca en el siglo XIX,* s.p.i.
Vigil, José María, *México a Través de los Siglos,* vol. V, *La Reforma,* Editorial Cumbre, México, 1970.
Zaid, Gabriel, *Omnibus de poesía mexicana,* Siglo XXI, México, 1973.
Zayas Enríquez, Rafael de, *Benito Juárez: su vida / su obra,* Secretaría de Educación Pública, México, 1971.

V. El ascenso del mestizo

Archivo del General Porfirio Díaz, tomo I, Editorial Elede, México, 1947.
Beals, Carleton, *Porfirio Díaz,* Editorial Domés, México, 1982.
Brasseur, Charles Etienne, *Viaje por el istmo de Tehuantepec,* Fondo de Cultura Económica, México, 1981.
Bulnes, Francisco, *Rectificaciones y aclaraciones a las Memorias del General Díaz,* Bibliofilia Mexicana Editores, México, 1992.

Cosío Villegas, Daniel, *Estados Unidos contra Porfirio Díaz,* Editorial Hermes, México, 1955.
–, *Historia moderna de México: La República Restaurada,* Editorial Hermes, México, 1955.
–, *La Constitución de 1857 y sus críticos,* Editorial Hermes, México, 1957.
–, *Historia Moderna de México: El Porfiriato, vida económica,* Editorial Hermes, México, 1965, 2 tomos.
–, *Historia moderna de México: El Porfiriato, vida política interior, primera parte,* Editorial Hermes, México, 1971.
–, *Historia moderna de México: El Porfiriato, vida política interior,* segunda parte, Editorial Hermes, México, 1972.
–, *Llamadas,* El Colegio de México, México, 1980.
Creelman, James, «Presidente Díaz, Hero of the Americas», *Pearson's Magazine,* 3 (Marzo 1908).
Cumberland, Charles C., *Mexico, the Struggle for modernity,* Oxford University Press, Oxford, 1968.
Díaz, Porfirio, *Memorias,* Editorial Offset, México, 1983, 2 tomos.
–, «Don Porfirio visto a través de su sastre», *Hoy* (6 de septiembre de 1952).
–, «Don Porfirio y los yaquis», *Así* (26 de febrero de 1944).
Estadísticas económicas del Porfiriato, fuerza de trabajo y actividad económica por sectores, El Colegio de México, México, s.f.
Gamboa, Federico, *Diario,* selección, prólogo y notas de José Emilio Pacheco, Editorial Siglo XXI, México, 1977.
Hale, Charles A., *La transformación del liberalismo en México a fines del siglo XIX,* Editorial Vuelta, México, 1991.
Hart, John M., *El anarquismo y la clase obrera mexicana, 1860-1931,* Editorial Siglo XXI, México, 1980.
Iturribarría, Jorge Fernando, «La política de conciliación del general Díaz y el arzobispo Gillow», *Historia Mexicana,* XIV, 53 (El Colegio de México, julio-septiembre 1964).
Kaiser, Chester C., «J.W. Foster y el desarrollo económico de México», *Historia Mexicana,* VII, 25 (El Colegio de México, julio-septiembre 1957).
Krauze, Enrique, *Biografía del Poder. Porfirio Díaz. Místico de la autoridad,* Fondo de Cultura Económica, México, 1991.
–, *Biografía del Poder. Francisco I. Madero. Místico de la libertad,* Fondo de Cultura Económica, México, 1987.
López Portillo y Rojas, José, *Elevación y caída de Porfirio Díaz,* Editorial Porrúa, México, 1921.
Meyer, Jean, *La Revolución Mejicana,* Dopesa, Barcelona, 1975.

Molina Enríquez, Andrés, *Los grandes problemas nacionales,* Editorial Era, México, 1978.
Paz, Octavio, *México en la obra de Octavio Paz,* Editorial Promexa, México, 1979.
Rabasa, Emilio, *La evolución histórica de México,* Editorial Porrúa, México, 1972.
—, *Organización política de México,* Editorial América, Madrid, s.f.
Roeder, Ralph, *Hacia el México moderno: Porfirio Díaz,* Fondo de Cultura Económica, México, 1983, 2 tomos.
Taracena, Angel, *Porfirio Díaz,* Editorial Jus, México, 1983.
Ultimos meses de Porfirio Díaz en el poder. Antología Documental, INEHRM, México, 1985.
Zayas Enríquez, Rafael de, *Porfirio Díaz,* Apletons, 1908.

Indice onomástico